Chambers
French
Verbs

Chambers

CHAMBERS
An imprint of Chambers Harrap Publishers Ltd
7 Hopetoun Crescent, Edinburgh, EH7 4AY

Chambers Harrap is an Hachette UK company

© Chambers Harrap Publishers Ltd 2009

Chambers® is a registered trademark of Chambers Harrap Publishers Ltd

This third edition published by Chambers Harrap Publishers Ltd 2009
First published as *Harrap's French Verbs* in 1987
Second edition published 2002

The moral rights of the author have been asserted
Database right Chambers Harrap Publishers Ltd (makers)

A CIP catalogue record for this book is available from the British Library.

ISBN 978 0550 10502 8

10 9 8 7 6 5 4 3 2 1

Project Editors: Alex Hepworth, Kate Nicholson
With Helen Bleck

www.chambers.co.uk

Designed by Chambers Harrap Publishers Ltd, Edinburgh
Typeset in Rotis Serif and Meta Plus by Macmillan Publishing Solutions
Printed and bound in Spain by Graphy Cems

INTRODUCTION

Chambers' concise yet authoritative guide to French verbs is designed to be a quick, straightforward reference for all learners of French. It opens with some essential grammatical information, explaining in accessible terms how different verb types are conjugated and how the various tenses are used. The main body of the book is then comprised of verb tables, showing the full conjugation of over 200 French verbs which can be used as models for all the others. In the extensive bilingual index, verbs are cross-referred to the table whose model they follow, while those used as models themselves are clearly marked.

This new edition has been updated with a smart two-colour design to make consultation even easier and more enjoyable. Suitable for everyone from beginners to experienced language learners, this pocket reference is an essential companion for anyone wishing to communicate effectively in French.

CONTENTS

A GLOSSARY OF GRAMMATICAL TERMS   5

GRAMMATICAL INFORMATION   8

   A.   **THE MAIN VERB CATEGORIES**   8
   B.   **USE OF TENSES**   11
   C.   **THE AUXILIARIES ÊTRE AND AVOIR IN COMPOUND TENSES**   16
   D.   **AGREEMENT OF THE PAST PARTICIPLE**   17
   E.   **THE PASSIVE**   19
   F.   **DEFECTIVE VERBS**   21
   G.   **VERBAL CONSTRUCTIONS WITH THE INFINITIVE**   21

VERB TABLES   26

INDEX OF FRENCH VERBS   237

ENGLISH-FRENCH INDEX   258

A GLOSSARY OF GRAMMATICAL TERMS

ACTIVE   The active form of a verb is the basic form as in I *love* him. It is normally opposed to the **PASSIVE** form of the verb as in he *is loved*.

AUXILIARY   The French auxiliary verbs are avoir ('to have') and être ('to be'). They are used to make up the first part of **COMPOUND TENSES**, the second part being a **PAST PARTICIPLE**, eg j'ai mangé, il est allé.

CLAUSE   A clause is a group of words which contains at least a **SUBJECT** and a **VERB**: he said is a clause. A clause often contains more than this basic information, eg he said this to her yesterday. Sentences can be made up of several clauses, eg he said/he'd call me/if he were free.

COMPOUND TENSE   Compound tenses are verb tenses consisting of more than one element. In French, the compound tenses of a verb are formed by the **AUXILIARY VERB** and the **PAST PARTICIPLE**: j'ai visité, il est venu.

CONDITIONAL   This mood is used to describe what someone would do, or something that would happen if a condition were fulfilled, eg I *would come* if I were well, the chair *would have broken* if he had sat on it.

CONJUGATION   The conjugation of a verb is the set of different forms taken in the particular tenses of that verb.

DIRECT OBJECT   A direct object is a noun or a pronoun which in English follows a verb without any linking preposition, eg I met *a friend*.

ENDING   The ending of a verb is determined by the *person* (1st/2nd/3rd) and *number* (singular/plural) of its subject. In French, most tenses have six different endings. *See* **PERSON** and **NUMBER**.

IMPERATIVE This mood is used for giving orders, eg eat!, don't go!

INDICATIVE This is the 'normal' form of a verb as in I like, he came, we are trying. It is opposed to the SUBJUNCTIVE, CONDITIONAL and IMPERATIVE.

INDIRECT OBJECT An indirect object is a pronoun or noun which follows a verb indirectly, with a linking preposition (usually to), eg I spoke to my friend/him.

INFINITIVE The infinitive is the 'basic' form of the verb as found in dictionaries. In English it is often preceded by to, eg to eat, to finish, to take. In French, the infinitive is recognizable by its ending (-er, -ir or -re, eg manger, finir, prendre).

INTRANSITIVE VERB An intransitive verb is one which does not take a DIRECT OBJECT, eg Peter sneezed loudly. See also TRANSITIVE VERB.

MOOD This is the name given to the four main areas within which a verb is conjugated. See INDICATIVE, SUBJUNCTIVE, CONDITIONAL, IMPERATIVE.

OBJECT See DIRECT OBJECT and INDIRECT OBJECT.

PASSIVE A verb is used in the passive when the subject of the verb does not perform the action but is subjected to it. The passive is formed with the verb to be and the past participle of the verb, eg he was rewarded. It is generally opposed to the ACTIVE form.

PAST PARTICIPLE The past participle of a verb is the form which is used after to have in English, eg I have eaten, I have said, you have tried.

PERSON In any tense, there are three persons in the singular (1st: I ..., 2nd: you ..., 3rd: he/she/it ...), and three in the plural (1st: we ..., 2nd: you ..., 3rd: they ...). See also ENDING.

PRESENT PARTICIPLE The present participle is the verb form which ends in **-ing** in English and **-ant** in French.

REFLEXIVE Reflexive verbs 'reflect' the action back onto the subject, eg **I dressed myself**. They are always found with a reflexive pronoun and are much more common in French than in English. In the **INFINITIVE**, French reflexive verbs are preceded by se or s'.

SIMPLE TENSE Simple tenses are tenses in which the verb consists of one word only, eg j'habite, Maurice partira.

STEM The stem of a verb is its 'basic unit' to which the various endings are added. In French, the stem of parler is parl-, finir > fin-, prendre > prend- *etc*.

SUBJECT The subject of a verb is the noun or pronoun which performs the action. In the sentences, **the train left early** and **she bought a record**, *the train* and *she* are the subjects.

SUBJUNCTIVE The subjunctive is a verb form which is rarely used in English, eg **if I *were* you, God *save* the Queen**, but common in French.

SUBORDINATE CLAUSE A subordinate clause is a group of words with a **SUBJECT** and a **VERB** which is dependent on another clause, ie it cannot stand alone. For example, in **he said he would leave**, *he would leave* is the subordinate clause dependent on *he said*.

TENSE Verbs are used in tenses, which tell us whether an action takes place in the present, the past or the future.

TRANSITIVE VERB A transitive verb is one which takes a **DIRECT OBJECT**, eg **he ate the apple**.

VERB A verb is a word which describes the performance of an action, eg **to sing, to work, to watch** or the existence of a state, eg **to be, to have, to hope**. *See also* **INTRANSITIVE VERB**.

VOICE The two voices of a verb are its **ACTIVE** and **PASSIVE** forms.

GRAMMATICAL INFORMATION

A THE MAIN VERB CATEGORIES

There are three main conjugations in French, each one distinguished by the ending of its infinitive:

verbs ending in -ER
verbs ending in -IR
verbs ending in -RE

First Conjugation: verbs ending in -ER

Most of these follow the pattern of chanter ('to sing'), which is given in full in **table 31**. See **D.** below, however, for standard irregularities.

Second Conjugation: verbs ending in -IR

Most of these follow the pattern of finir ('to finish'), which is given in full in **table 92**.

Third Conjugation: verbs ending in -RE

These follow several different patterns; consult the index for the conjugation of individual verbs.

Standard Irregularities of the First Conjugation

1 Verbs ending in -cer

These require a cedilla under the c before an a or an o to preserve the soft sound of the c. The model for these verbs is commencer ('to begin'), given in full in **table 34**. For example:

je commence	*but*	nous commençons
je commençais	*but*	nous commencions

2 Verbs ending in -ger

These require an e after the g before an a or an o to preserve the soft sound of the g. The model for these verbs is manger ('to eat'), given in full in **table 116**. For example:

je mange	*but*	**nous mangeons**
nous mangions	*but*	**je mangeais**

3 Verbs ending in -eler

Some of these double the l before a silent e (changing -el- to -ell-). The model for these verbs is appeler ('to call'), given in full in **table 14**. For example:

j'appelle	*but*	**vous appelez**
il appellera	*but*	**il appela**

Others change -el- to -èl- before a silent e. The model for these verbs is peler ('to peel'), given in full in **table 142**. For example:

je pèle	*but*	**je pelai**
il pèlera	*but*	**il pelait**

Consult the index to find out which pattern a particular verb follows.

4 Verbs ending in -eter

Some of these double the t before a silent e (changing -et- to -ett-). The model for these verbs is jeter ('to throw'), given in full in **table 108**. For example:

je jette	*but*	**je jetais**
il jettera	*but*	**il jeta**

Others change -et- to -èt- before a silent e. The model for these verbs is acheter ('to buy'), given in full in **table 3**. For example:

j'achète	*but*	**j'achetai**
vous achèterez	*but*	**vous achetiez**

Consult the index to find out which pattern a particular verb follows.

5 Verbs ending in e + consonant + er

Verbs ending in -ecer, -emer, -ener, -eser, -ever and -evrer follow the general pattern of acheter and peler, changing their -e- to -è- before a silent e. Individual models for these verbs are given in the tables: dépecer (58), semer (185), mener (119), peser (146), élever (73), sevrer (190). For example:

| je pèse | *but* | je pesais |
| nous mènerons | *but* | nous menions |

6 Verbs ending in é + consonant + er

Verbs ending in -écer, -éder, -éger, -éler, -émer, -éner, -érer, -éser and -éter, as well as -ébrer, -écher, -écrer, -égler, -égner, -égrer, -éguer, -équer and -étrer change the -é- to -è- before a silent e in the present indicative and subjunctive, but not in the future and conditional. Models for these verbs are given in the tables: rapiécer (165), céder (29), protéger (163), révéler (178), écrémer (71), réfréner (167), préférer (156), léser (114), compléter (35), célébrer (30), sécher (184), exécrer (88), régler (168), régner (169), intégrer (104), léguer (113), disséquer (64), pénétrer (143). For example:

| je préfère | *but* | je préférerai |
| il célèbre | *but* | il célébrerait |

7 Verbs ending in -oyer and -uyer

The y changes to i before a silent e. The models for these verbs are nettoyer (129) and ennuyer (78). For example:

| je nettoierai | *but* | je nettoyais |
| tu ennuies | *but* | tu ennuyas |

8 Note that verbs ending in -ayer, such as payer (140), do not generally change the y to i, although this spelling also exists.

B USE OF TENSES

Indicative

1 PRESENT

The present is used to describe a current state of affairs or an action taking place at the time of speaking:

il travaille **dans un bureau**
he **works** in an office

ne le dérangez pas, il travaille
don't disturb him, he **is working**

It can also be used to express the immediate future:

je pars **demain**
I'**m leaving** tomorrow

2 IMPERFECT

The imperfect is a past tense used to express what someone was doing or what someone used to do or to describe something in the past. The imperfect refers particularly to something that *continued* over a period of time, as opposed to something that happened at a specific point in time:

il prenait **un bain quand le téléphone a sonné**
he **was having** a bath when the phone rang

je le voyais **souvent quand il** habitait **dans le quartier**
I *used to see* him often when he *lived* in this area

elle portait **une robe bleue**
she **was wearing** a blue dress

3 PERFECT

The perfect is a compound past tense, used to express *single* actions which have been completed, ie what someone did or what someone has done/has been doing or something that has happened or has been happening:

je lui ai écrit **lundi**
I *wrote* to him on Monday

j'ai lu **toute la journée**
I'*ve been reading* all day

Note that in English, the simple past ('did', 'went', 'prepared') is used to describe both single and repeated actions in the past. In French, the perfect describes only single actions in the past, while repeated actions are expressed with the imperfect. Thus 'I went' should be translated j'allais or je suis allé depending on the nature of the action:

après dîner, je suis allé en ville
after dinner, I *went* to town

l'an dernier, j'allais plus souvent au cinéma
last year, I *went* to the cinema more often

4 PAST HISTORIC

This tense is used in the same way as the perfect tense, ie to describe a single, completed action in the past (what someone did or something that happened). It is a *literary* tense, not used in everyday spoken French. It is mainly found in *written* form as a narrative tense:

le piéton ne vit pas arriver la voiture
the pedestrian *didn't see* the car coming

5 PLUPERFECT

This compound tense is used to express what someone had done or had been doing or something that had happened or had been happening:

elle était essoufflée parce qu'elle avait couru
she was out of breath because she *had been running*

6 FUTURE

This tense is used to express what someone will do or will be doing or something that will happen or will be happening:

je ferai la vaisselle demain
I'*ll wash the dishes* tomorrow

7 PAST ANTERIOR

This tense is used instead of the pluperfect tense to express an action that preceded another action in the past (ie a past in the past). It is usually introduced by a conjunction of time (translated by 'when', 'as soon as', 'after' *etc*):

il se coucha dès qu'ils furent partis
he went to bed as soon as they *had left*

8 FUTURE PERFECT

This compound tense is used to describe what someone will have done or will have been doing in the future or to describe something that will have happened in the future:

appelle-moi quand tu auras fini
call me when you'*ve finished*

Imperative

The imperative is used to give orders:

mange ta soupe!	**n'aie pas peur!**
eat your soup!	don't be afraid!
partons!	**entrez!**
let's go!	come in!

Conditional

1 CONDITIONAL PRESENT

This tense is used to describe what someone would do or would be doing or what would happen (if something else were to happen):

si j'étais riche, j'achèterais un château
if I were rich, I *would buy* a castle

It is also used in indirect questions or reported speech instead of the future:

il ne m'a pas dit s'il viendrait
he didn't tell me whether he *would come*

2 PAST CONDITIONAL

This tense is used to express what someone would have done or would have been doing or what would have happened:

si j'avais su, j'aurais apporté du pain
if I had known, I **would have brought** some bread

Subjunctive

The subjunctive is used to express doubts, wishes, necessity *etc.* It appears only in subordinate clauses and is introduced by the conjunction que.

1 PRESENT SUBJUNCTIVE

il veut que je parte
he wants me **to go away**

il faut que tu restes ici
you have **to stay** here

2 IMPERFECT SUBJUNCTIVE

The imperfect subjunctive, used in past subordinate clauses, is very rare in conversation and is mainly found in literature or in texts of a formal nature:

je craignais qu'il ne se fachât
I was afraid that he **would get angry**

3 PERFECT SUBJUNCTIVE

The perfect subjunctive is used when the action expressed in the subordinate clause happens before another action:

je veux que tu aies terminé **quand je** reviendrai
I want you to **be finished** when I come back

Infinitive

1 PRESENT INFINITIVE

This is the basic form of the verb. It is recognized by its ending, which is found in three forms corresponding to the three conjugations: -er, -ir, -re.

These endings give the verb the meaning 'to ...':

acheter	**choisir**	**vendre**
to buy	to choose	to sell

2 PAST INFINITIVE

The perfect infinitive is used instead of the present infinitive when the action expressed by the infinitive happens before the main action or before what is referred to by the main verb:

je regrette d'avoir menti
I'm sorry I *lied* (lit. 'for *having lied*')

Participle

1 PRESENT PARTICIPLE

This corresponds to the English participle ending in *-ing* (eg 'eating'):

en marchant
while walking

This form is less common than it is in English (French prefers constructions with the infinitive).

2 PAST PARTICIPLE

This translates the English past participle ('eaten', 'arrived') and is used to form all the compound tenses:

un pneu crevé	**j'ai trop** mangé
a *burst* tyre	I've *eaten* too much

For rules governing the agreement of the past participle, see **pp 17-19.**

C THE AUXILIARIES ÊTRE AND AVOIR IN COMPOUND TENSES

Compound tenses of verbs – such as the past historic, the pluperfect and so on – are formed by using the appropriate form of the auxiliary verbs avoir or être and the past participle of the main verb:

il a **perdu**	je suis **parti**
he lost	I left

Auxiliary avoir **or** être?

Avoir **(table 24)** is used to form the compound tenses of most verbs. Être **(table 85)** is used to form the compound tenses of:

a) reflexive verbs:

je me suis **baigné**	ils se sont **rencontrés à Paris**
I had a bath	they met in Paris

b) the following verbs (mainly verbs of motion):

aller	to go
arriver	to arrive
descendre	to go/come down
devenir	to become
entrer	to go/come in
monter	to go/come up
mourir	to die
naître	to be born
partir	to go away
passer	to pass, to go through
rentrer	to go in/home
rester	to stay
retourner	to go back
sortir	to go/come out
tomber	to fall
venir	to come

and most of their compounds (eg repartir, survenir *etc*).
Some of these verbs can be used transitively, ie with a
direct object (taking on a different meaning). They are then
conjugated with avoir:

il est sorti hier soir
he went out last night
but

il a sorti un mouchoir de sa poche
he took a handkerchief from his pocket

elle est retournée en France
she's gone back to France
but

elle a retourné la lettre à l'expéditeur
she returned the letter to the sender

In the index, verbs are always cross-referred to a verb
taking the same auxiliary, unless otherwise stated in a
footnote.

 D AGREEMENT OF THE PAST PARTICIPLE

Use As An Adjective

When it is used as an adjective, the past participle always agrees
with the noun or pronoun to which it refers:

une pomme pourrie   **ils étaient** fatigués
a rotten apple   they were tired

In Compound Tenses

1 With the auxiliary avoir

With the auxiliary avoir the past participle does not normally
change:

elles ont mangé **des frites**
they ate some chips

The past participle agrees in number and gender with the direct object only when the direct object comes *before* the participle, ie in the following cases:

a) in a clause introduced by the relative pronoun que

   la valise qu'il a perdue
   the suitcase he lost

b) with a direct object pronoun

   je l'ai vue hier
   I saw her yesterday

c) in a clause introduced by combien de, quel, quelle *etc*, or lequel, laquelle *etc*

   combien de pays as-tu visités?
   how many countries did you visit?

2 With the auxiliary être

In the following cases the past participle agrees with the subject of the verb:

a) ordinary verbs with être

   elle était déjà partie
   she had already left

b) the passive

   les voleurs ont été arrêtés
   the thieves have been arrested

c) reflexive verbs

   The past participle of reflexive verbs agrees with the subject of the verb:

   Marie s'est endormie   **ils se sont disputés**
   Marie fell asleep   they had an argument

However, when the reflexive pronoun is an *indirect object*, the past participle does not agree with the subject of the verb:

elles se sont écrit
they wrote to each other

This is also the case where parts of the body are mentioned:

elle s'est lavé **les cheveux**
she washed her hair

 E THE PASSIVE

The passive is used when the subject of the verb does not perform the action, but is subjected to it, eg:

the house *has been sold*
he *was made* redundant

Passive tenses are formed with the corresponding tense of the verb être ('to be', as in English), followed by the past participle of the verb:

j'ai été invité
I was invited

The past participle must agree with its subject:

elle a été renvoyée
she has been dismissed

The passive is far less common in French than in English. It is often replaced by other constructions:

on m'a volé mon sac
my bag has been stolen

ma collègue m'a invité
I've been invited by my colleague

il s'est fait renverser par une voiture
he was run over by a car

elle s'appelle **Anne**
she is called Anne

In the verb table on the following page we give one model verb, être aimé, in the passive voice. Other verbs follow the same pattern.

ÊTRE AIMÉ
to be loved

PRESENT
je suis aimé(e)
tu es aimé(e)
il (elle) est aimé(e)
nous sommes aimé(e)s
vous êtes aimé(e)(s)
ils (elles) sont aimé(e)s

IMPERFECT
j'étais aimé(e)
tu étais aimé(e)
il (elle) était aimé(e)
nous étions aimé(e)s
vous étiez aimé(e)(s)
ils (elles) étaient aimé(e)s

FUTURE
je serai aimé(e)
tu seras aimé(e)
il (elle) sera aimé(e)
nous serons aimé(e)s
vous serez aimé(e)(s)
ils (elles) seront aimé(e)s

PAST HISTORIC
je fus aimé(e)
tu fus aimé(e)
il (elle) fut aimé(e)
nous fûmes aimé(e)s
vous fûtes aimé(e)(s)
ils (elles) furent aimé(e)s

PERFECT
j'ai été aimé(e)
tu as été aimé(e)
il (elle) a été aimé(e)
nous avons été aimé(e)s
vous avez été aimé(e)(s)
ils (elles) ont été aimé(e)s

PLUPERFECT
j'avais été aimé(e)
tu avais été aimé(e)
il (elle) avait été aimé(e)
nous avions été aimé(e)s
vous aviez été aimé(e)(s)
ils (elles) avaient été aimé(e)s

PAST ANTERIOR
j'eus été aimé(e) *etc*

FUTURE PERFECT
j'aurai été aimé(e) *etc*

CONDITIONAL

PRESENT
je serais aimé(e)
tu serais aimé(e)
il (elle) serait aimé(e)
nous serions aimé(e)s
vous seriez aimé(e)(s)
ils (elles) seraient aimé(e)s

PAST
j'aurais été aimé(e)
tu aurais été aimé(e)
il (elle) aurait été aimé(e)
nous aurions été aimé(e)s
vous auriez été aimé(e)(s)
ils (elles) auraient été aimé(e)s

IMPERATIVE

sois aimé(e)
soyons aimé(e)s
soyez aimé(e)(s)

SUBJUNCTIVE

PRESENT
je sois aimé(e)
tu sois aimé(e)
il (elle) soit aimé(e)
nous soyons aimé(e)s
vous soyez aimé(e)(s)
ils (elles) soient aimé(e)s

IMPERFECT
je fusse aimé(e)
tu fusses aimé(e)
il (elle) fût aimé(e)
nous fussions aimé(e)s
vous fussiez aimé(e)(s)
ils (elles) fussent aimé(e)s

PERFECT
j'aie été aimé(e)
tu aies été aimé(e)
il (elle) ait été aimé(e)
nous ayons été aimé(e)s
vous ayez été aimé(e)(s)
ils (elles) aient été aimé(e)s

INFINITIVE

PRESENT
être aimé(e)(s)

PAST
avoir été aimé(e)(s)

PARTICIPLE

PRESENT
étant aimé(e)(s)

PAST
été aimé(e)(s)

F DEFECTIVE VERBS

Defective verbs are verbs that are not used in all tenses or persons. Most of them are no longer commonly used, or are used only in a few set expressions. However, since their conjugation follows irregular patterns, we have given a selection of these verb endings in the following tables:

211	accroire
5	advenir
211	apparoir
66	braire *(see note)*
32	choir
33	clore
52	déchoir
69	échoir
70	éclore
75	enclore
79	s'ensuivre
89	faillir
91	falloir
94	foutre
95	frire
98	gésir
109	oindre *(see note)*
211	ouïr
135	paître
151	poindre
164	puer
170	renaître
182	saillir
187	seoir
66	traire *(see note)*

G VERBAL CONSTRUCTIONS WITH THE INFINITIVE

The following verbs can all be used in infinitive constructions. The infinitive will be used either without a preposition at all, with the preposition à or with the preposition de. Note that many of these

verbs can also take other constructions, eg a direct object or que
with the subjunctive.

1 Verbs followed by an infinitive without a linking preposition:

adorer	to love (doing)
aimer	to like (doing)
aimer mieux	to prefer (to do)
aller	to go (and do)
compter	to expect (to do)
daigner	to deign (to do)
descendre	to go down (and do)
désirer	to wish (to do)
détester	to hate (to do)
devoir	to have to (do)
écouter	to listen (to someone doing)
entendre	to hear (someone doing)
entrer	to go in (and do)
envoyer	to send (to do)
espérer	to hope (to do)
faillir	'to nearly' (do)
faire	to make (do)
falloir	to have to (do)
laisser	to let (do)
monter	to go up (and do)
oser	to dare (to do)
paraître	to seem (to do)
pouvoir	to be able to (do)
préférer	to prefer (to do)
regarder	to watch (someone do)
rentrer	to go in (and do)
savoir	to be able to (do)
sembler	to seem (to do)
sortir	to go out (and do)
souhaiter	to wish (to do)
valoir mieux	to be better (doing)
venir	to come (and do)
voir	to see (someone doing)
vouloir	to want (to do)

2 Verbs followed by an infinitive with the linking preposition à:

s'accoutumer à	to get used to (doing)
aider à	to help (to do)
s'amuser à	to play at (doing)
apprendre à	to learn (to do)
s'apprêter à	to get ready (to do)
arriver à	to manage (to do)
s'attendre à	to expect (to do)
autoriser à	to allow (to do)
chercher à	to try (to do)
commencer à	to start (doing)
consentir à	to agree (to do)
consister à	to consist in (doing)
continuer à	to continue (to do)
se décider à	to make up one's mind (to do)
encourager à	to encourage (to do)
s'engager à	to undertake (to do)
enseigner à	to teach how (to do)
s'évertuer à	to try hard (to do)
forcer à	to force (to do)
s'habituer à	to get used to (doing)
hésiter à	to hesitate (to do)
inciter à	to prompt (to do)
s'intéresser à	to be interested in (doing)
inviter à	to invite (to do)
se mettre à	to start (doing)
obliger à	to force (to do)
s'obstiner à	to persist (in doing)
parvenir à	to succeed in (doing)
passer son temps à	to spend one's time (doing)
perdre son temps à	to waste one's time (doing)
persister à	to persist (in doing)
pousser à	to urge (to do)
se préparer à	to get ready (to do)
renoncer à	to give up (doing)
rester à	to be left (to do)
réussir à	to succeed in (doing)

servir à	to be used for (doing)
songer à	to think of (doing)
tarder à	to delay (doing)
tenir à	to be keen (to do)

3 Verbs followed by an infinitive with the linking preposition de:

accepter de	to agree (to do)
accuser de	to accuse of (doing)
achever de	to finish (doing)
s'arrêter de	to stop (doing)
avoir besoin de	to need (to do)
avoir envie de	to feel like (doing)
avoir peur de	to be afraid (to do)
cesser de	to stop (doing)
se charger de	to undertake (to do)
commander de	to order (to do)
conseiller de	to advise (to do)
se contenter de	to make do with (doing)
continuer de	to continue (to do)
craindre de	to be afraid (to do)
décider de	to decide (to do)
déconseiller de	to advise against (doing)
défendre de	to forbid (to do)
demander de	to ask (to do)
se dépêcher de	to hurry (to do)
dire de	to tell (to do)
dissuader de	to dissuade from (doing)
s'efforcer de	to try (to do)
empêcher de	to prevent (from doing)
s'empresser de	to hasten (to do)
entreprendre de	to undertake (to do)
envisager de	to intend to (do)
essayer de	to try (to do)
s'étonner de	to be surprised (at doing)
éviter de	to avoid (doing)
s'excuser de	to apologize for (doing)

faire semblant de	to pretend (to do)
feindre de	to pretend (to do)
finir de	to finish (doing)
se garder de	to be careful not to (do)
se hâter de	to hasten (to do)
interdire de	to forbid (to do)
jurer de	to swear (to do)
manquer de	'to nearly' do
menacer de	to threaten (to do)
mériter de	to deserve (to do)
négliger de	to fail (to do)
s'occuper de	to undertake (to do)
offrir de	to offer (to do)
omettre de	to omit (to do)
ordonner de	to order (to do)
oublier de	to forget (to do)
permettre de	to allow (to do)
persuader de	to persuade (to do)
prier de	to ask (to do)
promettre de	to promise (to do)
proposer de	to offer (to do)
recommander de	to recommend (to do)
refuser de	to refuse (to do)
regretter de	to be sorry (to do)
remercier de	to thank for (doing)
résoudre de	to resolve (to do)
se retenir de	to restrain oneself (from doing)
risquer de	to risk (doing)
se souvenir de	to remember (doing)
suggérer de	to suggest (doing)
supplier de	to implore (to do)
tâcher de	to try (to do)
tenter de	to try (to do)
venir de	'to have just' (done)

ACCROÎTRE

1 *to increase*

PRESENT	IMPERFECT	FUTURE
j'accrois	j'accroissais	j'accroîtrai
tu accrois	tu accroissais	tu accroîtras
il accroît	il accroissait	il accroîtra
nous accroissons	nous accroissions	nous accroîtrons
vous accroissez	vous accroissiez	vous accroîtrez
ils accroissent	ils accroissaient	ils accroîtront

PAST HISTORIC	PERFECT	PLUPERFECT
j'accrus	j'ai accru	j'avais accru
tu accrus	tu as accru	tu avais accru
il accrut	il a accru	il avait accru
nous accrûmes	nous avons accru	nous avions accru
vous accrûtes	vous avez accru	vous aviez accru
ils accrurent	ils ont accru	ils avaient accru

PAST ANTERIOR	FUTURE PERFECT
j'eus accru *etc*	j'aurai accru *etc*

CONDITIONAL

PRESENT	PAST
j'accroîtrais	j'aurais accru
tu accroîtrais	tu aurais accru
il accroîtrait	il aurait accru
nous accroîtrions	nous aurions accru
vous accroîtriez	vous auriez accru
ils accroîtraient	ils auraient accru

IMPERATIVE

accrois
accroissons
accroissez

SUBJUNCTIVE

PRESENT	IMPERFECT	PERFECT
j'accroisse	j'accrusse	j'aie accru
tu accroisses	tu accrusses	tu aies accru
il accroisse	il accrût	il ait accru
nous accroissions	nous accrussions	nous ayons accru
vous accroissiez	vous accrussiez	vous ayez accru
ils accroissent	ils accrussent	ils aient accru

INFINITIVE

PRESENT
accroître

PAST
avoir accru

PARTICIPLE

PRESENT
accroissant

PAST
accru

PRESENT
j'accueille
tu accueilles
il accueille
nous accueillons
vous accueillez
ils accueillent

IMPERFECT
j'accueillais
tu accueillais
il accueillait
nous accueillions
vous accueilliez
ils accueillaient

FUTURE
j'accueillerai
tu accueilleras
il accueillera
nous accueillerons
vous accueillerez
ils accueilleront

PAST HISTORIC
j'accueillis
tu accueillis
il accueillit
nous accueillîmes
vous accueillîtes
ils accueillirent

PERFECT
j'ai accueilli
tu as accueilli
il a accueilli
nous avons accueilli
vous avez accueilli
ils ont accueilli

PLUPERFECT
j'avais accueilli
tu avais accueilli
il avait accueilli
nous avions accueilli
vous aviez accueilli
ils avaient accueilli

PAST ANTERIOR
j'eus accueilli *etc*

FUTURE PERFECT
j'aurai accueilli *etc*

CONDITIONAL

PRESENT
j'accueillerais
tu accueillerais
il accueillerait
nous accueillerions
vous accueilleriez
ils accueilleraient

PAST
j'aurais accueilli
tu aurais accueilli
il aurait accueilli
nous aurions accueilli
vous auriez accueilli
ils auraient accueilli

IMPERATIVE

accueille
accueillons
accueillez

SUBJUNCTIVE

PRESENT
j'accueille
tu accueilles
il accueille
nous accueillions
vous accueilliez
ils accueillent

IMPERFECT
j'accueillisse
tu accueillisses
il accueillît
nous accueillissions
vous accueillissiez
ils accueillissent

PERFECT
j'aie accueilli
tu aies accueilli
il ait accueilli
nous ayons accueilli
vous ayez accueilli
ils aient accueilli

INFINITIVE

PRESENT
accueillir

PAST
avoir accueilli

PARTICIPLE

PRESENT
accueillant

PAST
accueilli

PRESENT
j'achète
tu achètes
il achète
nous achetons
vous achetez
ils achètent

IMPERFECT
j'achetais
tu achetais
il achetait
nous achetions
vous achetiez
ils achetaient

FUTURE
j'achèterai
tu achèteras
il achètera
nous achèterons
vous achèterez
ils achèteront

PAST HISTORIC
j'achetai
tu achetas
il acheta
nous achetâmes
vous achetâtes
ils achetèrent

PERFECT
j'ai acheté
tu as acheté
il a acheté
nous avons acheté
vous avez acheté
ils ont acheté

PLUPERFECT
j'avais acheté
tu avais acheté
il avait acheté
nous avions acheté
vous aviez acheté
ils avaient acheté

PAST ANTERIOR
j'eus acheté *etc*

FUTURE PERFECT
j'aurai acheté *etc*

CONDITIONAL

PRESENT
j'achèterais
tu achèterais
il achèterait
nous achèterions
vous achèteriez
ils achèteraient

PAST
j'aurais acheté
tu aurais acheté
il aurait acheté
nous aurions acheté
vous auriez acheté
ils auraient acheté

IMPERATIVE

achète
achetons
achetez

SUBJUNCTIVE

PRESENT
j'achète
tu achètes
il achète
nous achetions
vous achetiez
ils achètent

IMPERFECT
j'achetasse
tu achetasses
il achetât
nous achetassions
vous achetassiez
ils achetassent

PERFECT
j'aie acheté
tu aies acheté
il ait acheté
nous ayons acheté
vous ayez acheté
ils aient acheté

INFINITIVE

PRESENT
acheter
PAST
avoir acheté

PARTICIPLE

PRESENT
achetant
PAST
acheté

PRESENT
j'acquiers
tu acquiers
il acquiert
nous acquérons
vous acquérez
ils acquièrent

IMPERFECT
j'acquérais
tu acquérais
il acquérait
nous acquérions
vous acquériez
ils acquéraient

FUTURE
j'acquerrai
tu acquerras
il acquerra
nous acquerrons
vous acquerrez
ils acquerront

PAST HISTORIC
j'acquis
tu acquis
il acquit
nous acquîmes
vous acquîtes
ils acquirent

PERFECT
j'ai acquis
tu as acquis
il a acquis
nous avons acquis
vous avez acquis
ils ont acquis

PLUPERFECT
j'avais acquis
tu avais acquis
il avait acquis
nous avions acquis
vous aviez acquis
ils avaient acquis

PAST ANTERIOR
j'eus acquis *etc*

FUTURE PERFECT
j'aurai acquis *etc*

CONDITIONAL

PRESENT
j'acquerrais
tu acquerrais
il acquerrait
nous acquerrions
vous acquerriez
ils acquerraient

PAST
j'aurais acquis
tu aurais acquis
il aurait acquis
nous aurions acquis
vous auriez acquis
ils auraient acquis

IMPERATIVE

acquiers
acquérons
acquérez

SUBJUNCTIVE

PRESENT
j'acquière
tu acquières
il acquière
nous acquérions
vous acquériez
ils acquièrent

IMPERFECT
j'acquisse
tu acquisses
il acquît
nous acquissions
vous acquissiez
ils acquissent

PERFECT
j'aie acquis
tu aies acquis
il ait acquis
nous ayons acquis
vous ayez acquis
ils aient acquis

INFINITIVE

PRESENT
acquérir

PAST
avoir acquis

PARTICIPLE

PRESENT
acquérant

PAST
acquis

ADVENIR

5 *to happen*

PRESENT	IMPERFECT	FUTURE
il advient	il advenait	il adviendra
ils adviennent	ils advenaient	ils adviendront

PAST HISTORIC	PERFECT	PLUPERFECT
il advint	il est advenu	il était advenu
ils advinrent	ils sont advenus	ils étaient advenus

PAST ANTERIOR	FUTURE PERFECT	
il fut advenu	il sera advenu	
ils furent advenus	ils seront advenus	

CONDITIONAL

IMPERATIVE

PRESENT	PAST
il adviendrait	il serait advenu
ils adviendraient	ils seraient advenus

SUBJUNCTIVE

PRESENT	IMPERFECT	PERFECT
il advienne	il advînt	il soit advenu
ils adviennent	ils advinssent	ils soient advenus

INFINITIVE

PARTICIPLE

PRESENT	PRESENT
advenir	

PAST	PAST
être advenu	advenu

PRESENT
j'affaiblis
tu affaiblis
il affaiblit
nous affaiblissons
vous affaiblissez
ils affaiblissent

IMPERFECT
j'affaiblissais
tu affaiblissais
il affaiblissait
nous affaiblissions
vous affaiblissiez
ils affaiblissaient

FUTURE
j'affaiblirai
tu affaibliras
il affaiblira
nous affaiblirons
vous affaiblirez
ils affaibliront

PAST HISTORIC
j'affaiblis
tu affaiblis
il affaiblit
nous affaiblîmes
vous affaiblîtes
ils affaiblirent

PERFECT
j'ai affaibli
tu as affaibli
il a affaibli
nous avons affaibli
vous avez affaibli
ils ont affaibli

PLUPERFECT
j'avais affaibli
tu avais affaibli
il avait affaibli
nous avions affaibli
vous aviez affaibli
ils avaient affaibli

PAST ANTERIOR
j'eus affaibli *etc*

FUTURE PERFECT
j'aurai affaibli *etc*

CONDITIONAL

PRESENT
j'affaiblirais
tu affaiblirais
il affaiblirait
nous affaiblirions
vous affaibliriez
ils affaibliraient

PAST
j'aurais affaibli
tu aurais affaibli
il aurait affaibli
nous aurions affaibli
vous auriez affaibli
ils auraient affaibli

IMPERATIVE

affaiblis
affaiblissons
affaiblissez

SUBJUNCTIVE

PRESENT
j'affaiblisse
tu affaiblisses
il affaiblisse
nous affaiblissions
vous affaiblissiez
ils affaiblissent

IMPERFECT
j'affaiblisse
tu affaiblisses
il affaiblît
nous affaiblissions
vous affaiblissiez
ils affaiblissent

PERFECT
j'aie affaibli
tu aies affaibli
il ait affaibli
nous ayons affaibli
vous ayez affaibli
ils aient affaibli

INFINITIVE

PRESENT
affaiblir

PAST
avoir affaibli

PARTICIPLE

PRESENT
affaiblissant

PAST
affaibli

PRESENT	IMPERFECT	FUTURE
j'agis	j'agissais	j'agirai
tu agis	tu agissais	tu agiras
il agit	il agissait	il agira
nous agissons	nous agissions	nous agirons
vous agissez	vous agissiez	vous agirez
ils agissent	ils agissaient	ils agiront

PAST HISTORIC	PERFECT	PLUPERFECT
j'agis	j'ai agi	j'avais agi
tu agis	tu as agi	tu avais agi
il agit	il a agi	il avait agi
nous agîmes	nous avons agi	nous avions agi
vous agîtes	vous avez agi	vous aviez agi
ils agirent	ils ont agi	ils avaient agi

PAST ANTERIOR	FUTURE PERFECT
j'eus agi *etc*	j'aurai agi *etc*

CONDITIONAL

IMPERATIVE

PRESENT	PAST	
j'agirais	j'aurais agi	agis
tu agirais	tu aurais agi	agissons
il agirait	il aurait agi	agissez
nous agirions	nous aurions agi	
vous agiriez	vous auriez agi	
ils agiraient	ils auraient agi	

SUBJUNCTIVE

PRESENT	IMPERFECT	PERFECT
j'agisse	j'agisse	j'aie agi
tu agisses	tu agisses	tu aies agi
il agisse	il agît	il ait agi
nous agissions	nous agissions	nous ayons agi
vous agissiez	vous agissiez	vous ayez agi
ils agissent	ils agissent	ils aient agi

INFINITIVE

PARTICIPLE

PRESENT	PRESENT
agir	agissant

PAST	PAST
avoir agi	agi

PRESENT
j'aime
tu aimes
il aime
nous aimons
vous aimez
ils aiment

IMPERFECT
j'aimais
tu aimais
il aimait
nous aimions
vous aimiez
ils aimaient

FUTURE
j'aimerai
tu aimeras
il aimera
nous aimerons
vous aimerez
ils aimeront

PAST HISTORIC
j'aimai
tu aimas
il aima
nous aimâmes
vous aimâtes
ils aimèrent

PERFECT
j'ai aimé
tu as aimé
il a aimé
nous avons aimé
vous avez aimé
ils ont aimé

PLUPERFECT
j'avais aimé
tu avais aimé
il avait aimé
nous avions aimé
vous aviez aimé
ils avaient aimé

PAST ANTERIOR
j'eus aimé *etc*

FUTURE PERFECT
j'aurai aimé *etc*

CONDITIONAL

PRESENT
j'aimerais
tu aimerais
il aimerait
nous aimerions
vous aimeriez
ils aimeraient

PAST
j'aurais aimé
tu aurais aimé
il aurait aimé
nous aurions aimé
vous auriez aimé
ils auraient aimé

IMPERATIVE

aime
aimons
aimez

SUBJUNCTIVE

PRESENT
j'aime
tu aimes
il aime
nous aimions
vous aimiez
ils aiment

IMPERFECT
j'aimasse
tu aimasses
il aimât
nous aimassions
vous aimassiez
ils aimassent

PERFECT
j'aie aimé
tu aies aimé
il ait aimé
nous ayons aimé
vous ayez aimé
ils aient aimé

INFINITIVE

PRESENT
aimer

PAST
avoir aimé

PARTICIPLE

PRESENT
aimant

PAST
aimé

ALLER
9 *to go*

PRESENT	IMPERFECT	FUTURE
je vais	j'allais	j'irai
tu vas	tu allais	tu iras
il va	il allait	il ira
nous allons	nous allions	nous irons
vous allez	vous alliez	vous irez
ils vont	ils allaient	ils iront

PAST HISTORIC	PERFECT	PLUPERFECT
j'allai	je suis allé	j'étais allé
tu allas	tu es allé	tu étais allé
il alla	il est allé	il était allé
nous allâmes	nous sommes allés	nous étions allés
vous allâtes	vous êtes allé(s)	vous étiez allé(s)
ils allèrent	ils sont allés	ils étaient allés

PAST ANTERIOR	FUTURE PERFECT
je fus allé *etc*	je serai allé *etc*

CONDITIONAL

PRESENT	PAST
j'irais	je serais allé
tu irais	tu serais allé
il irait	il serait allé
nous irions	nous serions allés
vous iriez	vous seriez allé(s)
ils iraient	ils seraient allés

IMPERATIVE

va
allons
allez

SUBJUNCTIVE

PRESENT	IMPERFECT	PERFECT
j'aille	j'allasse	je sois allé
tu ailles	tu allasses	tu sois allé
il aille	il allât	il soit allé
nous allions	nous allassions	nous soyons allés
vous alliez	vous allassiez	vous soyez allé(s)
ils aillent	ils allassent	ils soient allés

INFINITIVE

PRESENT
aller

PAST
être allé

PARTICIPLE

PRESENT
allant

PAST
allé

PRESENT
je m'en vais
tu t'en vas
il s'en va
nous nous en allons
vous vous en allez
ils s'en vont

IMPERFECT
je m'en allais
tu t'en allais
il s'en allait
nous nous en allions
vous vous en alliez
ils s'en allaient

FUTURE
je m'en irai
tu t'en iras
il s'en ira
nous nous en irons
vous vous en irez
ils s'en iront

PAST HISTORIC
je m'en allai
tu t'en allas
il s'en alla
nous nous en allâmes
vous vous en allâtes
ils s'en allèrent

PERFECT
je m'en suis allé
tu t'en es allé
il s'en est allé
nous ns. en sommes allés
vous vs. en êtes allé(s)
ils s'en sont allés

PLUPERFECT
je m'en étais allé
tu t'en étais allé
il s'en était allé
nous ns. en étions allés
vous vs. en étiez allé(s)
ils s'en étaient allés

PAST ANTERIOR
je m'en fus allé *etc*

FUTURE PERFECT
je m'en serai allé *etc*

CONDITIONAL

PRESENT
je m'en irais
tu t'en irais
il s'en irait
nous nous en irions
vous vous en iriez
ils s'en iraient

PAST
je m'en serais allé
tu t'en serais allé
il s'en serait allé
nous nous en serions allés
vous vous en seriez allé(s)
ils s'en seraient allés

IMPERATIVE

va-t'en
allons-nous-en
allez-vous-en

SUBJUNCTIVE

PRESENT
je m'en aille
tu t'en ailles
il s'en aille
nous nous en allions
vous vous en alliez
ils s'en aillent

IMPERFECT
je m'en allasse
tu t'en allasses
il s'en allât
nous nous en allassions
vous vous en allassiez
ils s'en allassent

PERFECT
je m'en sois allé
tu t'en sois allé
il s'en soit allé
nous nous en soyons allés
vous vous en soyez allé(s)
ils s'en soient allés

INFINITIVE

PRESENT
s'en aller

PAST
s'en être allé

PARTICIPLE

PRESENT
s'en allant

PAST
en allé

PRESENT	IMPERFECT	FUTURE
j'annonce	j'annonçais	j'annoncerai
tu annonces	tu annonçais	tu annonceras
il annonce	il annonçait	il annoncera
nous annonçons	nous annoncions	nous annoncerons
vous annoncez	vous annonciez	vous annoncerez
ils annoncent	ils annonçaient	ils annonceront

PAST HISTORIC	PERFECT	PLUPERFECT
j'annonçai	j'ai annoncé	j'avais annoncé
tu annonças	tu as annoncé	tu avais annoncé
il annonça	il a annoncé	il avait annoncé
nous annonçâmes	nous avons annoncé	nous avions annoncé
vous annonçâtes	vous avez annoncé	vous aviez annoncé
ils annoncèrent	ils ont annoncé	ils avaient annoncé

PAST ANTERIOR	FUTURE PERFECT
j'eus annoncé *etc*	j'aurai annoncé *etc*

CONDITIONAL

PRESENT	PAST	IMPERATIVE
j'annoncerais	j'aurais annoncé	annonce
tu annoncerais	tu aurais annoncé	annonçons
il annoncerait	il aurait annoncé	annoncez
nous annoncerions	nous aurions annoncé	
vous annonceriez	vous auriez annoncé	
ils annonceraient	ils auraient annoncé	

SUBJUNCTIVE

PRESENT	IMPERFECT	PERFECT
j'annonce	j'annonçasse	j'aie annoncé
tu annonces	tu annonçasses	tu aies annoncé
il annonce	il annonçât	il ait annoncé
nous annoncions	nous annonçassions	nous ayons annoncé
vous annonciez	vous annonçassiez	vous ayez annoncé
ils annoncent	ils annonçassent	ils aient annoncé

INFINITIVE

PRESENT	PARTICIPLE
annoncer	PRESENT
	annonçant

PAST	PAST
avoir annoncé	annoncé

PRESENT
j'aperçois
tu aperçois
il aperçoit
nous apercevons
vous apercevez
ils aperçoivent

IMPERFECT
j'apercevais
tu apercevais
il apercevait
nous apercevions
vous aperceviez
ils apercevaient

FUTURE
j'apercevrai
tu apercevras
il apercevra
nous apercevrons
vous apercevrez
ils apercevront

PAST HISTORIC
j'aperçus
tu aperçus
il aperçut
nous aperçûmes
vous aperçûtes
ils aperçurent

PERFECT
j'ai aperçu
tu as aperçu
il a aperçu
nous avons aperçu
vous avez aperçu
ils ont aperçu

PLUPERFECT
j'avais aperçu
tu avais aperçu
il avait aperçu
nous avions aperçu
vous aviez aperçu
ils avaient aperçu

PAST ANTERIOR
j'eus aperçu *etc*

FUTURE PERFECT
j'aurai aperçu *etc*

CONDITIONAL

PRESENT
j'apercevrais
tu apercevrais
il apercevrait
nous apercevrions
vous apercevriez
ils apercevraient

PAST
j'aurais aperçu
tu aurais aperçu
il aurait aperçu
nous aurions aperçu
vous auriez aperçu
ils auraient aperçu

IMPERATIVE

aperçois
apercevons
apercevez

SUBJUNCTIVE

PRESENT
j'aperçoive
tu aperçoives
il aperçoive
nous apercevions
vous aperceviez
ils aperçoivent

IMPERFECT
j'aperçusse
tu aperçusses
il aperçût
nous aperçussions
vous aperçussiez
ils aperçussent

PERFECT
j'aie aperçu
tu aies aperçu
il ait aperçu
nous ayons aperçu
vous ayez aperçu
ils aient aperçu

INFINITIVE

PRESENT
apercevoir

PAST
avoir aperçu

PARTICIPLE

PRESENT
apercevant

PAST
aperçu

APPARTENIR
13 *to belong*

PRESENT
j'appartiens
tu appartiens
il appartient
nous appartenons
vous appartenez
ils appartiennent

IMPERFECT
j'appartenais
tu appartenais
il appartenait
nous appartenions
vous apparteniez
ils appartenaient

FUTURE
j'appartiendrai
tu appartiendras
il appartiendra
nous appartiendrons
vous appartiendrez
ils appartiendront

PAST HISTORIC
j'appartins
tu appartins
il appartint
nous appartînmes
vous appartîntes
ils appartinrent

PERFECT
j'ai appartenu
tu as appartenu
il a appartenu
nous avons appartenu
vous avez appartenu
ils ont appartenu

PLUPERFECT
j'avais appartenu
tu avais appartenu
il avait appartenu
nous avions appartenu
vous aviez appartenu
ils avaient appartenu

PAST ANTERIOR
j'eus appartenu *etc*

FUTURE PERFECT
j'aurai appartenu *etc*

CONDITIONAL

IMPERATIVE

PRESENT
j'appartiendrais
tu appartiendrais
il appartiendrait
nous appartiendrions
vous appartiendriez
ils appartiendraient

PAST
j'aurais appartenu
tu aurais appartenu
il aurait appartenu
nous aurions appartenu
vous auriez appartenu
ils auraient appartenu

appartiens
appartenons
appartenez

SUBJUNCTIVE

PRESENT
j'appartienne
tu appartiennes
il appartienne
nous appartenions
vous apparteniez
ils appartiennent

IMPERFECT
j'appartinsse
tu appartinsses
il appartînt
nous appartinssions
vous appartinssiez
ils appartinssent

PERFECT
j'aie appartenu
tu aies appartenu
il ait appartenu
nous ayons appartenu
vous ayez appartenu
ils aient appartenu

INFINITIVE

PARTICIPLE

PRESENT
appartenir

PRESENT
appartenant

PAST
avoir appartenu

PAST
appartenu

PRESENT
j'appelle
tu appelles
il appelle
nous appelons
vous appelez
ils appellent

PAST HISTORIC
j'appelai
tu appelas
il appela
nous appelâmes
vous appelâtes
ils appelèrent

PAST ANTERIOR
j'eus appelé *etc*

IMPERFECT
j'appelais
tu appelais
il appelait
nous appelions
vous appeliez
ils appelaient

PERFECT
j'ai appelé
tu as appelé
il a appelé
nous avons appelé
vous avez appelé
ils ont appelé

FUTURE PERFECT
j'aurai appelé *etc*

FUTURE
j'appellerai
tu appelleras
il appellera
nous appellerons
vous appellerez
ils appelleront

PLUPERFECT
j'avais appelé
tu avais appelé
il avait appelé
nous avions appelé
vous aviez appelé
ils avaient appelé

CONDITIONAL

PRESENT
j'appellerais
tu appellerais
il appellerait
nous appellerions
vous appelleriez
ils appelleraient

PAST
j'aurais appelé
tu aurais appelé
il aurait appelé
nous aurions appelé
vous auriez appelé
ils auraient appelé

IMPERATIVE

appelle
appelons
appelez

SUBJUNCTIVE

PRESENT
j'appelle
tu appelles
il appelle
nous appelions
vous appeliez
ils appellent

IMPERFECT
j'appelasse
tu appelasses
il appelât
nous appelassions
vous appelassiez
ils appelassent

PERFECT
j'aie appelé
tu aies appelé
il ait appelé
nous ayons appelé
vous ayez appelé
ils aient appelé

INFINITIVE

PRESENT
appeler

PAST
avoir appelé

PARTICIPLE

PRESENT
appelant

PAST
appelé

APPRÉCIER
15 *to appreciate*

PRESENT
j'apprécie
tu apprécies
il apprécie
nous apprécions
vous appréciez
ils apprécient

IMPERFECT
j'appréciais
tu appréciais
il appréciait
nous appréciions
vous appréciiez
ils appréciaient

FUTURE
j'apprécierai
tu apprécieras
il appréciera
nous apprécierons
vous apprécierez
ils apprécieront

PAST HISTORIC
j'appréciai
tu apprécias
il apprécia
nous appréciâmes
vous appréciâtes
ils apprécièrent

PERFECT
j'ai apprécié
tu as apprécié
il a apprécié
nous avons apprécié
vous avez apprécié
ils ont apprécié

PLUPERFECT
j'avais apprécié
tu avais apprécié
il avait apprécié
nous avions apprécié
vous aviez apprécié
ils avaient apprécié

PAST ANTERIOR
j'eus apprécié *etc*

FUTURE PERFECT
j'aurai apprécié *etc*

CONDITIONAL

PRESENT
j'apprécierais
tu apprécierais
il apprécierait
nous apprécierions
vous apprécieriez
ils apprécieraient

PAST
j'aurais apprécié
tu aurais apprécié
il aurait apprécié
nous aurions apprécié
vous auriez apprécié
ils auraient apprécié

IMPERATIVE

apprécie
apprécions
appréciez

SUBJUNCTIVE

PRESENT
j'apprécie
tu apprécies
il apprécie
nous appréciions
vous appréciiez
ils apprécient

IMPERFECT
j'appréciasse
tu appréciasses
il appréciât
nous appréciassions
vous appréciassiez
ils appréciassent

PERFECT
j'aie apprécié
tu aies apprécié
il ait apprécié
nous ayons apprécié
vous ayez apprécié
ils aient apprécié

INFINITIVE

PRESENT
apprécier

PAST
avoir apprécié

PARTICIPLE

PRESENT
appréciant

PAST
apprécié

PRESENT	IMPERFECT	FUTURE
j'apprends	j'apprenais	j'apprendrai
tu apprends	tu apprenais	tu apprendras
il apprend	il apprenait	il apprendra
nous apprenons	nous apprenions	nous apprendrons
vous apprenez	vous appreniez	vous apprendrez
ils apprennent	ils apprenaient	ils apprendront

PAST HISTORIC	PERFECT	PLUPERFECT
j'appris	j'ai appris	j'avais appris
tu appris	tu as appris	tu avais appris
il apprit	il a appris	il avait appris
nous apprîmes	nous avons appris	nous avions appris
vous apprîtes	vous avez appris	vous aviez appris
ils apprirent	ils ont appris	ils avaient appris

PAST ANTERIOR	FUTURE PERFECT
j'eus appris *etc*	j'aurai appris *etc*

CONDITIONAL

PRESENT	PAST
j'apprendrais	j'aurais appris
tu apprendrais	tu aurais appris
il apprendrait	il aurait appris
nous apprendrions	nous aurions appris
vous apprendriez	vous auriez appris
ils apprendraient	ils auraient appris

IMPERATIVE

apprends
apprenons
apprenez

SUBJUNCTIVE

PRESENT	IMPERFECT	PERFECT
j'apprenne	j'apprisse	j'aie appris
tu apprennes	tu apprisses	tu aies appris
il apprenne	il apprît	il ait appris
nous apprenions	nous apprissions	nous ayons appris
vous appreniez	vous apprissiez	vous ayez appris
ils apprennent	ils apprissent	ils aient appris

INFINITIVE

PRESENT
apprendre

PAST
avoir appris

PARTICIPLE

PRESENT
apprenant

PAST
appris

APPUYER
17 to push; to lean

PRESENT	**IMPERFECT**	**FUTURE**
j'appuie	j'appuyais	j'appuierai
tu appuies	tu appuyais	tu appuieras
il appuie	il appuyait	il appuiera
nous appuyons	nous appuyions	nous appuierons
vous appuyez	vous appuyiez	vous appuierez
ils appuient	ils appuyaient	ils appuieront

PAST HISTORIC	**PERFECT**	**PLUPERFECT**
j'appuyai	j'ai appuyé	j'avais appuyé
tu appuyas	tu as appuyé	tu avais appuyé
il appuya	il a appuyé	il avait appuyé
nous appuyâmes	nous avons appuyé	nous avions appuyé
vous appuyâtes	vous avez appuyé	vous aviez appuyé
ils appuyèrent	ils ont appuyé	ils avaient appuyé

PAST ANTERIOR	**FUTURE PERFECT**
j'eus appuyé *etc*	j'aurai appuyé *etc*

CONDITIONAL

PRESENT	**PAST**
j'appuierais	j'aurais appuyé
tu appuierais	tu aurais appuyé
il appuierait	il aurait appuyé
nous appuierions	nous aurions appuyé
vous appuieriez	vous auriez appuyé
ils appuieraient	ils auraient appuyé

IMPERATIVE

appuie
appuyons
appuyez

SUBJUNCTIVE

PRESENT	**IMPERFECT**	**PERFECT**
j'appuie	j'appuyasse	j'aie appuyé
tu appuies	tu appuyasses	tu aies appuyé
il appuie	il appuyât	il ait appuyé
nous appuyions	nous appuyassions	nous ayons appuyé
vous appuyiez	vous appuyassiez	vous ayez appuyé
ils appuient	ils appuyassent	ils aient appuyé

INFINITIVE

PRESENT
appuyer

PAST
avoir appuyé

PARTICIPLE

PRESENT
appuyant

PAST
appuyé

PRESENT
j'argue
tu argues
il argue
nous arguons
vous arguez
ils arguent

IMPERFECT
j'arguais
tu arguais
il arguait
nous arguions
vous arguiez
ils arguaient

FUTURE
j'arguerai
tu argueras
il arguera
nous arguerons
vous arguerez
ils argueront

PAST HISTORIC
j'arguai
tu arguas
il argua
nous arguâmes
vous arguâtes
ils arguèrent

PERFECT
j'ai argué
tu as argué
il a argué
nous avons argué
vous avez argué
ils ont argué

PLUPERFECT
j'avais argué
tu avais argué
il avait argué
nous avions argué
vous aviez argué
ils avaient argué

PAST ANTERIOR
j'eus argué *etc*

FUTURE PERFECT
j'aurai argué *etc*

CONDITIONAL

PRESENT
j'arguerais
tu arguerais
il arguerait
nous arguerions
vous argueriez
ils argueraient

PAST
j'aurais argué
tu aurais argué
il aurait argué
nous aurions argué
vous auriez argué
ils auraient argué

IMPERATIVE

argue
arguons
arguez

SUBJUNCTIVE

PRESENT
j'argue
tu argues
il argue
nous arguions
vous arguiez
ils arguent

IMPERFECT
j'arguasse
tu arguasses
il arguât
nous arguassions
vous arguassiez
ils arguassent

PERFECT
j'aie argué
tu aies argué
il ait argué
nous ayons argué
vous ayez argué
ils aient argué

INFINITIVE

PRESENT
arguer

PAST
avoir argué

PARTICIPLE

PRESENT
arguant

PAST
argué

ARRIVER

19 *to arrive; to happen*

PRESENT	IMPERFECT	FUTURE
j'arrive	j'arrivais	j'arriverai
tu arrives	tu arrivais	tu arriveras
il arrive	il arrivait	il arrivera
nous arrivons	nous arrivions	nous arriverons
vous arrivez	vous arriviez	vous arriverez
ils arrivent	ils arrivaient	ils arriveront

PAST HISTORIC	PERFECT	PLUPERFECT
j'arrivai	je suis arrivé	j'étais arrivé
tu arrivas	tu es arrivé	tu étais arrivé
il arriva	il est arrivé	il était arrivé
nous arrivâmes	nous sommes arrivés	nous étions arrivés
vous arrivâtes	vous êtes arrivé(s)	vous étiez arrivé(s)
ils arrivèrent	ils sont arrivés	ils étaient arrivés

PAST ANTERIOR	FUTURE PERFECT
je fus arrivé *etc*	je serai arrivé *etc*

CONDITIONAL

PRESENT	PAST
j'arriverais	je serais arrivé
tu arriverais	tu serais arrivé
il arriverait	il serait arrivé
nous arriverions	nous serions arrivés
vous arriveriez	vous seriez arrivé(s)
ils arriveraient	ils seraient arrivés

IMPERATIVE

arrive
arrivons
arrivez

SUBJUNCTIVE

PRESENT	IMPERFECT	PERFECT
j'arrive	j'arrivasse	je sois arrivé
tu arrives	tu arrivasses	tu sois arrivé
il arrive	il arrivât	il soit arrivé
nous arrivions	nous arrivassions	nous soyons arrivés
vous arriviez	vous arrivassiez	vous soyez arrivé(s)
ils arrivent	ils arrivassent	ils soient arrivés

INFINITIVE

PRESENT
arriver

PAST
être arrivé

PARTICIPLE

PRESENT
arrivant

PAST
arrivé

PRESENT
j'assaille
tu assailles
il assaille
nous assaillons
vous assaillez
ils assaillent

IMPERFECT
j'assaillais
tu assaillais
il assaillait
nous assaillions
vous assailliez
ils assaillaient

FUTURE
j'assaillirai
tu assailliras
il assaillira
nous assaillirons
vous assaillirez
ils assailliront

PAST HISTORIC
j'assaillis
tu assaillis
il assaillit
nous assaillîmes
vous assaillîtes
ils assaillirent

PERFECT
j'ai assailli
tu as assailli
il a assailli
nous avons assailli
vous avez assailli
ils ont assailli

PLUPERFECT
j'avais assailli
tu avais assailli
il avait assailli
nous avions assailli
vous aviez assailli
ils avaient assailli

PAST ANTERIOR
j'eus assailli *etc*

FUTURE PERFECT
j'aurai assailli *etc*

CONDITIONAL

PRESENT
j'assaillirais
tu assaillirais
il assaillirait
nous assaillirions
vous assailliriez
ils assailliraient

PAST
j'aurais assailli
tu aurais assailli
il aurait assailli
nous aurions assailli
vous auriez assailli
ils auraient assailli

IMPERATIVE

assaille
assaillons
assaillez

SUBJUNCTIVE

PRESENT
j'assaille
tu assailles
il assaille
nous assaillions
vous assailliez
ils assaillent

IMPERFECT
j'assaillisse
tu assaillisses
il assaillît
nous assaillissions
vous assaillissiez
ils assaillissent

PERFECT
j'aie assailli
tu aies assailli
il ait assailli
nous ayons assailli
vous ayez assailli
ils aient assailli

INFINITIVE

PRESENT
assaillir

PAST
avoir assailli

PARTICIPLE

PRESENT
assaillant

PAST
assailli

S'ASSEOIR

21 *to sit down*

PRESENT
je m'assieds/assois
tu t'assieds/assois
il s'assied/assoit
nous ns. asseyons/assoyons
vous vous asseyez/assoyez
ils s'asseyent/assoient

IMPERFECT
je m'asseyais
tu t'asseyais
il s'asseyait
nous nous asseyions
vous vous asseyiez
ils s'asseyaient

FUTURE
je m'assiérai
tu t'assiéras
il s'assiéra
nous nous assiérons
vous vous assiérez
ils s'assiéront

PAST HISTORIC
je m'assis
tu t'assis
il s'assit
nous nous assîmes
vous vous assîtes
ils s'assirent

PERFECT
je me suis assis
tu t'es assis
il s'est assis
nous nous sommes assis
vous vous êtes assis
ils se sont assis

PLUPERFECT
je m'étais assis
tu t'étais assis
il s'était assis
nous nous étions assis
vous vous étiez assis
ils s'étaient assis

PAST ANTERIOR
je me fus assis *etc*

FUTURE PERFECT
je me serai assis *etc*

CONDITIONAL

PRESENT
je m'assiérais
tu t'assiérais
il s'assiérait
nous nous assiérions
vous vous assiériez
ils s'assiéraient

PAST
je me serais assis
tu te serais assis
il se serait assis
nous nous serions assis
vous vous seriez assis
ils se seraient assis

IMPERATIVE

assieds/assois-toi
asseyons/assoyons-nous
asseyez/assoyez-vous

SUBJUNCTIVE

PRESENT
je m'asseye
tu t'asseyes
il s'asseye
nous nous asseyions
vous vous asseyiez
ils s'asseyent

IMPERFECT
je m'assisse
tu t'assisses
il s'assît
nous nous assissions
vous vous assissiez
ils s'assissent

PERFECT
je me sois assis
tu te sois assis
il se soit assis
nous nous soyons assis
vous vous soyez assis
ils se soient assis

INFINITIVE

PRESENT
s'asseoir

PAST
s'être assis

PARTICIPLE

PRESENT
s'asseyant/s'assoyant

PAST
assis

NOTE

other (less common)
alternative forms are:
imperfect je m'assoyais
etc; future je m'assoirai
etc and present
subjunctive je m'assoie
etc

PRESENT
j'attends
tu attends
il attend
nous attendons
vous attendez
ils attendent

IMPERFECT
j'attendais
tu attendais
il attendait
nous attendions
vous attendiez
ils attendaient

FUTURE
j'attendrai
tu attendras
il attendra
nous attendrons
vous attendrez
ils attendront

PAST HISTORIC
j'attendis
tu attendis
il attendit
nous attendîmes
vous attendîtes
ils attendirent

PERFECT
j'ai attendu
tu as attendu
il a attendu
nous avons attendu
vous avez attendu
ils ont attendu

PLUPERFECT
j'avais attendu
tu avais attendu
il avait attendu
nous avions attendu
vous aviez attendu
ils avaient attendu

PAST ANTERIOR
j'eus attendu *etc*

FUTURE PERFECT
j'aurai attendu *etc*

CONDITIONAL

IMPERATIVE

PRESENT
j'attendrais
tu attendrais
il attendrait
nous attendrions
vous attendriez
ils attendraient

PAST
j'aurais attendu
tu aurais attendu
il aurait attendu
nous aurions attendu
vous auriez attendu
ils auraient attendu

attends
attendons
attendez

SUBJUNCTIVE

PRESENT
j'attende
tu attendes
il attende
nous attendions
vous attendiez
ils attendent

IMPERFECT
j'attendisse
tu attendisses
il attendît
nous attendissions
vous attendissiez
ils attendissent

PERFECT
j'aie attendu
tu aies attendu
il ait attendu
nous ayons attendu
vous ayez attendu
ils aient attendu

INFINITIVE

PARTICIPLE

PRESENT
attendre

PRESENT
attendant

PAST
avoir attendu

PAST
attendu

AVANCER
23 *to move forward*

PRESENT
j'avance
tu avances
il avance
nous avançons
vous avancez
ils avancent

PAST HISTORIC
j'avançai
tu avanças
il avança
nous avançâmes
vous avançâtes
ils avancèrent

PAST ANTERIOR
j'eus avancé *etc*

IMPERFECT
j'avançais
tu avançais
il avançait
nous avancions
vous avanciez
ils avançaient

PERFECT
j'ai avancé
tu as avancé
il a avancé
nous avons avancé
vous avez avancé
ils ont avancé

FUTURE PERFECT
j'aurai avancé *etc*

FUTURE
j'avancerai
tu avanceras
il avancera
nous avancerons
vous avancerez
ils avanceront

PLUPERFECT
j'avais avancé
tu avais avancé
il avait avancé
nous avions avancé
vous aviez avancé
ils avaient avancé

CONDITIONAL

PRESENT
j'avancerais
tu avancerais
il avancerait
nous avancerions
vous avanceriez
ils avanceraient

PAST
j'aurais avancé
tu aurais avancé
il aurait avancé
nous aurions avancé
vous auriez avancé
ils auraient avancé

IMPERATIVE

avance
avançons
avancez

SUBJUNCTIVE

PRESENT
j'avance
tu avances
il avance
nous avancions
vous avanciez
ils avancent

IMPERFECT
j'avançasse
tu avançasses
il avançât
nous avançassions
vous avançassiez
ils avançassent

PERFECT
j'aie avancé
tu aies avancé
il ait avancé
nous ayons avancé
vous ayez avancé
ils aient avancé

INFINITIVE

PRESENT
avancer

PAST
avoir avancé

PARTICIPLE

PRESENT
avançant

PAST
avancé

PRESENT	**IMPERFECT**	**FUTURE**
j'ai	j'avais	j'aurai
tu as	tu avais	tu auras
il a	il avait	il aura
nous avons	nous avions	nous aurons
vous avez	vous aviez	vous aurez
ils ont	ils avaient	ils auront

PAST HISTORIC	**PERFECT**	**PLUPERFECT**
j'eus	j'ai eu	j'avais eu
tu eus	tu as eu	tu avais eu
il eut	il a eu	il avait eu
nous eûmes	nous avons eu	nous avions eu
vous eûtes	vous avez eu	vous aviez eu
ils eurent	ils ont eu	ils avaient eu

PAST ANTERIOR	**FUTURE PERFECT**
j'eus eu *etc*	j'aurai eu *etc*

CONDITIONAL   *IMPERATIVE*

PRESENT	**PAST**	
j'aurais	j'aurais eu	aie
tu aurais	tu aurais eu	ayons
il aurait	il aurait eu	ayez
nous aurions	nous aurions eu	
vous auriez	vous auriez eu	
ils auraient	ils auraient eu	

SUBJUNCTIVE

PRESENT	**IMPERFECT**	**PERFECT**
j'aie	j'eusse	j'aie eu
tu aies	tu eusses	tu aies eu
il ait	il eût	il ait eu
nous ayons	nous eussions	nous ayons eu
vous ayez	vous eussiez	vous ayez eu
ils aient	ils eussent	ils aient eu

INFINITIVE   *PARTICIPLE*

PRESENT	**PRESENT**
avoir	ayant

PAST	**PAST**
avoir eu	eu

BATTRE
25 *to beat*

PRESENT	IMPERFECT	FUTURE
je bats	je battais	je battrai
tu bats	tu battais	tu battras
il bat	il battait	il battra
nous battons	nous battions	nous battrons
vous battez	vous battiez	vous battrez
ils battent	ils battaient	ils battront

PAST HISTORIC	PERFECT	PLUPERFECT
je battis	j'ai battu	j'avais battu
tu battis	tu as battu	tu avais battu
il battit	il a battu	il avait battu
nous battîmes	nous avons battu	nous avions battu
vous battîtes	vous avez battu	vous aviez battu
ils battirent	ils ont battu	ils avaient battu

PAST ANTERIOR	FUTURE PERFECT
j'eus battu *etc*	j'aurai battu *etc*

CONDITIONAL

PRESENT	PAST
je battrais	j'aurais battu
tu battrais	tu aurais battu
il battrait	il aurait battu
nous battrions	nous aurions battu
vous battriez	vous auriez battu
ils battraient	ils auraient battu

IMPERATIVE

bats
battons
battez

SUBJUNCTIVE

PRESENT	IMPERFECT	PERFECT
je batte	je battisse	j'aie battu
tu battes	tu battisses	tu aies battu
il batte	il battît	il ait battu
nous battions	nous battissions	nous ayons battu
vous battiez	vous battissiez	vous ayez battu
ils battent	ils battissent	ils aient battu

INFINITIVE

PARTICIPLE

PRESENT
battre

PRESENT
battant

PAST
avoir battu

PAST
battu

PRESENT	**IMPERFECT**	**FUTURE**
je bois	je buvais	je boirai
tu bois	tu buvais	tu boiras
il boit	il buvait	il boira
nous buvons	nous buvions	nous boirons
vous buvez	vous buviez	vous boirez
ils boivent	ils buvaient	ils boiront

PAST HISTORIC	**PERFECT**	**PLUPERFECT**
je bus	j'ai bu	j'avais bu
tu bus	tu as bu	tu avais bu
il but	il a bu	il avait bu
nous bûmes	nous avons bu	nous avions bu
vous bûtes	vous avez bu	vous aviez bu
ils burent	ils ont bu	ils avaient bu

PAST ANTERIOR	**FUTURE PERFECT**
j'eus bu *etc*	j'aurai bu *etc*

CONDITIONAL

IMPERATIVE

PRESENT	**PAST**	
je boirais	j'aurais bu	bois
tu boirais	tu aurais bu	buvons
il boirait	il aurait bu	buvez
nous boirions	nous aurions bu	
vous boiriez	vous auriez bu	
ils boiraient	ils auraient bu	

SUBJUNCTIVE

PRESENT	**IMPERFECT**	**PERFECT**
je boive	je busse	j'aie bu
tu boives	tu busses	tu aies bu
il boive	il bût	il ait bu
nous buvions	nous bussions	nous ayons bu
vous buviez	vous bussiez	vous ayez bu
ils boivent	ils bussent	ils aient bu

INFINITIVE

PARTICIPLE

PRESENT	**PRESENT**
boire	buvant

PAST	**PAST**
avoir bu	bu

BOUILLIR
27 to boil

PRESENT	IMPERFECT	FUTURE
je bous	je bouillais	je bouillirai
tu bous	tu bouillais	tu bouilliras
il bout	il bouillait	il bouillira
nous bouillons	nous bouillions	nous bouillirons
vous bouillez	vous bouilliez	vous bouillirez
ils bouillent	ils bouillaient	ils bouilliront

PAST HISTORIC	PERFECT	PLUPERFECT
je bouillis	j'ai bouilli	j'avais bouilli
tu bouillis	tu as bouilli	tu avais bouilli
il bouillit	il a bouilli	il avait bouilli
nous bouillîmes	nous avons bouilli	nous avions bouilli
vous bouillîtes	vous avez bouilli	vous aviez bouilli
ils bouillirent	ils ont bouilli	ils avaient bouilli

PAST ANTERIOR	FUTURE PERFECT
j'eus bouilli *etc*	j'aurai bouilli *etc*

CONDITIONAL

PRESENT	PAST
je bouillirais	j'aurais bouilli
tu bouillirais	tu aurais bouilli
il bouillirait	il aurait bouilli
nous bouillirions	nous aurions bouilli
vous bouilliriez	vous auriez bouilli
ils bouilliraient	ils auraient bouilli

IMPERATIVE

bous
bouillons
bouillez

SUBJUNCTIVE

PRESENT	IMPERFECT	PERFECT
je bouille	je bouillisse	j'aie bouilli
tu bouilles	tu bouillisses	tu aies bouilli
il bouille	il bouillît	il ait bouilli
nous bouillions	nous bouillissions	nous ayons bouilli
vous bouilliez	vous bouillissiez	vous ayez bouilli
ils bouillent	ils bouillissent	ils aient bouilli

INFINITIVE

PRESENT	PARTICIPLE

PARTICIPLE

PRESENT
bouillir

PRESENT
bouillant

PAST
avoir bouilli

PAST
bouilli

PRESENT
je brille
tu brilles
il brille
nous brillons
vous brillez
ils brillent

PAST HISTORIC
je brillai
tu brillas
il brilla
nous brillâmes
vous brillâtes
ils brillèrent

PAST ANTERIOR
j'eus brillé *etc*

IMPERFECT
je brillais
tu brillais
il brillait
nous brillions
vous brilliez
ils brillaient

PERFECT
j'ai brillé
tu as brillé
il a brillé
nous avons brillé
vous avez brillé
ils ont brillé

FUTURE PERFECT
j'aurai brillé *etc*

FUTURE
je brillerai
tu brilleras
il brillera
nous brillerons
vous brillerez
ils brilleront

PLUPERFECT
j'avais brillé
tu avais brillé
il avait brillé
nous avions brillé
vous aviez brillé
ils avaient brillé

CONDITIONAL

PRESENT
je brillerais
tu brillerais
il brillerait
nous brillerions
vous brilleriez
ils brilleraient

PAST
j'aurais brillé
tu aurais brillé
il aurait brillé
nous aurions brillé
vous auriez brillé
ils auraient brillé

IMPERATIVE

brille
brillons
brillez

SUBJUNCTIVE

PRESENT
je brille
tu brilles
il brille
nous brillions
vous brilliez
ils brillent

IMPERFECT
je brillasse
tu brillasses
il brillât
nous brillassions
vous brillassiez
ils brillassent

PERFECT
j'aie brillé
tu aies brillé
il ait brillé
nous ayons brillé
vous ayez brillé
ils aient brillé

INFINITIVE

PRESENT
briller

PAST
avoir brillé

PARTICIPLE

PRESENT
brillant

PAST
brillé

PRESENT
je cède
tu cèdes
il cède
nous cédons
vous cédez
ils cèdent

IMPERFECT
je cédais
tu cédais
il cédait
nous cédions
vous cédiez
ils cédaient

FUTURE
je céderai
tu céderas
il cédera
nous céderons
vous céderez
ils céderont

PAST HISTORIC
je cédai
tu cédas
il céda
nous cédâmes
vous cédâtes
ils cédèrent

PERFECT
j'ai cédé
tu as cédé
il a cédé
nous avons cédé
vous avez cédé
ils ont cédé

PLUPERFECT
j'avais cédé
tu avais cédé
il avait cédé
nous avions cédé
vous aviez cédé
ils avaient cédé

PAST ANTERIOR
j'eus cédé *etc*

FUTURE PERFECT
j'aurai cédé *etc*

CONDITIONAL

IMPERATIVE

PRESENT
je céderais
tu céderais
il céderait
nous céderions
vous céderiez
ils céderaient

PAST
j'aurais cédé
tu aurais cédé
il aurait cédé
nous aurions cédé
vous auriez cédé
ils auraient cédé

cède
cédons
cédez

SUBJUNCTIVE

PRESENT
je cède
tu cèdes
il cède
nous cédions
vous cédiez
ils cèdent

IMPERFECT
je cédasse
tu cédasses
il cédât
nous cédassions
vous cédassiez
ils cédassent

PERFECT
j'aie cédé
tu aies cédé
il ait cédé
nous ayons cédé
vous ayez cédé
ils aient cédé

INFINITIVE

PARTICIPLE

NOTE

PRESENT
céder

PRESENT
cédant

décéder takes the
auxiliary **être**

PAST
avoir cédé

PAST
cédé

PRESENT
je célèbre
tu célèbres
il célèbre
nous célébrons
vous célébrez
ils célèbrent

IMPERFECT
je célébrais
tu célébrais
il célébrait
nous célébrions
vous célébriez
ils célébraient

FUTURE
je célébrerai
tu célébreras
il célébrera
nous célébrerons
vous célébrerez
ils célébreront

PAST HISTORIC
je célébrai
tu célébras
il célébra
nous célébrâmes
vous célébrâtes
ils célébrèrent

PERFECT
j'ai célébré
tu as célébré
il a célébré
nous avons célébré
vous avez célébré
ils ont célébré

PLUPERFECT
j'avais célébré
tu avais célébré
il avait célébré
nous avions célébré
vous aviez célébré
ils avaient célébré

PAST ANTERIOR
j'eus célébré *etc*

FUTURE PERFECT
j'aurai célébré *etc*

CONDITIONAL

PRESENT
je célébrerais
tu célébrerais
il célébrerait
nous célébrerions
vous célébreriez
ils célébreraient

PAST
j'aurais célébré
tu aurais célébré
il aurait célébré
nous aurions célébré
vous auriez célébré
ils auraient célébré

IMPERATIVE

célèbre
célébrons
célébrez

SUBJUNCTIVE

PRESENT
je célèbre
tu célèbres
il célèbre
nous célébrions
vous célébriez
ils célèbrent

IMPERFECT
je célébrasse
tu célébrasses
il célébrât
nous célébrassions
vous célébrassiez
ils célébrassent

PERFECT
j'aie célébré
tu aies célébré
il ait célébré
nous ayons célébré
vous ayez célébré
ils aient célébré

INFINITIVE

PRESENT
célébrer

PAST
avoir célébré

PARTICIPLE

PRESENT
célébrant

PAST
célébré

CHANTER
31 *to sing*

PRESENT
je chante
tu chantes
il chante
nous chantons
vous chantez
ils chantent

PAST HISTORIC
je chantai
tu chantas
il chanta
nous chantâmes
vous chantâtes
ils chantèrent

PAST ANTERIOR
j'eus chanté *etc*

IMPERFECT
je chantais
tu chantais
il chantait
nous chantions
vous chantiez
ils chantaient

PERFECT
j'ai chanté
tu as chanté
il a chanté
nous avons chanté
vous avez chanté
ils ont chanté

FUTURE PERFECT
j'aurai chanté *etc*

FUTURE
je chanterai
tu chanteras
il chantera
nous chanterons
vous chanterez
ils chanteront

PLUPERFECT
j'avais chanté
tu avais chanté
il avait chanté
nous avions chanté
vous aviez chanté
ils avaient chanté

CONDITIONAL

PRESENT
je chanterais
tu chanterais
il chanterait
nous chanterions
vous chanteriez
ils chanteraient

PAST
j'aurais chanté
tu aurais chanté
il aurait chanté
nous aurions chanté
vous auriez chanté
ils auraient chanté

IMPERATIVE

chante
chantons
chantez

SUBJUNCTIVE

PRESENT
je chante
tu chantes
il chante
nous chantions
vous chantiez
ils chantent

IMPERFECT
je chantasse
tu chantasses
il chantât
nous chantassions
vous chantassiez
ils chantassent

PERFECT
j'aie chanté
tu aies chanté
il ait chanté
nous ayons chanté
vous ayez chanté
ils aient chanté

INFINITIVE

PRESENT
chanter

PAST
avoir chanté

PARTICIPLE

PRESENT
chantant

PAST
chanté

NOTE

demeurer takes the
auxiliary **être** when it
means 'to remain'
ressusciter takes the
auxiliary **être** when it is
intransitive

PRESENT	**IMPERFECT**	**FUTURE**
je chois		
tu chois		
il choit		
ils choient		

PAST HISTORIC	**PERFECT**	**PLUPERFECT**
	je suis chu	j'étais chu
	tu es chu	tu étais chu
il chut	il est chu	il était chu
	nous sommes chus	nous étions chus
	vous êtes chu(s)	vous étiez chu(s)
	ils sont chus	ils étaient chus

PAST ANTERIOR	**FUTURE PERFECT**	
il fut chu	il sera chu	

CONDITIONAL

IMPERATIVE

PRESENT	**PAST**
	je serais chu
	tu serais chu
	il serait chu
	nous serions chus
	vous seriez chu(s)
	ils seraient chus

SUBJUNCTIVE

PRESENT	**IMPERFECT**	**PERFECT**
		je sois chu
		tu sois chu
	il chût	il soit chu
		nous soyons chus
		vous soyez chu(s)
		ils soient chus

INFINITIVE

PARTICIPLE

PRESENT	**PRESENT**
choir	
PAST	**PAST**
être chu	chu

PRESENT	IMPERFECT	FUTURE
je clos		je clorai
tu clos		tu cloras
il clôt		il clora
		nous clorons
		vous clorez
ils closent		ils cloront

PAST HISTORIC	PERFECT	PLUPERFECT
	j'ai clos	j'avais clos
	tu as clos	tu avais clos
	il a clos	il avait clos
	nous avons clos	nous avions clos
	vous avez clos	vous aviez clos
	ils ont clos	ils avaient clos

PAST ANTERIOR	FUTURE PERFECT
j'eus clos _etc_	j'aurai clos _etc_

CONDITIONAL

IMPERATIVE

PRESENT	PAST	
je clorais	j'aurais clos	clos
tu clorais	tu aurais clos	
il clorait	il aurait clos	
nous clorions	nous aurions clos	
vous cloriez	vous auriez clos	
ils cloraient	ils auraient clos	

SUBJUNCTIVE

PRESENT	IMPERFECT	PERFECT
je close		j'aie clos
tu closes		tu aies clos
il close		il ait clos
nous closions		nous ayons clos
vous closiez		vous ayez clos
ils closent		ils aient clos

INFINITIVE

PARTICIPLE

NOTE

PRESENT	PRESENT	
clore		clore has no imperfect, past historic, imperfect subjunctive or present participle. The 'nous' and 'vous' forms of the present tense are not used.

PAST	PAST
avoir clos	clos

PRESENT
je commence
tu commences
il commence
nous commençons
vous commencez
ils commencent

IMPERFECT
je commençais
tu commençais
il commençait
nous commencions
vous commenciez
ils commençaient

FUTURE
je commencerai
tu commenceras
il commencera
nous commencerons
vous commencerez
ils commenceront

PAST HISTORIC
je commençai
tu commenças
il commença
nous commençâmes
vous commençâtes
ils commencèrent

PERFECT
j'ai commencé
tu as commencé
il a commencé
nous avons commencé
vous avez commencé
ils ont commencé

PLUPERFECT
j'avais commencé
tu avais commencé
il avait commencé
nous avions commencé
vous aviez commencé
ils avaient commencé

PAST ANTERIOR
j'eus commencé *etc*

FUTURE PERFECT
j'aurai commencé *etc*

CONDITIONAL

PRESENT
je commencerais
tu commencerais
il commencerait
nous commencerions
vous commenceriez
ils commenceraient

PAST
j'aurais commencé
tu aurais commencé
il aurait commencé
nous aurions commencé
vous auriez commencé
ils auraient commencé

IMPERATIVE

commence
commençons
commencez

SUBJUNCTIVE

PRESENT
je commence
tu commences
il commence
nous commencions
vous commenciez
ils commencent

IMPERFECT
je commençasse
tu commençasses
il commençât
nous commençassions
vous commençassiez
ils commençassent

PERFECT
j'aie commencé
tu aies commencé
il ait commencé
nous ayons commencé
vous ayez commencé
ils aient commencé

INFINITIVE

PRESENT
commencer

PAST
avoir commencé

PARTICIPLE

PRESENT
commençant

PAST
commencé

COMPLÉTER
35 *to complete*

PRESENT
je complète
tu complètes
il complète
nous complétons
vous complétez
ils complètent

IMPERFECT
je complétais
tu complétais
il complétait
nous complétions
vous complétiez
ils complétaient

FUTURE
je compléterai
tu compléteras
il complétera
nous compléterons
vous compléterez
ils compléteront

PAST HISTORIC
je complétai
tu complétas
il compléta
nous complétâmes
vous complétâtes
ils complétèrent

PERFECT
j'ai complété
tu as complété
il a complété
nous avons complété
vous avez complété
ils ont complété

PLUPERFECT
j'avais complété
tu avais complété
il avait complété
nous avions complété
vous aviez complété
ils avaient complété

PAST ANTERIOR
j'eus complété *etc*

FUTURE PERFECT
j'aurai complété *etc*

CONDITIONAL

PRESENT
je compléterais
tu compléterais
il compléterait
nous compléterions
vous compléteriez
ils compléteraient

PAST
j'aurais complété
tu aurais complété
il aurait complété
nous aurions complété
vous auriez complété
ils auraient complété

IMPERATIVE

complète
complétons
complétez

SUBJUNCTIVE

PRESENT
je complète
tu complètes
il complète
nous complétions
vous complétiez
ils complètent

IMPERFECT
je complétasse
tu complétasses
il complétât
nous complétassions
vous complétassiez
ils complétassent

PERFECT
j'aie complété
tu aies complété
il ait complété
nous ayons complété
vous ayez complété
ils aient complété

INFINITIVE

PRESENT
compléter

PAST
avoir complété

PARTICIPLE

PRESENT
complétant

PAST
complété

PRESENT
je comprends
tu comprends
il comprend
nous comprenons
vous comprenez
ils comprennent

IMPERFECT
je comprenais
tu comprenais
il comprenait
nous comprenions
vous compreniez
ils comprenaient

FUTURE
je comprendrai
tu comprendras
il comprendra
nous comprendrons
vous comprendrez
ils comprendront

PAST HISTORIC
je compris
tu compris
il comprit
nous comprîmes
vous comprîtes
ils comprirent

PERFECT
j'ai compris
tu as compris
il a compris
nous avons compris
vous avez compris
ils ont compris

PLUPERFECT
j'avais compris
tu avais compris
il avait compris
nous avions compris
vous aviez compris
ils avaient compris

PAST ANTERIOR
j'eus compris *etc*

FUTURE PERFECT
j'aurai compris *etc*

CONDITIONAL

PRESENT
je comprendrais
tu comprendrais
il comprendrait
nous comprendrions
vous comprendriez
ils comprendraient

PAST
j'aurais compris
tu aurais compris
il aurait compris
nous aurions compris
vous auriez compris
ils auraient compris

IMPERATIVE

comprends
comprenons
comprenez

SUBJUNCTIVE

PRESENT
je comprenne
tu comprennes
il comprenne
nous comprenions
vous compreniez
ils comprennent

IMPERFECT
je comprisse
tu comprisses
il comprît
nous comprissions
vous comprissiez
ils comprissent

PERFECT
j'aie compris
tu aies compris
il ait compris
nous ayons compris
vous ayez compris
ils aient compris

INFINITIVE

PRESENT
comprendre

PAST
avoir compris

PARTICIPLE

PRESENT
comprenant

PAST
compris

CONCLURE
37 to conclude

PRESENT
je conclus
tu conclus
il conclut
nous concluons
vous concluez
ils concluent

IMPERFECT
je concluais
tu concluais
il concluait
nous concluions
vous concluiez
ils concluaient

FUTURE
je conclurai
tu concluras
il conclura
nous conclurons
vous conclurez
ils concluront

PAST HISTORIC
je conclus
tu conclus
il conclut
nous conclûmes
vous conclûtes
ils conclurent

PERFECT
j'ai conclu
tu as conclu
il a conclu
nous avons conclu
vous avez conclu
ils ont conclu

PLUPERFECT
j'avais conclu
tu avais conclu
il avait conclu
nous avions conclu
vous aviez conclu
ils avaient conclu

PAST ANTERIOR
j'eus conclu *etc*

FUTURE PERFECT
j'aurai conclu *etc*

CONDITIONAL

PRESENT
je conclurais
tu conclurais
il conclurait
nous conclurions
vous concluriez
ils concluraient

PAST
j'aurais conclu
tu aurais conclu
il aurait conclu
nous aurions conclu
vous auriez conclu
ils auraient conclu

IMPERATIVE

conclus
concluons
concluez

SUBJUNCTIVE

PRESENT
je conclue
tu conclues
il conclue
nous concluions
vous concluiez
ils concluent

IMPERFECT
je conclusse
tu conclusses
il conclût
nous conclussions
vous conclussiez
ils conclussent

PERFECT
j'aie conclu
tu aies conclu
il ait conclu
nous ayons conclu
vous ayez conclu
ils aient conclu

INFINITIVE

PRESENT
conclure

PAST
avoir conclu

PARTICIPLE

PRESENT
concluant

PAST
conclu

PRESENT
je conduis
tu conduis
il conduit
nous conduisons
vous conduisez
ils conduisent

IMPERFECT
je conduisais
tu conduisais
il conduisait
nous conduisions
vous conduisiez
ils conduisaient

FUTURE
je conduirai
tu conduiras
il conduira
nous conduirons
vous conduirez
ils conduiront

PAST HISTORIC
je conduisis
tu conduisis
il conduisit
nous conduisîmes
vous conduisîtes
ils conduisirent

PERFECT
j'ai conduit
tu as conduit
il a conduit
nous avons conduit
vous avez conduit
ils ont conduit

PLUPERFECT
j'avais conduit
tu avais conduit
il avait conduit
nous avions conduit
vous aviez conduit
ils avaient conduit

PAST ANTERIOR
j'eus conduit *etc*

FUTURE PERFECT
j'aurai conduit *etc*

CONDITIONAL

PRESENT
je conduirais
tu conduirais
il conduirait
nous conduirions
vous conduiriez
ils conduiraient

PAST
j'aurais conduit
tu aurais conduit
il aurait conduit
nous aurions conduit
vous auriez conduit
ils auraient conduit

IMPERATIVE

conduis
conduisons
conduisez

SUBJUNCTIVE

PRESENT
je conduise
tu conduises
il conduise
nous conduisions
vous conduisiez
ils conduisent

IMPERFECT
je conduisisse
tu conduisisses
il conduisît
nous conduisissions
vous conduisissiez
ils conduisissent

PERFECT
j'aie conduit
tu aies conduit
il ait conduit
nous ayons conduit
vous ayez conduit
ils aient conduit

INFINITIVE

PRESENT
conduire

PAST
avoir conduit

PARTICIPLE

PRESENT
conduisant

PAST
conduit

PRESENT	IMPERFECT	FUTURE
je confis	je confisais	je confirai
tu confis	tu confisais	tu confiras
il confit	il confisait	il confira
nous confisons	nous confisions	nous confirons
vous confisez	vous confisiez	vous confirez
ils confisent	ils confisaient	ils confiront

PAST HISTORIC	PERFECT	PLUPERFECT
je confis	j'ai confit	j'avais confit
tu confis	tu as confit	tu avais confit
il confit	il a confit	il avait confit
nous confîmes	nous avons confit	nous avions confit
vous confîtes	vous avez confit	vous aviez confit
ils confirent	ils ont confit	ils avaient confit

PAST ANTERIOR	FUTURE PERFECT
j'eus confit *etc*	j'aurai confit *etc*

CONDITIONAL

PRESENT	PAST
je confirais	j'aurais confit
tu confirais	tu aurais confit
il confirait	il aurait confit
nous confirions	nous aurions confit
vous confiriez	vous auriez confit
ils confiraient	ils auraient confit

IMPERATIVE

confis
confisons
confisez

SUBJUNCTIVE

PRESENT	IMPERFECT	PERFECT
je confise	je confisse	j'aie confit
tu confises	tu confisses	tu aies confit
il confise	il confît	il ait confit
nous confisions	nous confissions	nous ayons confit
vous confisiez	vous confissiez	vous ayez confit
ils confisent	ils confissent	ils aient confit

INFINITIVE

PRESENT
confire

PAST
avoir confit

PARTICIPLE

PRESENT
confisant

PAST
confit

PRESENT
je connais
tu connais
il connaît
nous connaissons
vous connaissez
ils connaissent

PAST HISTORIC
je connus
tu connus
il connut
nous connûmes
vous connûtes
ils connurent

PAST ANTERIOR
j'eus connu *etc*

IMPERFECT
je connaissais
tu connaissais
il connaissait
nous connaissions
vous connaissiez
ils connaissaient

PERFECT
j'ai connu
tu as connu
il a connu
nous avons connu
vous avez connu
ils ont connu

FUTURE PERFECT
j'aurai connu *etc*

FUTURE
je connaîtrai
tu connaîtras
il connaîtra
nous connaîtrons
vous connaîtrez
ils connaîtront

PLUPERFECT
j'avais connu
tu avais connu
il avait connu
nous avions connu
vous aviez connu
ils avaient connu

CONDITIONAL

PRESENT
je connaîtrais
tu connaîtrais
il connaîtrait
nous connaîtrions
vous connaîtriez
ils connaîtraient

PAST
j'aurais connu
tu aurais connu
il aurait connu
nous aurions connu
vous auriez connu
ils auraient connu

IMPERATIVE

connais
connaissons
connaissez

SUBJUNCTIVE

PRESENT
je connaisse
tu connaisses
il connaisse
nous connaissions
vous connaissiez
ils connaissent

IMPERFECT
je connusse
tu connusses
il connût
nous connussions
vous connussiez
ils connussent

PERFECT
j'aie connu
tu aies connu
il ait connu
nous ayons connu
vous ayez connu
ils aient connu

INFINITIVE

PRESENT
connaître

PAST
avoir connu

PARTICIPLE

PRESENT
connaissant

PAST
connu

CONSEILLER
41 *to advise*

PRESENT	IMPERFECT	FUTURE
je conseille	je conseillais	je conseillerai
tu conseilles	tu conseillais	tu conseilleras
il conseille	il conseillait	il conseillera
nous conseillons	nous conseillions	nous conseillerons
vous conseillez	vous conseilliez	vous conseillerez
ils conseillent	ils conseillaient	ils conseilleront

PAST HISTORIC	PERFECT	PLUPERFECT
je conseillai	j'ai conseillé	j'avais conseillé
tu conseillas	tu as conseillé	tu avais conseillé
il conseilla	il a conseillé	il avait conseillé
nous conseillâmes	nous avons conseillé	nous avions conseillé
vous conseillâtes	vous avez conseillé	vous aviez conseillé
ils conseillèrent	ils ont conseillé	ils avaient conseillé

PAST ANTERIOR	FUTURE PERFECT
j'eus conseillé *etc*	j'aurai conseillé *etc*

CONDITIONAL

IMPERATIVE

PRESENT	PAST	
je conseillerais	j'aurais conseillé	conseille
tu conseillerais	tu aurais conseillé	conseillons
il conseillerait	il aurait conseillé	conseillez
nous conseillerions	nous aurions conseillé	
vous conseilleriez	vous auriez conseillé	
ils conseilleraient	ils auraient conseillé	

SUBJUNCTIVE

PRESENT	IMPERFECT	PERFECT
je conseille	je conseillasse	j'aie conseillé
tu conseilles	tu conseillasses	tu aies conseillé
il conseille	il conseillât	il ait conseillé
nous conseillions	nous conseillassions	nous ayons conseillé
vous conseilliez	vous conseillassiez	vous ayez conseillé
ils conseillent	ils conseillassent	ils aient conseillé

INFINITIVE

PARTICIPLE

PRESENT	PRESENT
conseiller	conseillant

PAST	PAST
avoir conseillé	conseillé

PRESENT
je couds
tu couds
il coud
nous cousons
vous cousez
ils cousent

IMPERFECT
je cousais
tu cousais
il cousait
nous cousions
vous cousiez
ils cousaient

FUTURE
je coudrai
tu coudras
il coudra
nous coudrons
vous coudrez
ils coudront

PAST HISTORIC
je cousis
tu cousis
il cousit
nous cousîmes
vous cousîtes
ils cousirent

PERFECT
j'ai cousu
tu as cousu
il a cousu
nous avons cousu
vous avez cousu
ils ont cousu

PLUPERFECT
j'avais cousu
tu avais cousu
il avait cousu
nous avions cousu
vous aviez cousu
ils avaient cousu

PAST ANTERIOR
j'eus cousu *etc*

FUTURE PERFECT
j'aurai cousu *etc*

CONDITIONAL

PRESENT
je coudrais
tu coudrais
il coudrait
nous coudrions
vous coudriez
ils coudraient

PAST
j'aurais cousu
tu aurais cousu
il aurait cousu
nous aurions cousu
vous auriez cousu
ils auraient cousu

IMPERATIVE

couds
cousons
cousez

SUBJUNCTIVE

PRESENT
je couse
tu couses
il couse
nous cousions
vous cousiez
ils cousent

IMPERFECT
je cousisse
tu cousisses
il cousît
nous cousissions
vous cousissiez
ils cousissent

PERFECT
j'aie cousu
tu aies cousu
il ait cousu
nous ayons cousu
vous ayez cousu
ils aient cousu

INFINITIVE

PRESENT
coudre

PAST
avoir cousu

PARTICIPLE

PRESENT
cousant

PAST
cousu

COURIR
43 *to run*

PRESENT
je cours
tu cours
il court
nous courons
vous courez
ils courent

IMPERFECT
je courais
tu courais
il courait
nous courions
vous couriez
ils couraient

FUTURE
je courrai
tu courras
il courra
nous courrons
vous courrez
ils courront

PAST HISTORIC
je courus
tu courus
il courut
nous courûmes
vous courûtes
ils coururent

PERFECT
j'ai couru
tu as couru
il a couru
nous avons couru
vous avez couru
ils ont couru

PLUPERFECT
j'avais couru
tu avais couru
il avait couru
nous avions couru
vous aviez couru
ils avaient couru

PAST ANTERIOR
j'eus couru *etc*

FUTURE PERFECT
j'aurai couru *etc*

CONDITIONAL

PRESENT
je courrais
tu courrais
il courrait
nous courrions
vous courriez
ils courraient

PAST
j'aurais couru
tu aurais couru
il aurait couru
nous aurions couru
vous auriez couru
ils auraient couru

IMPERATIVE

cours
courons
courez

SUBJUNCTIVE

PRESENT
je coure
tu coures
il coure
nous courions
vous couriez
ils courent

IMPERFECT
je courusse
tu courusses
il courût
nous courussions
vous courussiez
ils courussent

PERFECT
j'aie couru
tu aies couru
il ait couru
nous ayons couru
vous ayez couru
ils aient couru

INFINITIVE

PRESENT
courir

PAST
avoir couru

PARTICIPLE

PRESENT
courant

PAST
couru

NOTE

accourir takes **avoir** or **être** as its auxiliary

PRESENT
je couvre
tu couvres
il couvre
nous couvrons
vous couvrez
ils couvrent

PAST HISTORIC
je couvris
tu couvris
il couvrit
nous couvrîmes
vous couvrîtes
ils couvrirent

PAST ANTERIOR
j'eus couvert *etc*

IMPERFECT
je couvrais
tu couvrais
il couvrait
nous couvrions
vous couvriez
ils couvraient

PERFECT
j'ai couvert
tu as couvert
il a couvert
nous avons couvert
vous avez couvert
ils ont couvert

FUTURE PERFECT
j'aurai couvert *etc*

FUTURE
je couvrirai
tu couvriras
il couvrira
nous couvrirons
vous couvrirez
ils couvriront

PLUPERFECT
j'avais couvert
tu avais couvert
il avait couvert
nous avions couvert
vous aviez couvert
ils avaient couvert

CONDITIONAL

PRESENT
je couvrirais
tu couvrirais
il couvrirait
nous couvririons
vous couvririez
ils couvriraient

PAST
j'aurais couvert
tu aurais couvert
il aurait couvert
nous aurions couvert
vous auriez couvert
ils auraient couvert

IMPERATIVE

couvre
couvrons
couvrez

SUBJUNCTIVE

PRESENT
je couvre
tu couvres
il couvre
nous couvrions
vous couvriez
ils couvrent

IMPERFECT
je couvrisse
tu couvrisses
il couvrît
nous couvrissions
vous couvrissiez
ils couvrissent

PERFECT
j'aie couvert
tu aies couvert
il ait couvert
nous ayons couvert
vous ayez couvert
ils aient couvert

INFINITIVE

PRESENT
couvrir

PAST
avoir couvert

PARTICIPLE

PRESENT
couvrant

PAST
couvert

CRAINDRE
45 to fear

PRESENT	IMPERFECT	FUTURE
je crains	je craignais	je craindrai
tu crains	tu craignais	tu craindras
il craint	il craignait	il craindra
nous craignons	nous craignions	nous craindrons
vous craignez	vous craigniez	vous craindrez
ils craignent	ils craignaient	ils craindront

PAST HISTORIC	PERFECT	PLUPERFECT
je craignis	j'ai craint	j'avais craint
tu craignis	tu as craint	tu avais craint
il craignit	il a craint	il avait craint
nous craignîmes	nous avons craint	nous avions craint
vous craignîtes	vous avez craint	vous aviez craint
ils craignirent	ils ont craint	ils avaient craint

PAST ANTERIOR	FUTURE PERFECT
j'eus craint *etc*	j'aurai craint *etc*

CONDITIONAL

IMPERATIVE

PRESENT	PAST	
je craindrais	j'aurais craint	crains
tu craindrais	tu aurais craint	craignons
il craindrait	il aurait craint	craignez
nous craindrions	nous aurions craint	
vous craindriez	vous auriez craint	
ils craindraient	ils auraient craint	

SUBJUNCTIVE

PRESENT	IMPERFECT	PERFECT
je craigne	je craignisse	j'aie craint
tu craignes	tu craignisses	tu aies craint
il craigne	il craignît	il ait craint
nous craignions	nous craignissions	nous ayons craint
vous craigniez	vous craignissiez	vous ayez craint
ils craignent	ils craignissent	ils aient craint

INFINITIVE

PARTICIPLE

PRESENT	PRESENT
craindre	craignant

PAST	PAST
avoir craint	craint

PRESENT
je crée
tu crées
il crée
nous créons
vous créez
ils créent

IMPERFECT
je créais
tu créais
il créait
nous créions
vous créiez
ils créaient

FUTURE
je créerai
tu créeras
il créera
nous créerons
vous créerez
ils créeront

PAST HISTORIC
je créai
tu créas
il créa
nous créâmes
vous créâtes
ils créèrent

PERFECT
j'ai créé
tu as créé
il a créé
nous avons créé
vous avez créé
ils ont créé

PLUPERFECT
j'avais créé
tu avais créé
il avait créé
nous avions créé
vous aviez créé
ils avaient créé

PAST ANTERIOR
j'eus créé *etc*

FUTURE PERFECT
j'aurai créé *etc*

CONDITIONAL

PRESENT
je créerais
tu créerais
il créerait
nous créerions
vous créeriez
ils créeraient

PAST
j'aurais créé
tu aurais créé
il aurait créé
nous aurions créé
vous auriez créé
ils auraient créé

IMPERATIVE

crée
créons
créez

SUBJUNCTIVE

PRESENT
je crée
tu crées
il crée
nous créions
vous créiez
ils créent

IMPERFECT
je créasse
tu créasses
il créât
nous créassions
vous créassiez
ils créassent

PERFECT
j'aie créé
tu aies créé
il ait créé
nous ayons créé
vous ayez créé
ils aient créé

INFINITIVE

PRESENT
créer

PAST
avoir créé

PARTICIPLE

PRESENT
créant

PAST
créé

CRITICAL

PRESENT	**IMPERFECT**	**FUTURE**
je crie	je criais	je crierai
tu cries	tu criais	tu crieras
il crie	il criait	il criera
nous crions	nous criions	nous crierons
vous criez	vous criiez	vous crierez
ils crient	ils criaient	ils crieront

PAST HISTORIC	**PERFECT**	**PLUPERFECT**
je criai	j'ai crié	j'avais crié
tu crias	tu as crié	tu avais crié
il cria	il a crié	il avait crié
nous criâmes	nous avons crié	nous avions crié
vous criâtes	vous avez crié	vous aviez crié
ils crièrent	ils ont crié	ils avaient crié

PAST ANTERIOR	**FUTURE PERFECT**	
j'eus crié *etc*	j'aurai crié *etc*	

CONDITIONAL

IMPERATIVE

PRESENT	**PAST**	
je crierais	j'aurais crié	crie
tu crierais	tu aurais crié	crions
il crierait	il aurait crié	criez
nous crierions	nous aurions crié	
vous crieriez	vous auriez crié	
ils crieraient	ils auraient crié	

SUBJUNCTIVE

PRESENT	**IMPERFECT**	**PERFECT**
je crie	je criasse	j'aie crié
tu cries	tu criasses	tu aies crié
il crie	il criât	il ait crié
nous criions	nous criassions	nous ayons crié
vous criiez	vous criassiez	vous ayez crié
ils crient	ils criassent	ils aient crié

INFINITIVE

PARTICIPLE

PRESENT	**PRESENT**
crier	criant

PAST	**PAST**
avoir crié	crié

PRESENT
je crois
tu crois
il croit
nous croyons
vous croyez
ils croient

PAST HISTORIC
je crus
tu crus
il crut
nous crûmes
vous crûtes
ils crurent

PAST ANTERIOR
j'eus cru *etc*

IMPERFECT
je croyais
tu croyais
il croyait
nous croyions
vous croyiez
ils croyaient

PERFECT
j'ai cru
tu as cru
il a cru
nous avons cru
vous avez cru
ils ont cru

FUTURE PERFECT
j'aurai cru *etc*

FUTURE
je croirai
tu croiras
il croira
nous croirons
vous croirez
ils croiront

PLUPERFECT
j'avais cru
tu avais cru
il avait cru
nous avions cru
vous aviez cru
ils avaient cru

CONDITIONAL

PRESENT
je croirais
tu croirais
il croirait
nous croirions
vous croiriez
ils croiraient

PAST
j'aurais cru
tu aurais cru
il aurait cru
nous aurions cru
vous auriez cru
ils auraient cru

IMPERATIVE

crois
croyons
croyez

SUBJUNCTIVE

PRESENT
je croie
tu croies
il croie
nous croyions
vous croyiez
ils croient

IMPERFECT
je crusse
tu crusses
il crût
nous crussions
vous crussiez
ils crussent

PERFECT
j'aie cru
tu aies cru
il ait cru
nous ayons cru
vous ayez cru
ils aient cru

INFINITIVE

PRESENT
croire

PAST
avoir cru

PARTICIPLE

PRESENT
croyant

PAST
cru

CROÎTRE
49 *to grow*

PRESENT	IMPERFECT	FUTURE
je croîs	je croissais	je croîtrai
tu croîs	tu croissais	tu croîtras
il croît	il croissait	il croîtra
nous croissons	nous croissions	nous croîtrons
vous croissez	vous croissiez	vous croîtrez
ils croissent	ils croissaient	ils croîtront

PAST HISTORIC	PERFECT	PLUPERFECT
je crûs	j'ai crû	j'avais crû
tu crûs	tu as crû	tu avais crû
il crût	il a crû	il avait crû
nous crûmes	nous avons crû	nous avions crû
vous crûtes	vous avez crû	vous aviez crû
ils crûrent	ils ont crû	ils avaient crû

PAST ANTERIOR	FUTURE PERFECT
j'eus crû *etc*	j'aurai crû *etc*

CONDITIONAL

PRESENT	PAST
je croîtrais	j'aurais crû
tu croîtrais	tu aurais crû
il croîtrait	il aurait crû
nous croîtrions	nous aurions crû
vous croîtriez	vous auriez crû
ils croîtraient	ils auraient crû

IMPERATIVE

croîs
croissons
croissez

SUBJUNCTIVE

PRESENT	IMPERFECT	PERFECT
je croisse	je crûsse	j'aie crû
tu croisses	tu crûsses	tu aies crû
il croisse	il crût	il ait crû
nous croissions	nous crûssions	nous ayons crû
vous croissiez	vous crûssiez	vous ayez crû
ils croissent	ils crûssent	ils aient crû

INFINITIVE

PRESENT
croître

PAST
avoir crû

PARTICIPLE

PRESENT
croissant

PAST
crû (crue, crus)

74

PRESENT
je cueille
tu cueilles
il cueille
nous cueillons
vous cueillez
ils cueillent

IMPERFECT
je cueillais
tu cueillais
il cueillait
nous cueillions
vous cueilliez
ils cueillaient

FUTURE
je cueillerai
tu cueilleras
il cueillera
nous cueillerons
vous cueillerez
ils cueilleront

PAST HISTORIC
je cueillis
tu cueillis
il cueillit
nous cueillîmes
vous cueillîtes
ils cueillirent

PERFECT
j'ai cueilli
tu as cueilli
il a cueilli
nous avons cueilli
vous avez cueilli
ils ont cueilli

PLUPERFECT
j'avais cueilli
tu avais cueilli
il avait cueilli
nous avions cueilli
vous aviez cueilli
ils avaient cueilli

PAST ANTERIOR
j'eus cueilli *etc*

FUTURE PERFECT
j'aurai cueilli *etc*

CONDITIONAL

IMPERATIVE

PRESENT
je cueillerais
tu cueillerais
il cueillerait
nous cueillerions
vous cueilleriez
ils cueilleraient

PAST
j'aurais cueilli
tu aurais cueilli
il aurait cueilli
nous aurions cueilli
vous auriez cueilli
ils auraient cueilli

cueille
cueillons
cueillez

SUBJUNCTIVE

PRESENT
je cueille
tu cueilles
il cueille
nous cueillions
vous cueilliez
ils cueillent

IMPERFECT
je cueillisse
tu cueillisses
il cueillît
nous cueillissions
vous cueillissiez
ils cueillissent

PERFECT
j'aie cueilli
tu aies cueilli
il ait cueilli
nous ayons cueilli
vous ayez cueilli
ils aient cueilli

INFINITIVE

PARTICIPLE

PRESENT
cueillir

PRESENT
cueillant

PAST
avoir cueilli

PAST
cueilli

CUIRE
51 *to cook*

PRESENT	IMPERFECT	FUTURE
je cuis	je cuisais	je cuirai
tu cuis	tu cuisais	tu cuiras
il cuit	il cuisait	il cuira
nous cuisons	nous cuisions	nous cuirons
vous cuisez	vous cuisiez	vous cuirez
ils cuisent	ils cuisaient	ils cuiront

PAST HISTORIC	PERFECT	PLUPERFECT
je cuisis	j'ai cuit	j'avais cuit
tu cuisis	tu as cuit	tu avais cuit
il cuisit	il a cuit	il avait cuit
nous cuisîmes	nous avons cuit	nous avions cuit
vous cuisîtes	vous avez cuit	vous aviez cuit
ils cuisirent	ils ont cuit	ils avaient cuit

PAST ANTERIOR	FUTURE PERFECT
j'eus cuit *etc*	j'aurai cuit *etc*

CONDITIONAL

PRESENT	PAST	IMPERATIVE
je cuirais	j'aurais cuit	
tu cuirais	tu aurais cuit	cuis
il cuirait	il aurait cuit	cuisons
nous cuirions	nous aurions cuit	cuisez
vous cuiriez	vous auriez cuit	
ils cuiraient	ils auraient cuit	

SUBJUNCTIVE

PRESENT	IMPERFECT	PERFECT
je cuise	je cuisisse	j'aie cuit
tu cuises	tu cuisisses	tu aies cuit
il cuise	il cuisît	il ait cuit
nous cuisions	nous cuisissions	nous ayons cuit
vous cuisiez	vous cuisissiez	vous ayez cuit
ils cuisent	ils cuisissent	ils aient cuit

INFINITIVE

PRESENT	PARTICIPLE
cuire	PRESENT
	cuisant

PAST	PAST
avoir cuit	cuit

PRESENT
je déchois
tu déchois
il déchoit
nous déchoyons
vous déchoyez
ils déchoient

IMPERFECT

FUTURE
je déchoirai
tu déchoiras
il déchoira
nous déchoirons
vous déchoirez
ils déchoiront

PAST HISTORIC
je déchus
tu déchus
il déchut
nous déchûmes
vous déchûtes
ils déchurent

PERFECT
j'ai déchu
tu as déchu
il a déchu
nous avons déchu
vous avez déchu
ils ont déchu

PLUPERFECT
j'avais déchu
tu avais déchu
il avait déchu
nous avions déchu
vous aviez déchu
ils avaient déchu

PAST ANTERIOR
j'eus déchu *etc*

FUTURE PERFECT
j'aurai déchu *etc*

CONDITIONAL

PRESENT
je déchoirais
tu déchoirais
il déchoirait
nous déchoirions
vous déchoiriez
ils déchoiraient

PAST
j'aurais déchu
tu aurais déchu
il aurait déchu
nous aurions déchu
vous auriez déchu
ils auraient déchu

IMPERATIVE

SUBJUNCTIVE

PRESENT
je déchoie
tu déchoies
il déchoie
nous déchoyions
vous déchoyiez
ils déchoient

IMPERFECT
je déchusse
tu déchusses
il déchût
nous déchussions
vous déchussiez
ils déchussent

PERFECT
j'aie déchu
tu aies déchu
il ait déchu
nous ayons déchu
vous ayez déchu
ils aient déchu

INFINITIVE

PRESENT
déchoir

PAST
avoir déchu

PARTICIPLE

PRESENT

PAST
déchu

NOTE

déchoir can also take
the auxiliary **être**

DÉCOUVRIR
53 _to discover_

PRESENT
je découvre
tu découvres
il découvre
nous découvrons
vous découvrez
ils découvrent

PAST HISTORIC
je découvris
tu découvris
il découvrit
nous découvrîmes
vous découvrîtes
ils découvrirent

PAST ANTERIOR
j'eus découvert _etc_

IMPERFECT
je découvrais
tu découvrais
il découvrait
nous découvrions
vous découvriez
ils découvraient

PERFECT
j'ai découvert
tu as découvert
il a découvert
nous avons découvert
vous avez découvert
ils ont découvert

FUTURE PERFECT
j'aurai découvert _etc_

FUTURE
je découvrirai
tu découvriras
il découvrira
nous découvrirons
vous découvrirez
ils découvriront

PLUPERFECT
j'avais découvert
tu avais découvert
il avait découvert
nous avions découvert
vous aviez découvert
ils avaient découvert

CONDITIONAL

PRESENT
je découvrirais
tu découvrirais
il découvrirait
nous découvririons
vous découvririez
ils découvriraient

PAST
j'aurais découvert
tu aurais découvert
il aurait découvert
nous aurions découvert
vous auriez découvert
ils auraient découvert

IMPERATIVE

découvre
découvrons
découvrez

SUBJUNCTIVE

PRESENT
je découvre
tu découvres
il découvre
nous découvrions
vous découvriez
ils découvrent

IMPERFECT
je découvrisse
tu découvrisses
il découvrît
nous découvrissions
vous découvrissiez
ils découvrissent

PERFECT
j'aie découvert
tu aies découvert
il ait découvert
nous ayons découvert
vous ayez découvert
ils aient découvert

INFINITIVE

PRESENT
découvrir

PAST
avoir découvert

PARTICIPLE

PRESENT
découvrant

PAST
découvert

PRESENT
je décris
tu décris
il décrit
nous décrivons
vous décrivez
ils décrivent

IMPERFECT
je décrivais
tu décrivais
il décrivait
nous décrivions
vous décriviez
ils décrivaient

FUTURE
je décrirai
tu décriras
il décrira
nous décrirons
vous décrirez
ils décriront

PAST HISTORIC
je décrivis
tu décrivis
il décrivit
nous décrivîmes
vous décrivîtes
ils décrivirent

PERFECT
j'ai décrit
tu as décrit
il a décrit
nous avons décrit
vous avez décrit
ils ont décrit

PLUPERFECT
j'avais décrit
tu avais décrit
il avait décrit
nous avions décrit
vous aviez décrit
ils avaient décrit

PAST ANTERIOR
j'eus décrit *etc*

FUTURE PERFECT
j'aurai décrit *etc*

CONDITIONAL

PRESENT
je décrirais
tu décrirais
il décrirait
nous décririons
vous décririez
ils décriraient

PAST
j'aurais décrit
tu aurais décrit
il aurait décrit
nous aurions décrit
vous auriez décrit
ils auraient décrit

IMPERATIVE

décris
décrivons
décrivez

SUBJUNCTIVE

PRESENT
je décrive
tu décrives
il décrive
nous décrivions
vous décriviez
ils décrivent

IMPERFECT
je décrivisse
tu décrivisses
il décrivît
nous décrivissions
vous décrivissiez
ils décrivissent

PERFECT
j'aie décrit
tu aies décrit
il ait décrit
nous ayons décrit
vous ayez décrit
ils aient décrit

INFINITIVE

PRESENT
décrire

PAST
avoir décrit

PARTICIPLE

PRESENT
décrivant

PAST
décrit

PRESENT
je défaille
tu défailles
il défaille
nous défaillons
vous défaillez
ils défaillent

IMPERFECT
je défaillais
tu défaillais
il défaillait
nous défaillions
vous défailliez
ils défaillaient

FUTURE
je défaillirai
tu défailliras
il défaillira
nous défaillirons
vous défaillirez
ils défailliront

PAST HISTORIC
je défaillis
tu défaillis
il défaillit
nous défaillîmes
vous défaillîtes
ils défaillirent

PERFECT
j'ai défailli
tu as défailli
il a défailli
nous avons défailli
vous avez défailli
ils ont défailli

PLUPERFECT
j'avais défailli
tu avais défailli
il avait défailli
nous avions défailli
vous aviez défailli
ils avaient défailli

PAST ANTERIOR
j'eus défailli *etc*

FUTURE PERFECT
j'aurai défailli *etc*

CONDITIONAL

PRESENT
je défaillirais
tu défaillirais
il défaillirait
nous défaillirions
vous défailliriez
ils défailliraient

PAST
j'aurais défailli
tu aurais défailli
il aurait défailli
nous aurions défailli
vous auriez défailli
ils auraient défailli

IMPERATIVE

défaille
défaillons
défaillez

SUBJUNCTIVE

PRESENT
je défaille
tu défailles
il défaille
nous défaillions
vous défailliez
ils défaillent

IMPERFECT
je défaillisse
tu défaillisses
il défaillît
nous défaillissions
vous défaillissiez
ils défaillissent

PERFECT
j'aie défailli
tu aies défailli
il ait défailli
nous ayons défailli
vous ayez défailli
ils aient défailli

INFINITIVE

PRESENT
défaillir

PAST
avoir défailli

PARTICIPLE

PRESENT
défaillant

PAST
défailli

PRESENT
je défends
tu défends
il défend
nous défendons
vous défendez
ils défendent

IMPERFECT
je défendais
tu défendais
il défendait
nous défendions
vous défendiez
ils défendaient

FUTURE
je défendrai
tu défendras
il défendra
nous défendrons
vous défendrez
ils défendront

PAST HISTORIC
je défendis
tu défendis
il défendit
nous défendîmes
vous défendîtes
ils défendirent

PERFECT
j'ai défendu
tu as défendu
il a défendu
nous avons défendu
vous avez défendu
ils ont défendu

PLUPERFECT
j'avais défendu
tu avais défendu
il avait défendu
nous avions défendu
vous aviez défendu
ils avaient défendu

PAST ANTERIOR
j'eus défendu *etc*

FUTURE PERFECT
j'aurai défendu *etc*

CONDITIONAL

PRESENT
je défendrais
tu défendrais
il défendrait
nous défendrions
vous défendriez
ils défendraient

PAST
j'aurais défendu
tu aurais défendu
il aurait défendu
nous aurions défendu
vous auriez défendu
ils auraient défendu

IMPERATIVE

défends
défendons
défendez

SUBJUNCTIVE

PRESENT
je défende
tu défendes
il défende
nous défendions
vous défendiez
ils défendent

IMPERFECT
je défendisse
tu défendisses
il défendît
nous défendissions
vous défendissiez
ils défendissent

PERFECT
j'aie défendu
tu aies défendu
il ait défendu
nous ayons défendu
vous ayez défendu
ils aient défendu

INFINITIVE

PRESENT
défendre

PAST
avoir défendu

PARTICIPLE

PRESENT
défendant

PAST
défendu

DÉMONTER
57 _to dismantle_

PRESENT
je démonte
tu démontes
il démonte
nous démontons
vous démontez
ils démontent

PAST HISTORIC
je démontai
tu démontas
il démonta
nous démontâmes
vous démontâtes
ils démontèrent

PAST ANTERIOR
j'eus démonté _etc_

IMPERFECT
je démontais
tu démontais
il démontait
nous démontions
vous démontiez
ils démontaient

PERFECT
j'ai démonté
tu as démonté
il a démonté
nous avons démonté
vous avez démonté
ils ont démonté

FUTURE PERFECT
j'aurai démonté _etc_

FUTURE
je démonterai
tu démonteras
il démontera
nous démonterons
vous démonterez
ils démonteront

PLUPERFECT
j'avais démonté
tu avais démonté
il avait démonté
nous avions démonté
vous aviez démonté
ils avaient démonté

CONDITIONAL

PRESENT
je démonterais
tu démonterais
il démonterait
nous démonterions
vous démonteriez
ils démonteraient

PAST
j'aurais démonté
tu aurais démonté
il aurait démonté
nous aurions démonté
vous auriez démonté
ils auraient démonté

IMPERATIVE

démonte
démontons
démontez

SUBJUNCTIVE

PRESENT
je démonte
tu démontes
il démonte
nous démontions
vous démontiez
ils démontent

IMPERFECT
je démontasse
tu démontasses
il démontât
nous démontassions
vous démontassiez
ils démontassent

PERFECT
j'aie démonté
tu aies démonté
il ait démonté
nous ayons démonté
vous ayez démonté
ils aient démonté

INFINITIVE

PRESENT
démonter

PAST
avoir démonté

PARTICIPLE

PRESENT
démontant

PAST
démonté

PRESENT
je dépèce
tu dépèces
il dépèce
nous dépeçons
vous dépecez
ils dépècent

IMPERFECT
je dépeçais
tu dépeçais
il dépeçait
nous dépecions
vous dépeciez
ils dépeçaient

FUTURE
je dépècerai
tu dépèceras
il dépècera
nous dépècerons
vous dépècerez
ils dépèceront

PAST HISTORIC
je dépeçai
tu dépeças
il dépeça
nous dépeçâmes
vous dépeçâtes
ils dépecèrent

PERFECT
j'ai dépecé
tu as dépecé
il a dépecé
nous avons dépecé
vous avez dépecé
ils ont dépecé

PLUPERFECT
j'avais dépecé
tu avais dépecé
il avait dépecé
nous avions dépecé
vous aviez dépecé
ils avaient dépecé

PAST ANTERIOR
j'eus dépecé *etc*

FUTURE PERFECT
j'aurai dépecé *etc*

CONDITIONAL

PRESENT
je dépècerais
tu dépècerais
il dépècerait
nous dépècerions
vous dépèceriez
ils dépèceraient

PAST
j'aurais dépecé
tu aurais dépecé
il aurait dépecé
nous aurions dépecé
vous auriez dépecé
ils auraient dépecé

IMPERATIVE

dépèce
dépeçons
dépecez

SUBJUNCTIVE

PRESENT
je dépèce
tu dépèces
il dépèce
nous dépecions
vous dépeciez
ils dépècent

IMPERFECT
je dépeçasse
tu dépeçasses
il dépeçât
nous dépeçassions
vous dépeçassiez
ils dépeçassent

PERFECT
j'aie dépecé
tu aies dépecé
il ait dépecé
nous ayons dépecé
vous ayez dépecé
ils aient dépecé

INFINITIVE

PRESENT
dépecer

PAST
avoir dépecé

PARTICIPLE

PRESENT
dépeçant

PAST
dépecé

DESCENDRE
59 to go down

PRESENT
je descends
tu descends
il descend
nous descendons
vous descendez
ils descendent

PAST HISTORIC
je descendis
tu descendis
il descendit
nous descendîmes
vous descendîtes
ils descendirent

PAST ANTERIOR
je fus descendu *etc*

IMPERFECT
je descendais
tu descendais
il descendait
nous descendions
vous descendiez
ils descendaient

PERFECT
je suis descendu
tu es descendu
il est descendu
nous sommes descendus
vous êtes descendu(s)
ils sont descendus

FUTURE PERFECT
je serai descendu *etc*

FUTURE
je descendrai
tu descendras
il descendra
nous descendrons
vous descendrez
ils descendront

PLUPERFECT
j'étais descendu
tu étais descendu
il était descendu
nous étions descendus
vous étiez descendu(s)
ils étaient descendus

CONDITIONAL

PRESENT
je descendrais
tu descendrais
il descendrait
nous descendrions
vous descendriez
ils descendraient

PAST
je serais descendu
tu serais descendu
il serait descendu
nous serions descendus
vous seriez descendu(s)
ils seraient descendus

IMPERATIVE

descends
descendons
descendez

SUBJUNCTIVE

PRESENT
je descende
tu descendes
il descende
nous descendions
vous descendiez
ils descendent

IMPERFECT
je descendisse
tu descendisses
il descendît
nous descendissions
vous descendissiez
ils descendissent

PERFECT
je sois descendu
tu sois descendu
il soit descendu
nous soyons descendus
vous soyez descendu(s)
ils soient descendus

INFINITIVE

PRESENT
descendre

PAST
être descendu

PARTICIPLE

PRESENT
descendant

PAST
descendu

NOTE

descendre takes the
auxiliary **avoir** when
transitive

PRESENT
je détruis
tu détruis
il détruit
nous détruisons
vous détruisez
ils détruisent

IMPERFECT
je détruisais
tu détruisais
il détruisait
nous détruisions
vous détruisiez
ils détruisaient

FUTURE
je détruirai
tu détruiras
il détruira
nous détruirons
vous détruirez
ils détruiront

PAST HISTORIC
je détruisis
tu détruisis
il détruisit
nous détruisîmes
vous détruisîtes
ils détruisirent

PERFECT
j'ai détruit
tu as détruit
il a détruit
nous avons détruit
vous avez détruit
ils ont détruit

PLUPERFECT
j'avais détruit
tu avais détruit
il avait détruit
nous avions détruit
vous aviez détruit
ils avaient détruit

PAST ANTERIOR
j'eus détruit *etc*

FUTURE PERFECT
j'aurai détruit *etc*

CONDITIONAL

PRESENT
je détruirais
tu détruirais
il détruirait
nous détruirions
vous détruiriez
ils détruiraient

PAST
j'aurais détruit
tu aurais détruit
il aurait détruit
nous aurions détruit
vous auriez détruit
ils auraient détruit

IMPERATIVE

détruis
détruisons
détruisez

SUBJUNCTIVE

PRESENT
je détruise
tu détruises
il détruise
nous détruisions
vous détruisiez
ils détruisent

IMPERFECT
je détruisisse
tu détruisisses
il détruisît
nous détruisissions
vous détruisissiez
ils détruisissent

PERFECT
j'aie détruit
tu aies détruit
il ait détruit
nous ayons détruit
vous ayez détruit
ils aient détruit

INFINITIVE

PRESENT
détruire

PAST
avoir détruit

PARTICIPLE

PRESENT
détruisant

PAST
détruit

DEVENIR
61 to become

PRESENT	IMPERFECT	FUTURE
je deviens	je devenais	je deviendrai
tu deviens	tu devenais	tu deviendras
il devient	il devenait	il deviendra
nous devenons	nous devenions	nous deviendrons
vous devenez	vous deveniez	vous deviendrez
ils deviennent	ils devenaient	ils deviendront

PAST HISTORIC	PERFECT	PLUPERFECT
je devins	je suis devenu	j'étais devenu
tu devins	tu es devenu	tu étais devenu
il devint	il est devenu	il était devenu
nous devînmes	nous sommes devenus	nous étions devenus
vous devîntes	vous êtes devenu(s)	vous étiez devenu(s)
ils devinrent	ils sont devenus	ils étaient devenus

PAST ANTERIOR	FUTURE PERFECT
je fus devenu *etc*	je serai devenu *etc*

CONDITIONAL

PRESENT	PAST
je deviendrais	je serais devenu
tu deviendrais	tu serais devenu
il deviendrait	il serait devenu
nous deviendrions	nous serions devenus
vous deviendriez	vous seriez devenu(s)
ils deviendraient	ils seraient devenus

IMPERATIVE

deviens
devenons
devenez

SUBJUNCTIVE

PRESENT	IMPERFECT	PERFECT
je devienne	je devinsse	je sois devenu
tu deviennes	tu devinsses	tu sois devenu
il devienne	il devînt	il soit devenu
nous devenions	nous devinssions	nous soyons devenus
vous deveniez	vous devinssiez	vous soyez devenu(s)
ils deviennent	ils devinssent	ils soient devenus

INFINITIVE

PRESENT	PARTICIPLE PRESENT

PRESENT
devenir

PRESENT
devenant

PAST
être devenu

PAST
devenu

PRESENT
je dois
tu dois
il doit
nous devons
vous devez
ils doivent

PAST HISTORIC
je dus
tu dus
il dut
nous dûmes
vous dûtes
ils durent

PAST ANTERIOR
j'eus dû *etc*

IMPERFECT
je devais
tu devais
il devait
nous devions
vous deviez
ils devaient

PERFECT
j'ai dû
tu as dû
il a dû
nous avons dû
vous avez dû
ils ont dû

FUTURE PERFECT
j'aurai dû *etc*

FUTURE
je devrai
tu devras
il devra
nous devrons
vous devrez
ils devront

PLUPERFECT
j'avais dû
tu avais dû
il avait dû
nous avions dû
vous aviez dû
ils avaient dû

CONDITIONAL

PRESENT
je devrais
tu devrais
il devrait
nous devrions
vous devriez
ils devraient

PAST
j'aurais dû
tu aurais dû
il aurait dû
nous aurions dû
vous auriez dû
ils auraient dû

IMPERATIVE

dois
devons
devez

SUBJUNCTIVE

PRESENT
je doive
tu doives
il doive
nous devions
vous deviez
ils doivent

IMPERFECT
je dusse
tu dusses
il dût
nous dussions
vous dussiez
ils dussent

PERFECT
j'aie dû
tu aies dû
il ait dû
nous ayons dû
vous ayez dû
ils aient dû

INFINITIVE

PRESENT
devoir

PAST
avoir dû

PARTICIPLE

PRESENT
devant

PAST
dû (due, dus)

PRESENT
je dis
tu dis
il dit
nous disons
vous dites
ils disent

IMPERFECT
je disais
tu disais
il disait
nous disions
vous disiez
ils disaient

FUTURE
je dirai
tu diras
il dira
nous dirons
vous direz
ils diront

PAST HISTORIC
je dis
tu dis
il dit
nous dîmes
vous dîtes
ils dirent

PERFECT
j'ai dit
tu as dit
il a dit
nous avons dit
vous avez dit
ils ont dit

PLUPERFECT
j'avais dit
tu avais dit
il avait dit
nous avions dit
vous aviez dit
ils avaient dit

PAST ANTERIOR
j'eus dit *etc*

FUTURE PERFECT
j'aurai dit *etc*

CONDITIONAL

PRESENT
je dirais
tu dirais
il dirait
nous dirions
vous diriez
ils diraient

PAST
j'aurais dit
tu aurais dit
il aurait dit
nous aurions dit
vous auriez dit
ils auraient dit

IMPERATIVE

dis
disons
dites

SUBJUNCTIVE

PRESENT
je dise
tu dises
il dise
nous disions
vous disiez
ils disent

IMPERFECT
je disse
tu disses
il dît
nous dissions
vous dissiez
ils dissent

PERFECT
j'aie dit
tu aies dit
il ait dit
nous ayons dit
vous ayez dit
ils aient dit

INFINITIVE

PRESENT
dire

PAST
avoir dit

PARTICIPLE

PRESENT
disant

PAST
dit

PRESENT
je dissèque
tu dissèques
il dissèque
nous disséquons
vous disséquez
ils dissèquent

IMPERFECT
je disséquais
tu disséquais
il disséquait
nous disséquions
vous disséquiez
ils disséquaient

FUTURE
je disséquerai
tu disséqueras
il disséquera
nous disséquerons
vous disséquerez
ils disséqueront

PAST HISTORIC
je disséquai
tu disséquas
il disséqua
nous disséquâmes
vous disséquâtes
ils disséquèrent

PERFECT
j'ai disséqué
tu as disséqué
il a disséqué
nous avons disséqué
vous avez disséqué
ils ont disséqué

PLUPERFECT
j'avais disséqué
tu avais disséqué
il avait disséqué
nous avions disséqué
vous aviez disséqué
ils avaient disséqué

PAST ANTERIOR
j'eus disséqué *etc*

FUTURE PERFECT
j'aurai disséqué *etc*

CONDITIONAL

PRESENT
je disséquerais
tu disséquerais
il disséquerait
nous disséquerions
vous disséqueriez
ils disséqueraient

PAST
j'aurais disséqué
tu aurais disséqué
il aurait disséqué
nous aurions disséqué
vous auriez disséqué
ils auraient disséqué

IMPERATIVE

dissèque
disséquons
disséquez

SUBJUNCTIVE

PRESENT
je dissèque
tu dissèques
il dissèque
nous disséquions
vous disséquiez
ils dissèquent

IMPERFECT
je disséquasse
tu disséquasses
il disséquât
nous disséquassions
vous disséquassiez
ils disséquassent

PERFECT
j'aie disséqué
tu aies disséqué
il ait disséqué
nous ayons disséqué
vous ayez disséqué
ils aient disséqué

INFINITIVE

PRESENT
disséquer

PAST
avoir disséqué

PARTICIPLE

PRESENT
disséquant

PAST
disséqué

DISSOUDRE
65 _to dissolve_

PRESENT
je dissous
tu dissous
il dissout
nous dissolvons
vous dissolvez
ils dissolvent

PAST HISTORIC
je dissolus
tu dissolus
il dissolut
nous dissolûmes
vous dissolûtes
ils dissolurent

PAST ANTERIOR
j'eus dissous _etc_

IMPERFECT
je dissolvais
tu dissolvais
il dissolvait
nous dissolvions
vous dissolviez
ils dissolvaient

PERFECT
j'ai dissous
tu as dissous
il a dissous
nous avons dissous
vous avez dissous
ils ont dissous

FUTURE PERFECT
j'aurai dissous _etc_

FUTURE
je dissoudrai
tu dissoudras
il dissoudra
nous dissoudrons
vous dissoudrez
ils dissoudront

PLUPERFECT
j'avais dissous
tu avais dissous
il avait dissous
nous avions dissous
vous aviez dissous
ils avaient dissous

CONDITIONAL

PRESENT
je dissoudrais
tu dissoudrais
il dissoudrait
nous dissoudrions
vous dissoudriez
ils dissoudraient

PAST
j'aurais dissous
tu aurais dissous
il aurait dissous
nous aurions dissous
vous auriez dissous
ils auraient dissous

IMPERATIVE

dissous
dissolvons
dissolvez

SUBJUNCTIVE

PRESENT
je dissolve
tu dissolves
il dissolve
nous dissolvions
vous dissolviez
ils dissolvent

IMPERFECT
je dissolusse
tu dissolusses
il dissolût
nous dissolussions
vous dissolussiez
ils dissolussent

PERFECT
j'aie dissous
tu aies dissous
il ait dissous
nous ayons dissous
vous ayez dissous
ils aient dissous

INFINITIVE

PRESENT
dissoudre

PAST
avoir dissous

PARTICIPLE

PRESENT
dissolvant

PAST
dissous (dissoute)

PRESENT	IMPERFECT	FUTURE
je distrais	je distrayais	je distrairai
tu distrais	tu distrayais	tu distrairas
il distrait	il distrayait	il distraira
nous distrayons	nous distrayions	nous distrairons
vous distrayez	vous distrayiez	vous distrairez
ils distraient	ils distrayaient	ils distrairont

PAST HISTORIC	PERFECT	PLUPERFECT
	j'ai distrait	j'avais distrait
	tu as distrait	tu avais distrait
	il a distrait	il avait distrait
	nous avons distrait	nous avions distrait
	vous avez distrait	vous aviez distrait
	ils ont distrait	ils avaient distrait

PAST ANTERIOR	FUTURE PERFECT
j'eus distrait *etc*	j'aurai distrait *etc*

CONDITIONAL

PRESENT	PAST	IMPERATIVE
je distrairais	j'aurais distrait	distrais
tu distrairais	tu aurais distrait	distrayons
il distrairait	il aurait distrait	distrayez
nous distrairions	nous aurions distrait	
vous distrairiez	vous auriez distrait	
ils distrairaient	ils auraient distrait	

SUBJUNCTIVE

PRESENT	IMPERFECT	PERFECT
je distraie		j'aie distrait
tu distraies		tu aies distrait
il distraie		il ait distrait
nous distrayions		nous ayons distrait
vous distrayiez		vous ayez distrait
ils distraient		ils aient distrait

INFINITIVE	*PARTICIPLE*	*NOTE*
PRESENT	PRESENT	braire and traire have
distraire	distrayant	no past historic or
		imperfect subjunctive
PAST	PAST	
avoir distrait	distrait	

DONNER
67 *to give*

PRESENT	IMPERFECT	FUTURE
je donne	je donnais	je donnerai
tu donnes	tu donnais	tu donneras
il donne	il donnait	il donnera
nous donnons	nous donnions	nous donnerons
vous donnez	vous donniez	vous donnerez
ils donnent	ils donnaient	ils donneront

PAST HISTORIC	PERFECT	PLUPERFECT
je donnai	j'ai donné	j'avais donné
tu donnas	tu as donné	tu avais donné
il donna	il a donné	il avait donné
nous donnâmes	nous avons donné	nous avions donné
vous donnâtes	vous avez donné	vous aviez donné
ils donnèrent	ils ont donné	ils avaient donné

PAST ANTERIOR	FUTURE PERFECT
j'eus donné *etc*	j'aurai donné *etc*

CONDITIONAL

PRESENT	PAST
je donnerais	j'aurais donné
tu donnerais	tu aurais donné
il donnerait	il aurait donné
nous donnerions	nous aurions donné
vous donneriez	vous auriez donné
ils donneraient	ils auraient donné

IMPERATIVE

donne
donnons
donnez

SUBJUNCTIVE

PRESENT	IMPERFECT	PERFECT
je donne	je donnasse	j'aie donné
tu donnes	tu donnasses	tu aies donné
il donne	il donnât	il ait donné
nous donnions	nous donnassions	nous ayons donné
vous donniez	vous donnassiez	vous ayez donné
ils donnent	ils donnassent	ils aient donné

INFINITIVE

PRESENT
donner

PAST
avoir donné

PARTICIPLE

PRESENT
donnant

PAST
donné

PRESENT
je dors
tu dors
il dort
nous dormons
vous dormez
ils dorment

IMPERFECT
je dormais
tu dormais
il dormait
nous dormions
vous dormiez
ils dormaient

FUTURE
je dormirai
tu dormiras
il dormira
nous dormirons
vous dormirez
ils dormiront

PAST HISTORIC
je dormis
tu dormis
il dormit
nous dormîmes
vous dormîtes
ils dormirent

PERFECT
j'ai dormi
tu as dormi
il a dormi
nous avons dormi
vous avez dormi
ils ont dormi

PLUPERFECT
j'avais dormi
tu avais dormi
il avait dormi
nous avions dormi
vous aviez dormi
ils avaient dormi

PAST ANTERIOR
j'eus dormi *etc*

FUTURE PERFECT
j'aurai dormi *etc*

CONDITIONAL

PRESENT
je dormirais
tu dormirais
il dormirait
nous dormirions
vous dormiriez
ils dormiraient

PAST
j'aurais dormi
tu aurais dormi
il aurait dormi
nous aurions dormi
vous auriez dormi
ils auraient dormi

IMPERATIVE

dors
dormons
dormez

SUBJUNCTIVE

PRESENT
je dorme
tu dormes
il dorme
nous dormions
vous dormiez
ils dorment

IMPERFECT
je dormisse
tu dormisses
il dormît
nous dormissions
vous dormissiez
ils dormissent

PERFECT
j'aie dormi
tu aies dormi
il ait dormi
nous ayons dormi
vous ayez dormi
ils aient dormi

INFINITIVE

PRESENT
dormir

PAST
avoir dormi

PARTICIPLE

PRESENT
dormant

PAST
dormi

ÉCHOIR
69 *to expire*

PRESENT	IMPERFECT	FUTURE
il échoit		il échoira

PAST HISTORIC	PERFECT	PLUPERFECT
il échut	il est échu	il était échu

PAST ANTERIOR	FUTURE PERFECT	
il fut échu	il sera échu	

CONDITIONAL

PRESENT	PAST
il échoirait	il serait échu

IMPERATIVE

SUBJUNCTIVE

PRESENT	IMPERFECT	PERFECT
	il échût	il soit échu

INFINITIVE

PRESENT
échoir

PAST
être échu

PARTICIPLE

PRESENT
échéant

PAST
échu

PRESENT
il éclôt
ils éclosent

IMPERFECT

FUTURE
il éclora
ils écloront

PAST HISTORIC

PERFECT
il est éclos
ils sont éclos

PLUPERFECT
il était éclos
ils étaient éclos

PAST ANTERIOR
il fut éclos *etc*

FUTURE PERFECT
il sera éclos *etc*

CONDITIONAL

PRESENT
il éclorait
ils écloraient

PAST
il serait éclos
ils seraient éclos

IMPERATIVE

SUBJUNCTIVE

PRESENT
il éclose
ils éclosent

IMPERFECT

PERFECT
il soit éclos
ils soient éclos

INFINITIVE

PRESENT
éclore

PAST
être éclos

PARTICIPLE

PRESENT

PAST
éclos

ÉCRÉMER
71 *to skim*

PRESENT	IMPERFECT	FUTURE
j'écrème	j'écrémais	j'écrémerai
tu écrèmes	tu écrémais	tu écrémeras
il écrème	il écrémait	il écrémera
nous écrémons	nous écrémions	nous écrémerons
vous écrémez	vous écrémiez	vous écrémerez
ils écrèment	ils écrémaient	ils écrémeront

PAST HISTORIC	PERFECT	PLUPERFECT
j'écrémai	j'ai écrémé	j'avais écrémé
tu écrémas	tu as écrémé	tu avais écrémé
il écréma	il a écrémé	il avait écrémé
nous écrémâmes	nous avons écrémé	nous avions écrémé
vous écrémâtes	vous avez écrémé	vous aviez écrémé
ils écrémèrent	ils ont écrémé	ils avaient écrémé

PAST ANTERIOR	FUTURE PERFECT
j'eus écrémé *etc*	j'aurai écrémé *etc*

CONDITIONAL   IMPERATIVE

PRESENT	PAST	
j'écrémerais	j'aurais écrémé	écrème
tu écrémerais	tu aurais écrémé	écrémons
il écrémerait	il aurait écrémé	écrémez
nous écrémerions	nous aurions écrémé	
vous écrémeriez	vous auriez écrémé	
ils écrémeraient	ils auraient écrémé	

SUBJUNCTIVE

PRESENT	IMPERFECT	PERFECT
j'écrème	j'écrémasse	j'aie écrémé
tu écrèmes	tu écrémasses	tu aies écrémé
il écrème	il écrémât	il ait écrémé
nous écrémions	nous écrémassions	nous ayons écrémé
vous écrémiez	vous écrémassiez	vous ayez écrémé
ils écrèment	ils écrémassent	ils aient écrémé

INFINITIVE   PARTICIPLE

PRESENT	PRESENT
écrémer	écrémant

PAST	PAST
avoir écrémé	écrémé

PRESENT
j'écris
tu écris
il écrit
nous écrivons
vous écrivez
ils écrivent

IMPERFECT
j'écrivais
tu écrivais
il écrivait
nous écrivions
vous écriviez
ils écrivaient

FUTURE
j'écrirai
tu écriras
il écrira
nous écrirons
vous écrirez
ils écriront

PAST HISTORIC
j'écrivis
tu écrivis
il écrivit
nous écrivîmes
vous écrivîtes
ils écrivirent

PERFECT
j'ai écrit
tu as écrit
il a écrit
nous avons écrit
vous avez écrit
ils ont écrit

PLUPERFECT
j'avais écrit
tu avais écrit
il avait écrit
nous avions écrit
vous aviez écrit
ils avaient écrit

PAST ANTERIOR
j'eus écrit *etc*

FUTURE PERFECT
j'aurai écrit *etc*

CONDITIONAL

PRESENT
j'écrirais
tu écrirais
il écrirait
nous écririons
vous écririez
ils écriraient

PAST
j'aurais écrit
tu aurais écrit
il aurait écrit
nous aurions écrit
vous auriez écrit
ils auraient écrit

IMPERATIVE

écris
écrivons
écrivez

SUBJUNCTIVE

PRESENT
j'écrive
tu écrives
il écrive
nous écrivions
vous écriviez
ils écrivent

IMPERFECT
j'écrivisse
tu écrivisses
il écrivît
nous écrivissions
vous écrivissiez
ils écrivissent

PERFECT
j'aie écrit
tu aies écrit
il ait écrit
nous ayons écrit
vous ayez écrit
ils aient écrit

INFINITIVE

PRESENT
écrire

PAST
avoir écrit

PARTICIPLE

PRESENT
écrivant

PAST
écrit

ÉLEVER
73 to raise

PRESENT	IMPERFECT	FUTURE
j'élève	j'élevais	j'élèverai
tu élèves	tu élevais	tu élèveras
il élève	il élevait	il élèvera
nous élevons	nous élevions	nous élèverons
vous élevez	vous éleviez	vous élèverez
ils élèvent	ils élevaient	ils élèveront

PAST HISTORIC	PERFECT	PLUPERFECT
j'élevai	j'ai élevé	j'avais élevé
tu élevas	tu as élevé	tu avais élevé
il éleva	il a élevé	il avait élevé
nous élevâmes	nous avons élevé	nous avions élevé
vous élevâtes	vous avez élevé	vous aviez élevé
ils élevèrent	ils ont élevé	ils avaient élevé

PAST ANTERIOR	FUTURE PERFECT
j'eus élevé *etc*	j'aurai élevé *etc*

CONDITIONAL

PRESENT	PAST
j' élèverais	j'aurais élevé
tu élèverais	tu aurais élevé
il élèverait	il aurait élevé
nous élèverions	nous aurions élevé
vous élèveriez	vous auriez élevé
ils élèveraient	ils auraient élevé

IMPERATIVE

élève
élevons
élevez

SUBJUNCTIVE

PRESENT	IMPERFECT	PERFECT
j'élève	j'élevasse	j'aie élevé
tu élèves	tu élevasses	tu aies élevé
il élève	il élevât	il ait élevé
nous élevions	nous élevassions	nous ayons élevé
vous éleviez	vous élevassiez	vous ayez élevé
ils élèvent	ils élevassent	ils aient élevé

INFINITIVE

PRESENT
élever

PAST
avoir élevé

PARTICIPLE

PRESENT
élevant

PAST
élevé

PRESENT	IMPERFECT	FUTURE
j'émeus	j'émouvais	j'émouvrai
tu émeus	tu émouvais	tu émouvras
il émeut	il émouvait	il émouvra
nous émouvons	nous émouvions	nous émouvrons
vous émouvez	vous émouviez	vous émouvrez
ils émeuvent	ils émouvaient	ils émouvront

PAST HISTORIC	PERFECT	PLUPERFECT
j'émus	j'ai ému	j'avais ému
tu émus	tu as ému	tu avais ému
il émut	il a ému	il avait ému
nous émûmes	nous avons ému	nous avions ému
vous émûtes	vous avez ému	vous aviez ému
ils émurent	ils ont ému	ils avaient ému

PAST ANTERIOR	FUTURE PERFECT
j'eus ému *etc*	j'aurai ému *etc*

CONDITIONAL

IMPERATIVE

PRESENT	PAST	
j'émouvrais	j'aurais ému	émeus
tu émouvrais	tu aurais ému	émouvons
il émouvrait	il aurait ému	émouvez
nous émouvrions	nous aurions ému	
vous émouvriez	vous auriez ému	
ils émouvraient	ils auraient ému	

SUBJUNCTIVE

PRESENT	IMPERFECT	PERFECT
j'émeuve	j'émusse	j'aie ému
tu émeuves	tu émusses	tu aies ému
il émeuve	il émût	il ait ému
nous émouvions	nous émussions	nous ayons ému
vous émouviez	vous émussiez	vous ayez ému
ils émeuvent	ils émussent	ils aient ému

INFINITIVE

PARTICIPLE

PRESENT	PRESENT
émouvoir	émouvant

PAST	PAST
avoir ému	ému

ENCLORE
75 to enclose

PRESENT	IMPERFECT	FUTURE
j'enclos		j'enclorai
tu enclos		tu encloras
il enclôt		il enclora
nous enclosons		nous enclorons
vous enclosez		vous enclorez
ils enclosent		ils encloront

PAST HISTORIC	PERFECT	PLUPERFECT
	j'ai enclos	j'avais enclos
	tu as enclos	tu avais enclos
	il a enclos	il avait enclos
	nous avons enclos	nous avions enclos
	vous avez enclos	vous aviez enclos
	ils ont enclos	ils avaient enclos

PAST ANTERIOR	FUTURE PERFECT
j'eus enclos *etc*	j'aurai enclos *etc*

CONDITIONAL

PRESENT	PAST
j'enclorais	j'aurais enclos
tu enclorais	tu aurais enclos
il enclorait	il aurait enclos
nous enclorions	nous aurions enclos
vous encloriez	vous auriez enclos
ils encloraient	ils auraient enclos

IMPERATIVE

enclos

SUBJUNCTIVE

PRESENT	IMPERFECT	PERFECT
j'enclose		j'aie enclos
tu encloses		tu aies enclos
il enclose		il ait enclos
nous enclosions		nous ayons enclos
vous enclosiez		vous ayez enclos
ils enclosent		ils aient enclos

INFINITIVE

PRESENT
enclore

PAST
avoir enclos

PARTICIPLE

PRESENT

PAST
enclos

PRESENT
je m'endors
tu t'endors
il s'endort
nous nous endormons
vous vous endormez
ils s'endorment

IMPERFECT
je m'endormais
tu t'endormais
il s'endormait
nous nous endormions
vous vous endormiez
ils s'endormaient

FUTURE
je m'endormirai
tu t'endormiras
il s'endormira
nous nous endormirons
vous vous endormirez
ils s'endormiront

PAST HISTORIC
je m'endormis
tu t'endormis
il s'endormit
nous nous endormîmes
vous vous endormîtes
ils s'endormirent

PERFECT
je me suis endormi
tu t'es endormi
il s'est endormi
nous ns. sommes endormis
vous vs. êtes endormi(s)
ils se sont endormis

PLUPERFECT
je m'étais endormi
tu t'étais endormi
il s'était endormi
nous ns. étions endormis
vous vs. étiez endormi(s)
ils s'étaient endormis

PAST ANTERIOR
je me fus endormi *etc*

FUTURE PERFECT
je me serai endormi *etc*

CONDITIONAL

PRESENT
je m'endormirais
tu t'endormirais
il s'endormirait
nous nous endormirions
vous vous endormiriez
ils s'endormiraient

PAST
je me serais endormi
tu te serais endormi
il se serait endormi
nous ns. serions endormis
vous vs. seriez endormi(s)
ils se seraient endormis

IMPERATIVE

endors-toi
endormons-nous
endormez-vous

SUBJUNCTIVE

PRESENT
je m'endorme
tu t'endormes
il s'endorme
nous nous endormions
vous vous endormiez
ils s'endorment

IMPERFECT
je m'endormisse
tu t'endormisses
il s'endormît
nous nous endormissions
vous vous endormissiez
ils s'endormissent

PERFECT
je me sois endormi
tu te sois endormi
il se soit endormi
nous ns. soyons endormis
vous vs. soyez endormi(s)
ils se soient endormis

INFINITIVE

PRESENT
s'endormir

PAST
s'être endormi

PARTICIPLE

PRESENT
s'endormant

PAST
endormi

S'ENFUIR

77 *to flee*

PRESENT	IMPERFECT	FUTURE
je m'enfuis	je m'enfuyais	je m'enfuirai
tu t'enfuis	tu t'enfuyais	tu t'enfuiras
il s'enfuit	il s'enfuyait	il s'enfuira
nous nous enfuyons	nous nous enfuyions	nous nous enfuirons
vous vous enfuyez	vous vous enfuyiez	vous vous enfuirez
ils s'enfuient	ils s'enfuyaient	ils s'enfuiront

PAST HISTORIC	PERFECT	PLUPERFECT
je m'enfuis	je me suis enfui	je m'étais enfui
tu t'enfuis	tu t'es enfui	tu t'étais enfui
il s'enfuit	il s'est enfui	il s'était enfui
nous nous enfuîmes	nous nous sommes enfuis	nous nous étions enfuis
vous vous enfuîtes	vous vous êtes enfui(s)	vous vous étiez enfui(s)
ils s'enfuirent	ils se sont enfuis	ils s'étaient enfuis

PAST ANTERIOR	FUTURE PERFECT
je me fus enfui *etc*	je me serai enfui *etc*

CONDITIONAL

PRESENT	PAST
je m'enfuirais	je me serais enfui
tu t'enfuirais	tu te serais enfui
il s'enfuirait	il se serait enfui
nous nous enfuirions	nous nous serions enfuis
vous vous enfuiriez	vous vous seriez enfui(s)
ils s'enfuiraient	ils se seraient enfuis

IMPERATIVE

enfuis-toi
enfuyons-nous
enfuyez-vous

SUBJUNCTIVE

PRESENT	IMPERFECT	PERFECT
je m'enfuie	je m'enfuisse	je me sois enfui
tu t'enfuies	tu t'enfuisses	tu te sois enfui
il s'enfuie	il s'enfuît	il se soit enfui
nous nous enfuyions	nous nous enfuissions	nous nous soyons enfuis
vous vous enfuyiez	vous vous enfuissiez	vous vous soyez enfui(s)
ils s'enfuient	ils s'enfuissent	ils se soient enfuis

INFINITIVE

PRESENT
s'enfuir

PAST
s'être enfui

PARTICIPLE

PRESENT
s'enfuyant

PAST
enfui

PRESENT
j'ennuie
tu ennuies
il ennuie
nous ennuyons
vous ennuyez
ils ennuient

IMPERFECT
j'ennuyais
tu ennuyais
il ennuyait
nous ennuyions
vous ennuyiez
ils ennuyaient

FUTURE
j'ennuierai
tu ennuieras
il ennuiera
nous ennuierons
vous ennuierez
ils ennuieront

PAST HISTORIC
j'ennuyai
tu ennuyas
il ennuya
nous ennuyâmes
vous ennuyâtes
ils ennuyèrent

PERFECT
j'ai ennuyé
tu as ennuyé
il a ennuyé
nous avons ennuyé
vous avez ennuyé
ils ont ennuyé

PLUPERFECT
j'avais ennuyé
tu avais ennuyé
il avait ennuyé
nous avions ennuyé
vous aviez ennuyé
ils avaient ennuyé

PAST ANTERIOR
j'eus ennuyé *etc*

FUTURE PERFECT
j'aurai ennuyé *etc*

CONDITIONAL

PRESENT
j'ennuierais
tu ennuierais
il ennuierait
nous ennuierions
vous ennuieriez
ils ennuieraient

PAST
j'aurais ennuyé
tu aurais ennuyé
il aurait ennuyé
nous aurions ennuyé
vous auriez ennuyé
ils auraient ennuyé

IMPERATIVE

ennuie
ennuyons
ennuyez

SUBJUNCTIVE

PRESENT
j'ennuie
tu ennuies
il ennuie
nous ennuyions
vous ennuyiez
ils ennuient

IMPERFECT
j'ennuyasse
tu ennuyasses
il ennuyât
nous ennuyassions
vous ennuyassiez
ils ennuyassent

PERFECT
j'aie ennuyé
tu aies ennuyé
il ait ennuyé
nous ayons ennuyé
vous ayez ennuyé
ils aient ennuyé

INFINITIVE

PRESENT
ennuyer

PAST
avoir ennuyé

PARTICIPLE

PRESENT
ennuyant

PAST
ennuyé

S'ENSUIVRE
79 *to ensue*

PRESENT	**IMPERFECT**	**FUTURE**
il s'ensuit	il s'ensuivait	il s'ensuivra
ils s'ensuivent	ils s'ensuivaient	ils s'ensuivront
PAST HISTORIC	**PERFECT**	**PLUPERFECT**
il s'ensuivit	il s'est ensuivi	il s'était ensuivi
ils s'ensuivirent	ils se sont ensuivis	ils s'étaient ensuivis
PAST ANTERIOR	**FUTURE PERFECT**	
il se fut ensuivi *etc*	il se sera ensuivi *etc*	

CONDITIONAL   **IMPERATIVE**

PRESENT   **PAST**
il s'ensuivrait   il se serait ensuivi
ils s'ensuivraient   ils se seraient ensuivis

SUBJUNCTIVE

PRESENT	**IMPERFECT**	**PERFECT**
il s'ensuive	il s'ensuivît	il se soit ensuivi
ils s'ensuivent	ils s'ensuivissent	ils se soient ensuivis

INFINITIVE   **PARTICIPLE**

PRESENT   **PRESENT**
s'ensuivre

PAST   **PAST**
s'être ensuivi   ensuivi

PRESENT
j'entends
tu entends
il entend
nous entendons
vous entendez
ils entendent

IMPERFECT
j'entendais
tu entendais
il entendait
nous entendions
vous entendiez
ils entendaient

FUTURE
j'entendrai
tu entendras
il entendra
nous entendrons
vous entendrez
ils entendront

PAST HISTORIC
j'entendis
tu entendis
il entendit
nous entendîmes
vous entendîtes
ils entendirent

PERFECT
j'ai entendu
tu as entendu
il a entendu
nous avons entendu
vous avez entendu
ils ont entendu

PLUPERFECT
j'avais entendu
tu avais entendu
il avait entendu
nous avions entendu
vous aviez entendu
ils avaient entendu

PAST ANTERIOR
j'eus entendu *etc*

FUTURE PERFECT
j'aurai entendu *etc*

CONDITIONAL

PRESENT
j'entendrais
tu entendrais
il entendrait
nous entendrions
vous entendriez
ils entendraient

PAST
j'aurais entendu
tu aurais entendu
il aurait entendu
nous aurions entendu
vous auriez entendu
ils auraient entendu

IMPERATIVE

entends
entendons
entendez

SUBJUNCTIVE

PRESENT
j'entende
tu entendes
il entende
nous entendions
vous entendiez
ils entendent

IMPERFECT
j'entendisse
tu entendisses
il entendît
nous entendissions
vous entendissiez
ils entendissent

PERFECT
j'aie entendu
tu aies entendu
il ait entendu
nous ayons entendu
vous ayez entendu
ils aient entendu

INFINITIVE

PRESENT
entendre

PAST
avoir entendu

PARTICIPLE

PRESENT
entendant

PAST
entendu

ENTRER
81 to enter

PRESENT	IMPERFECT	FUTURE
j'entre	j'entrais	j'entrerai
tu entres	tu entrais	tu entreras
il entre	il entrait	il entrera
nous entrons	nous entrions	nous entrerons
vous entrez	vous entriez	vous entrerez
ils entrent	ils entraient	ils entreront

PAST HISTORIC	PERFECT	PLUPERFECT
j'entrai	je suis entré	j'étais entré
tu entras	tu es entré	tu étais entré
il entra	il est entré	il était entré
nous entrâmes	nous sommes entrés	nous étions entrés
vous entrâtes	vous êtes entré(s)	vous étiez entré(s)
ils entrèrent	ils sont entrés	ils étaient entrés

PAST ANTERIOR	FUTURE PERFECT
je fus entré *etc*	je serai entré *etc*

CONDITIONAL

PRESENT	PAST
j'entrerais	je serais entré
tu entrerais	tu serais entré
il entrerait	il serait entré
nous entrerions	nous serions entrés
vous entreriez	vous seriez entré(s)
ils entreraient	ils seraient entrés

IMPERATIVE

entre
entrons
entrez

SUBJUNCTIVE

PRESENT	IMPERFECT	PERFECT
j'entre	j'entrasse	je sois entré
tu entres	tu entrasses	tu sois entré
il entre	il entrât	il soit entré
nous entrions	nous entrassions	nous soyons entrés
vous entriez	vous entrassiez	vous soyez entré(s)
ils entrent	ils entrassent	ils soient entrés

INFINITIVE

PRESENT
entrer

PAST
être entré

PARTICIPLE

PRESENT
entrant

PAST
entré

NOTE

entrer takes the auxiliary **avoir** when transitive

PRESENT
j'envahis
tu envahis
il envahit
nous envahissons
vous envahissez
ils envahissent

IMPERFECT
j'envahissais
tu envahissais
il envahissait
nous envahissions
vous envahissiez
ils envahissaient

FUTURE
j'envahirai
tu envahiras
il envahira
nous envahirons
vous envahirez
ils envahiront

PAST HISTORIC
j'envahis
tu envahis
il envahit
nous envahîmes
vous envahîtes
ils envahirent

PERFECT
j'ai envahi
tu as envahi
il a envahi
nous avons envahi
vous avez envahi
ils ont envahi

PLUPERFECT
j'avais envahi
tu avais envahi
il avait envahi
nous avions envahi
vous aviez envahi
ils avaient envahi

PAST ANTERIOR
j'eus envahi *etc*

FUTURE PERFECT
j'aurai envahi *etc*

CONDITIONAL

PRESENT
j'envahirais
tu envahirais
il envahirait
nous envahirions
vous envahiriez
ils envahiraient

PAST
j'aurais envahi
tu aurais envahi
il aurait envahi
nous aurions envahi
vous auriez envahi
ils auraient envahi

IMPERATIVE

envahis
envahissons
envahissez

SUBJUNCTIVE

PRESENT
j'envahisse
tu envahisses
il envahisse
nous envahissions
vous envahissiez
ils envahissent

IMPERFECT
j'envahisse
tu envahisses
il envahît
nous envahissions
vous envahissiez
ils envahissent

PERFECT
j'aie envahi
tu aies envahi
il ait envahi
nous ayons envahi
vous ayez envahi
ils aient envahi

INFINITIVE

PRESENT
envahir

PAST
avoir envahi

PARTICIPLE

PRESENT
envahissant

PAST
envahi

ENVOYER

83 *to send*

PRESENT	**IMPERFECT**	**FUTURE**
j'envoie	j'envoyais	j'enverrai
tu envoies	tu envoyais	tu enverras
il envoie	il envoyait	il enverra
nous envoyons	nous envoyions	nous enverrons
vous envoyez	vous envoyiez	vous enverrez
ils envoient	ils envoyaient	ils enverront

PAST HISTORIC	**PERFECT**	**PLUPERFECT**
j'envoyai	j'ai envoyé	j'avais envoyé
tu envoyas	tu as envoyé	tu avais envoyé
il envoya	il a envoyé	il avait envoyé
nous envoyâmes	nous avons envoyé	nous avions envoyé
vous envoyâtes	vous avez envoyé	vous aviez envoyé
ils envoyèrent	ils ont envoyé	ils avaient envoyé

PAST ANTERIOR	**FUTURE PERFECT**	
j'eus envoyé *etc*	j'aurai envoyé *etc*	

CONDITIONAL

IMPERATIVE

PRESENT	**PAST**	
j'enverrais	j'aurais envoyé	envoie
tu enverrais	tu aurais envoyé	envoyons
il enverrait	il aurait envoyé	envoyez
nous enverrions	nous aurions envoyé	
vous enverriez	vous auriez envoyé	
ils enverraient	ils auraient envoyé	

SUBJUNCTIVE

PRESENT	**IMPERFECT**	**PERFECT**
j'envoie	j'envoyasse	j'aie envoyé
tu envoies	tu envoyasses	tu aies envoyé
il envoie	il envoyât	il ait envoyé
nous envoyions	nous envoyassions	nous ayons envoyé
vous envoyiez	vous envoyassiez	vous ayez envoyé
ils envoient	ils envoyassent	ils aient envoyé

INFINITIVE

PARTICIPLE

PRESENT	**PRESENT**
envoyer	envoyant

PAST	**PAST**
avoir envoyé	envoyé

PRESENT
j'espère
tu espères
il espère
nous espérons
vous espérez
ils espèrent

IMPERFECT
j'espérais
tu espérais
il espérait
nous espérions
vous espériez
ils espéraient

FUTURE
j'espérerai
tu espéreras
il espérera
nous espérerons
vous espérerez
ils espéreront

PAST HISTORIC
j'espérai
tu espéras
il espéra
nous espérâmes
vous espérâtes
ils espérèrent

PERFECT
j'ai espéré
tu as espéré
il a espéré
nous avons espéré
vous avez espéré
ils ont espéré

PLUPERFECT
j'avais espéré
tu avais espéré
il avait espéré
nous avions espéré
vous aviez espéré
ils avaient espéré

PAST ANTERIOR
j'eus espéré *etc*

FUTURE PERFECT
j'aurai espéré *etc*

CONDITIONAL

PRESENT
j'espérerais
tu espérerais
il espérerait
nous espérerions
vous espéreriez
ils espéreraient

PAST
j'aurais espéré
tu aurais espéré
il aurait espéré
nous aurions espéré
vous auriez espéré
ils auraient espéré

IMPERATIVE

espère
espérons
espérez

SUBJUNCTIVE

PRESENT
j'espère
tu espères
il espère
nous espérions
vous espériez
ils espèrent

IMPERFECT
j'espérasse
tu espérasses
il espérât
nous espérassions
vous espérassiez
ils espérassent

PERFECT
j'aie espéré
tu aies espéré
il ait espéré
nous ayons espéré
vous ayez espéré
ils aient espéré

INFINITIVE

PRESENT
espérer

PAST
avoir espéré

PARTICIPLE

PRESENT
espérant

PAST
espéré

PRESENT	**IMPERFECT**	**FUTURE**
je suis	j'étais	je serai
tu es	tu étais	tu seras
il est	il était	il sera
nous sommes	nous étions	nous serons
vous êtes	vous étiez	vous serez
ils sont	ils étaient	ils seront

PAST HISTORIC	**PERFECT**	**PLUPERFECT**
je fus	j'ai été	j'avais été
tu fus	tu as été	tu avais été
il fut	il a été	il avait été
nous fûmes	nous avons été	nous avions été
vous fûtes	vous avez été	vous aviez été
ils furent	ils ont été	ils avaient été

PAST ANTERIOR	**FUTURE PERFECT**
j'eus été *etc*	j'aurai été *etc*

CONDITIONAL

PRESENT	**PAST**
je serais	j'aurais été
tu serais	tu aurais été
il serait	il aurait été
nous serions	nous aurions été
vous seriez	vous auriez été
ils seraient	ils auraient été

IMPERATIVE

espère
espérons
espérez

SUBJUNCTIVE

PRESENT	**IMPERFECT**	**PERFECT**
je sois	je fusse	j'aie été
tu sois	tu fusses	tu aies été
il soit	il fût	il ait été
nous soyons	nous fussions	nous ayons été
vous soyez	vous fussiez	vous ayez été
ils soient	ils fussent	ils aient été

INFINITIVE

PRESENT	
être	
PAST	
avoir été	

PARTICIPLE

PRESENT
étant
PAST
été

PRESENT
j'étudie
tu étudies
il étudie
nous étudions
vous étudiez
ils étudient

IMPERFECT
j'étudiais
tu étudiais
il étudiait
nous étudiions
vous étudiiez
ils étudiaient

FUTURE
j'étudierai
tu étudieras
il étudiera
nous étudierons
vous étudierez
ils étudieront

PAST HISTORIC
j'étudiai
tu étudias
il étudia
nous étudiâmes
vous étudiâtes
ils étudièrent

PERFECT
j'ai étudié
tu as étudié
il a étudié
nous avons étudié
vous avez étudié
ils ont étudié

PLUPERFECT
j'avais étudié
tu avais étudié
il avait étudié
nous avions étudié
vous aviez étudié
ils avaient étudié

PAST ANTERIOR
j'eus étudié *etc*

FUTURE PERFECT
j'aurai étudié *etc*

CONDITIONAL

PRESENT
j'étudierais
tu étudierais
il étudierait
nous étudierions
vous étudieriez
ils étudieraient

PAST
j'aurais étudié
tu aurais étudié
il aurait étudié
nous aurions étudié
vous auriez étudié
ils auraient étudié

IMPERATIVE

étudie
étudions
étudiez

SUBJUNCTIVE

PRESENT
j'étudie
tu étudies
il étudie
nous étudiions
vous étudiiez
ils étudient

IMPERFECT
j'étudiasse
tu étudiasses
il étudiât
nous étudiassions
vous étudiassiez
ils étudiassent

PERFECT
j'aie étudié
tu aies étudié
il ait étudié
nous ayons étudié
vous ayez étudié
ils aient étudié

INFINITIVE

PRESENT
étudier

PAST
avoir étudié

PARTICIPLE

PRESENT
étudiant

PAST
étudié

S'ÉVANOUIR
87 *to faint*

PRESENT
je m'évanouis
tu t'évanouis
il s'évanouit
nous nous évanouissons
vous vous évanouissez
ils s'évanouissent

IMPERFECT
je m'évanouissais
tu t'évanouissais
il s'évanouissait
nous nous évanouissions
vous vous évanouissiez
ils s'évanouissaient

FUTURE
je m'évanouirai
tu t'évanouiras
il s'évanouira
nous nous évanouirons
vous vous évanouirez
ils s'évanouiront

PAST HISTORIC
je m'évanouis
tu t'évanouis
il s'évanouit
nous nous évanouîmes
vous vous évanouîtes
ils s'évanouirent

PERFECT
je me suis évanoui
tu t'es évanoui
il s'est évanoui
nous ns. sommes évanouis
vous vs. êtes évanoui(s)
ils se sont évanouis

PLUPERFECT
je m'étais évanoui
tu t'étais évanoui
il s'était évanoui
nous nous étions évanouis
vous vous étiez évanoui(s)
ils s'étaient évanouis

PAST ANTERIOR
je me fus évanoui *etc*

FUTURE PERFECT
je me serai évanoui *etc*

CONDITIONAL

PRESENT
je m'évanouirais
tu t'évanouirais
il s'évanouirait
nous nous évanouirions
vous vous évanouiriez
ils s'évanouiraient

PAST
je me serais évanoui
tu te serais évanoui
il se serait évanoui
nous nous serions évanouis
vous vous seriez évanoui(s)
ils se seraient évanouis

IMPERATIVE

évanouis-toi
évanouissons-nous
évanouissez-vous

SUBJUNCTIVE

PRESENT
je m'évanouisse
tu t'évanouisses
il s'évanouisse
nous nous évanouissions
vous vous évanouissiez
ils s'évanouissent

IMPERFECT
je m'évanouisse
tu t'évanouisses
il s'évanouît
nous nous évanouissions
vous vous évanouissiez
ils s'évanouissent

PERFECT
je me sois évanoui
tu te sois évanoui
il se soit évanoui
nous nous soyons évanouis
vous vous soyez évanoui(s)
ils se soient évanouis

INFINITIVE

PRESENT
s'évanouir

PAST
s'être évanoui

PARTICIPLE

PRESENT
s'évanouissant

PAST
évanoui

PRESENT
j'exècre
tu exècres
il exècre
nous exécrons
vous exécrez
ils exècrent

IMPERFECT
j'exécrais
tu exécrais
il exécrait
nous exécrions
vous exécriez
ils exécraient

FUTURE
j'exécrerai
tu exécreras
il exécrera
nous exécrerons
vous exécrerez
ils exécreront

PAST HISTORIC
j'exécrai
tu exécras
il exécra
nous exécrâmes
vous exécrâtes
ils exécrèrent

PERFECT
j'ai exécré
tu as exécré
il a exécré
nous avons exécré
vous avez exécré
ils ont exécré

PLUPERFECT
j'avais exécré
tu avais exécré
il avait exécré
nous avions exécré
vous aviez exécré
ils avaient exécré

PAST ANTERIOR
j'eus exécré *etc*

FUTURE PERFECT
j'aurai exécré *etc*

CONDITIONAL

PRESENT
j'exécrerais
tu exécrerais
il exécrerait
nous exécrerions
vous exécreriez
ils exécreraient

PAST
j'aurais exécré
tu aurais exécré
il aurait exécré
nous aurions exécré
vous auriez exécré
ils auraient exécré

IMPERATIVE

exècre
exécrons
exécrez

SUBJUNCTIVE

PRESENT
j'exècre
tu exècres
il exècre
nous exécrions
vous exécriez
ils exècrent

IMPERFECT
j'exécrasse
tu exécrasses
il exécrât
nous exécrassions
vous exécrassiez
ils exécrassent

PERFECT
j'aie exécré
tu aies exécré
il ait exécré
nous ayons exécré
vous ayez exécré
ils aient exécré

INFINITIVE

PRESENT
exécrer

PAST
avoir exécré

PARTICIPLE

PRESENT
exécrant

PAST
exécré

FAILLIR
89
to fail; to nearly (do something)

PRESENT	IMPERFECT	FUTURE
		je faillirai
		tu failliras
		il faillira
		nous faillirons
		vous faillirez
		ils failliront

PAST HISTORIC	PERFECT	PLUPERFECT
je faillis	j'ai failli	j'avais failli
tu faillis	tu as failli	tu avais failli
il faillit	il a failli	il avait failli
nous faillîmes	nous avons failli	nous avions failli
vous faillîtes	vous avez failli	vous aviez failli
ils faillirent	ils ont failli	ils avaient failli

PAST ANTERIOR	FUTURE PERFECT
j'eus failli *etc*	j'aurai failli *etc*

CONDITIONAL

| | IMPERATIVE |

PRESENT	PAST
je faillirais	j'aurais failli
tu faillirais	tu aurais failli
il faillirait	il aurait failli
nous faillirions	nous aurions failli
vous failliriez	vous auriez failli
ils failliraient	ils auraient failli

SUBJUNCTIVE

PRESENT	IMPERFECT	PERFECT
		j'aie failli
		tu aies failli
		il ait failli
		nous ayons failli
		vous ayez failli
		ils aient failli

INFINITIVE	PARTICIPLE	NOTE
PRESENT	PRESENT	j'ai failli tomber = I
faillir		nearly fell
PAST	PAST	
avoir failli	failli	

114

to do; to make **90**

PRESENT
je fais
tu fais
il fait
nous faisons
vous faites
ils font

PAST HISTORIC
je fis
tu fis
il fit
nous fîmes
vous fîtes
ils firent

PAST ANTERIOR
j'eus fait *etc*

IMPERFECT
je faisais
tu faisais
il faisait
nous faisions
vous faisiez
ils faisaient

PERFECT
j'ai fait
tu as fait
il a fait
nous avons fait
vous avez fait
ils ont fait

FUTURE PERFECT
j'aurai fait *etc*

FUTURE
je ferai
tu feras
il fera
nous ferons
vous ferez
ils feront

PLUPERFECT
j'avais fait
tu avais fait
il avait fait
nous avions fait
vous aviez fait
ils avaient fait

CONDITIONAL

PRESENT
je ferais
tu ferais
il ferait
nous ferions
vous feriez
ils feraient

PAST
j'aurais fait
tu aurais fait
il aurait fait
nous aurions fait
vous auriez fait
ils auraient fait

IMPERATIVE

fais
faisons
faites

SUBJUNCTIVE

PRESENT
je fasse
tu fasses
il fasse
nous fassions
vous fassiez
ils fassent

IMPERFECT
je fisse
tu fisses
il fît
nous fissions
vous fissiez
ils fissent

PERFECT
j'aie fait
tu aies fait
il ait fait
nous ayons fait
vous ayez fait
ils aient fait

INFINITIVE

PRESENT
faire

PAST
avoir fait

PARTICIPLE

PRESENT
faisant

PAST
fait

FALLOIR
91 *to be necessary*

PRESENT	IMPERFECT	FUTURE
il faut	il fallait	Il faudra

PAST HISTORIC	PERFECT	PLUPERFECT
il fallut	il a fallu	il avait fallu

PAST ANTERIOR	FUTURE PERFECT	
il eut fallu	il aura fallu	

CONDITIONAL

PRESENT	PAST
il faudrait	il aurait fallu

IMPERATIVE

SUBJUNCTIVE

PRESENT	IMPERFECT	PERFECT
il faille	il fallût	il ait fallu

INFINITIVE

PRESENT	
PAST	
avoir fallu	

PARTICIPLE

PRESENT	
PAST	
fallu	

PRESENT
je finis
tu finis
il finit
nous finissons
vous finissez
ils finissent

IMPERFECT
je finissais
tu finissais
il finissait
nous finissions
vous finissiez
ils finissaient

FUTURE
je finirai
tu finiras
il finira
nous finirons
vous finirez
ils finiront

PAST HISTORIC
je finis
tu finis
il finit
nous finîmes
vous finîtes
ils finirent

PERFECT
j'ai fini
tu as fini
il a fini
nous avons fini
vous avez fini
ils ont fini

PLUPERFECT
j'avais fini
tu avais fini
il avait fini
nous avions fini
vous aviez fini
ils avaient fini

PAST ANTERIOR
j'eus fini *etc*

FUTURE PERFECT
j'aurai fini *etc*

CONDITIONAL

je finirais
tu finirais
il finirait
nous finirions
vous finiriez
ils finiraient

j'aurais fini
tu aurais fini
il aurait fini
nous aurions fini
vous auriez fini
ils auraient fini

IMPERATIVE

finis
finissons
finissez

SUBJUNCTIVE

PRESENT
je finisse
tu finisses
il finisse
nous finissions
vous finissiez
ils finissent

IMPERFECT
je finisse
tu finisses
il finît
nous finissions
vous finissiez
ils finissent

PERFECT
j'aie fini
tu aies fini
il ait fini
nous ayons fini
vous ayez fini
ils aient fini

INFINITIVE

PRESENT
finir

PAST
avoir fini

PARTICIPLE

PRESENT
finissant

PAST
fini

PRESENT
je fouille
tu fouilles
il fouille
nous fouillons
vous fouillez
ils fouillent

IMPERFECT
je fouillais
tu fouillais
il fouillait
nous fouillions
vous fouilliez
ils fouillaient

FUTURE
je fouillerai
tu fouilleras
il fouillera
nous fouillerons
vous fouillerez
ils fouilleront

PAST HISTORIC
je fouillai
tu fouillas
il fouilla
nous fouillâmes
vous fouillâtes
ils fouillèrent

PERFECT
j'ai fouillé
tu as fouillé
il a fouillé
nous avons fouillé
vous avez fouillé
ils ont fouillé

PLUPERFECT
j'avais fouillé
tu avais fouillé
il avait fouillé
nous avions fouillé
vous aviez fouillé
ils avaient fouillé

PAST ANTERIOR
j'eus fouillé *etc*

FUTURE PERFECT
j'aurai fouillé *etc*

CONDITIONAL

PRESENT
je fouillerais
tu fouillerais
il fouillerait
nous fouillerions
vous fouilleriez
ils fouilleraient

PAST
j'aurais fouillé
tu aurais fouillé
il aurait fouillé
nous aurions fouillé
vous auriez fouillé
ils auraient fouillé

IMPERATIVE

fouille
fouillons
fouillez

SUBJUNCTIVE

PRESENT
je fouille
tu fouilles
il fouille
nous fouillions
vous fouilliez
ils fouillent

IMPERFECT
je fouillasse
tu fouillasses
il fouillât
nous fouillassions
vous fouillassiez
ils fouillassent

PERFECT
j'aie fouillé
tu aies fouillé
il ait fouillé
nous ayons fouillé
vous ayez fouillé
ils aient fouillé

INFINITIVE

PRESENT
fouiller

PAST
avoir fouillé

PARTICIPLE

PRESENT
fouillant

PAST
fouillé

PRESENT	IMPERFECT	FUTURE
je fous	je foutais	je foutrai
tu fous	tu foutais	tu foutras
il fout	il foutait	il foutra
nous foutons	nous foutions	nous foutrons
vous foutez	vous foutiez	vous foutrez
ils foutent	ils foutaient	ils foutront

PAST HISTORIC	PERFECT	PLUPERFECT
	j'ai foutu	j'avais foutu
	tu as foutu	tu avais foutu
	il a foutu	il avait foutu
	nous avons foutu	nous avions foutu
	vous avez foutu	vous aviez foutu
	ils ont foutu	ils avaient foutu

PAST ANTERIOR	FUTURE PERFECT	
j'eus foutu *etc*	j'aurai foutu *etc*	

CONDITIONAL

IMPERATIVE

PRESENT	PAST	
je foutrais	j'aurais foutu	fous
tu foutrais	tu aurais foutu	foutons
il foutrait	il aurait foutu	foutez
nous foutrions	nous aurions foutu	
vous foutriez	vous auriez foutu	
ils foutraient	ils auraient foutu	

SUBJUNCTIVE

PRESENT	IMPERFECT	PERFECT
je foute		j'aie foutu
tu foutes		tu aies foutu
il foute		il ait foutu
nous foutions		nous ayons foutu
vous foutiez		vous ayez foutu
ils foutent		ils aient foutu

INFINITIVE

PARTICIPLE

PRESENT	PRESENT
foutre	foutant

PAST	PAST
avoir foutu	foutu

FRIRE
95 *to fry*

PRESENT	IMPERFECT	FUTURE
je fris		
tu fris		
il frit		

PAST HISTORIC	PERFECT	PLUPERFECT
	j'ai frit	j'avais frit
	tu as frit	tu avais frit
	il a frit	il avait frit
	nous avons frit	nous avions frit
	vous avez frit	vous aviez frit
	ils ont frit	ils avaient frit

PAST ANTERIOR	FUTURE PERFECT	
j'eus frit *etc*	j'aurai frit *etc*	

CONDITIONAL

IMPERATIVE

PRESENT	PAST	
	j'aurais frit	fris
	tu aurais frit	
	il aurait frit	
	nous aurions frit	
	vous auriez frit	
	ils auraient frit	

SUBJUNCTIVE

PRESENT	IMPERFECT	PERFECT
		j'aie frit
		tu aies frit
		il ait frit
		nous ayons frit
		vous ayez frit
		ils aient frit

INFINITIVE

PARTICIPLE

PRESENT	PRESENT
frire	

PAST	PAST
avoir frit	frit

PRESENT
je fuis
tu fuis
il fuit
nous fuyons
vous fuyez
ils fuient

IMPERFECT
je fuyais
tu fuyais
il fuyait
nous fuyions
vous fuyiez
ils fuyaient

FUTURE
je fuirai
tu fuiras
il fuira
nous fuirons
vous fuirez
ils fuiront

PAST HISTORIC
je fuis
tu fuis
il fuit
nous fuîmes
vous fuîtes
ils fuirent

PERFECT
j'ai fui
tu as fui
il a fui
nous avons fui
vous avez fui
ils ont fui

PLUPERFECT
j'avais fui
tu avais fui
il avait fui
nous avions fui
vous aviez fui
ils avaient fui

PAST ANTERIOR
j'eus fui *etc*

FUTURE PERFECT
j'aurai fui *etc*

CONDITIONAL

IMPERATIVE

PRESENT
je fuirais
tu fuirais
il fuirait
nous fuirions
vous fuiriez
ils fuiraient

PAST
j'aurais fui
tu aurais fui
il aurait fui
nous aurions fui
vous auriez fui
ils auraient fui

fuis
fuyons
fuyez

SUBJUNCTIVE

PRESENT
je fuie
tu fuies
il fuie
nous fuyions
vous fuyiez
ils fuient

IMPERFECT
je fuisse
tu fuisses
il fuît
nous fuissions
vous fuissiez
ils fuissent

PERFECT
j'aie fui
tu aies fui
il ait fui
nous ayons fui
vous ayez fui
ils aient fui

INFINITIVE

PARTICIPLE

PRESENT
fuir

PRESENT
fuyant

PAST
avoir fui

PAST
fui

GAGNER
97 *to win*

PRESENT	IMPERFECT	FUTURE
je gagne	je gagnais	je gagnerai
tu gagnes	tu gagnais	tu gagneras
il gagne	il gagnait	il gagnera
nous gagnons	nous gagnions	nous gagnerons
vous gagnez	vous gagniez	vous gagnerez
ils gagnent	ils gagnaient	ils gagneront

PAST HISTORIC	PERFECT	PLUPERFECT
je gagnai	j'ai gagné	j'avais gagné
tu gagnas	tu as gagné	tu avais gagné
il gagna	il a gagné	il avait gagné
nous gagnâmes	nous avons gagné	nous avions gagné
vous gagnâtes	vous avez gagné	vous aviez gagné
ils gagnèrent	ils ont gagné	ils avaient gagné

PAST ANTERIOR	FUTURE PERFECT
j'eus gagné *etc*	j'aurai gagné *etc*

CONDITIONAL

PRESENT	PAST
je gagnerais	j'aurais gagné
tu gagnerais	tu aurais gagné
il gagnerait	il aurait gagné
nous gagnerions	nous aurions gagné
vous gagneriez	vous auriez gagné
ils gagneraient	ils auraient gagné

IMPERATIVE

gagne
gagnons
gagnez

SUBJUNCTIVE

PRESENT	IMPERFECT	PERFECT
je gagne	je gagnasse	j'aie gagné
tu gagnes	tu gagnasses	tu aies gagné
il gagne	il gagnât	il ait gagné
nous gagnions	nous gagnassions	nous ayons gagné
vous gagniez	vous gagnassiez	vous ayez gagné
ils gagnent	ils gagnassent	ils aient gagné

INFINITIVE

PRESENT
gagner

PAST
avoir gagné

PARTICIPLE

PRESENT
gagnant

PAST
gagné

PRESENT	IMPERFECT	FUTURE
je gis	je gisais	
tu gis	tu gisais	
il gît	il gisait	
nous gisons	nous gisions	
vous gisez	vous gisiez	
ils gisent	ils gisaient	

PAST HISTORIC	PERFECT	PLUPERFECT

PAST ANTERIOR	FUTURE PERFECT	

CONDITIONAL   *IMPERATIVE*

PRESENT	PAST

SUBJUNCTIVE

PRESENT	IMPERFECT	PERFECT

INFINITIVE   *PARTICIPLE*

PRESENT	PRESENT
gésir	gisant

PAST	PAST

PRESENT
je hais
tu hais
il hait
nous haïssons
vous haïssez
ils haïssent

IMPERFECT
je haïssais
tu haïssais
il haïssait
nous haïssions
vous haïssiez
ils haïssaient

FUTURE
je haïrai
tu haïras
il haïra
nous haïrons
vous haïrez
ils haïront

PAST HISTORIC
je haïs
tu haïs
il haït
nous haïmes
vous haïtes
ils haïrent

PERFECT
j'ai haï
tu as haï
il a haï
nous avons haï
vous avez haï
ils ont haï

PLUPERFECT
j'avais haï
tu avais haï
il avait haï
nous avions haï
vous aviez haï
ils avaient haï

PAST ANTERIOR
j'eus haï *etc*

FUTURE PERFECT
j'aurai haï *etc*

CONDITIONAL

PRESENT
je haïrais
tu haïrais
il haïrait
nous haïrions
vous haïriez
ils haïraient

PAST
j'aurais haï
tu aurais haï
il aurait haï
nous aurions haï
vous auriez haï
ils auraient haï

IMPERATIVE

hais
haïssons
haïssez

SUBJUNCTIVE

PRESENT
je haïsse
tu haïsses
il haïsse
nous haïssions
vous haïssiez
ils haïssent

IMPERFECT
je haïsse
tu haïsses
il haït
nous haïssions
vous haïssiez
ils haïssent

PERFECT
j'aie haï
tu aies haï
il ait haï
nous ayons haï
vous ayez haï
ils aient haï

INFINITIVE

PRESENT
haïr

PAST
avoir haï

PARTICIPLE

PRESENT
haïssant

PAST
haï

PRESENT
j'hésite
tu hésites
il hésite
nous hésitons
vous hésitez
ils hésitent

IMPERFECT
j'hésitais
tu hésitais
il hésitait
nous hésitions
vous hésitiez
ils hésitaient

FUTURE
j'hésiterai
tu hésiteras
il hésitera
nous hésiterons
vous hésiterez
ils hésiteront

PAST HISTORIC
j'hésitai
tu hésitas
il hésita
nous hésitâmes
vous hésitâtes
ils hésitèrent

PERFECT
j'ai hésité
tu as hésité
il a hésité
nous avons hésité
vous avez hésité
ils ont hésité

PLUPERFECT
j'avais hésité
tu avais hésité
il avait hésité
nous avions hésité
vous aviez hésité
ils avaient hésité

PAST ANTERIOR
j'eus hésité *etc*

FUTURE PERFECT
j'aurai hésité *etc*

CONDITIONAL

PRESENT
j'hésiterais
tu hésiterais
il hésiterait
nous hésiterions
vous hésiteriez
ils hésiteraient

PAST
j'aurais hésité
tu aurais hésité
il aurait hésité
nous aurions hésité
vous auriez hésité
ils auraient hésité

IMPERATIVE

hésite
hésitons
hésitez

SUBJUNCTIVE

PRESENT
j'hésite
tu hésites
il hésite
nous hésitions
vous hésitiez
ils hésitent

IMPERFECT
j'hésitasse
tu hésitasses
il hésitât
nous hésitassions
vous hésitassiez
ils hésitassent

PERFECT
j'aie hésité
tu aies hésité
il ait hésité
nous ayons hésité
vous ayez hésité
ils aient hésité

INFINITIVE

PRESENT
hésiter

PAST
avoir hésité

PARTICIPLE

PRESENT
hésitant

PAST
hésité

PRESENT
je hurle
tu hurles
il hurle
nous hurlons
vous hurlez
ils hurlent

IMPERFECT
je hurlais
tu hurlais
il hurlait
nous hurlions
vous hurliez
ils hurlaient

FUTURE
je hurlerai
tu hurleras
il hurlera
nous hurlerons
vous hurlerez
ils hurleront

PAST HISTORIC
je hurlai
tu hurlas
il hurla
nous hurlâmes
vous hurlâtes
ils hurlèrent

PERFECT
j'ai hurlé
tu as hurlé
il a hurlé
nous avons hurlé
vous avez hurlé
ils ont hurlé

PLUPERFECT
j'avais hurlé
tu avais hurlé
il avait hurlé
nous avions hurlé
vous aviez hurlé
ils avaient hurlé

PAST ANTERIOR
j'eus hurlé _etc_

FUTURE PERFECT
j'aurai hurlé _etc_

CONDITIONAL

PRESENT
je hurlerais
tu hurlerais
il hurlerait
nous hurlerions
vous hurleriez
ils hurleraient

PAST
j'aurais hurlé
tu aurais hurlé
il aurait hurlé
nous aurions hurlé
vous auriez hurlé
ils auraient hurlé

IMPERATIVE

hurle
hurlons
hurlez

SUBJUNCTIVE

PRESENT
je hurle
tu hurles
il hurle
nous hurlions
vous hurliez
ils hurlent

IMPERFECT
je hurlasse
tu hurlasses
il hurlât
nous hurlassions
vous hurlassiez
ils hurlassent

PERFECT
j'aie hurlé
tu aies hurlé
il ait hurlé
nous ayons hurlé
vous ayez hurlé
ils aient hurlé

INFINITIVE

PRESENT
hurler

PAST
avoir hurlé

PARTICIPLE

PRESENT
hurlant

PAST
hurlé

PRESENT
j'inclus
tu inclus
il inclut
nous incluons
vous incluez
ils incluent

IMPERFECT
j'incluais
tu incluais
il incluait
nous incluions
vous incluiez
ils incluaient

FUTURE
j'inclurai
tu incluras
il inclura
nous inclurons
vous inclurez
ils incluront

PAST HISTORIC
j'inclus
tu inclus
il inclut
nous inclûmes
vous inclûtes
ils inclurent

PERFECT
j'ai inclus
tu as inclus
il a inclus
nous avons inclus
vous avez inclus
ils ont inclus

PLUPERFECT
j'avais inclus
tu avais inclus
il avait inclus
nous avions inclus
vous aviez inclus
ils avaient inclus

PAST ANTERIOR
j'eus inclus *etc*

FUTURE PERFECT
j'aurai inclus *etc*

CONDITIONAL

PRESENT
j'inclurais
tu inclurais
il inclurait
nous inclurions
vous incluriez
ils incluraient

PAST
j'aurais inclus
tu aurais inclus
il aurait inclus
nous aurions inclus
vous auriez inclus
ils auraient inclus

IMPERATIVE

inclus
incluons
incluez

SUBJUNCTIVE

PRESENT
j'inclue
tu inclues
il inclue
nous incluions
vous incluiez
ils incluent

IMPERFECT
j'inclusse
tu inclusses
il inclût
nous inclussions
vous inclussiez
ils inclussent

PERFECT
j'aie inclus
tu aies inclus
il ait inclus
nous ayons inclus
vous ayez inclus
ils aient inclus

INFINITIVE

PRESENT
inclure

PAST
avoir inclus

PARTICIPLE

PRESENT
incluant

PAST
inclus

PRESENT
j'indique
tu indiques
il indique
nous indiquons
vous indiquez
ils indiquent

IMPERFECT
j'indiquais
tu indiquais
il indiquait
nous indiquions
vous indiquiez
ils indiquaient

FUTURE
j'indiquerai
tu indiqueras
il indiquera
nous indiquerons
vous indiquerez
ils indiqueront

PAST HISTORIC
j'indiquai
tu indiquas
il indiqua
nous indiquâmes
vous indiquâtes
ils indiquèrent

PERFECT
j'ai indiqué
tu as indiqué
il a indiqué
nous avons indiqué
vous avez indiqué
ils ont indiqué

PLUPERFECT
j'avais indiqué
tu avais indiqué
il avait indiqué
nous avions indiqué
vous aviez indiqué
ils avaient indiqué

PAST ANTERIOR
j'eus indiqué *etc*

FUTURE PERFECT
j'aurai indiqué *etc*

CONDITIONAL

PRESENT
j'indiquerais
tu indiquerais
il indiquerait
nous indiquerions
vous indiqueriez
ils indiqueraient

PAST
j'aurais indiqué
tu aurais indiqué
il aurait indiqué
nous aurions indiqué
vous auriez indiqué
ils auraient indiqué

IMPERATIVE

indique
indiquons
indiquez

SUBJUNCTIVE

PRESENT
j'indique
tu indiques
il indique
nous indiquions
vous indiquiez
ils indiquent

IMPERFECT
j'indiquasse
tu indiquasses
il indiquât
nous indiquassions
vous indiquassiez
ils indiquassent

PERFECT
j'aie indiqué
tu aies indiqué
il ait indiqué
nous ayons indiqué
vous ayez indiqué
ils aient indiqué

INFINITIVE

PRESENT
indiquer

PAST
avoir indiqué

PARTICIPLE

PRESENT
indiquant

PAST
indiqué

PRESENT
j'intègre
tu intègres
il intègre
nous intégrons
vous intégrez
ils intègrent

IMPERFECT
j'intégrais
tu intégrais
il intégrait
nous intégrions
vous intégriez
ils intégraient

FUTURE
j'intégrerai
tu intégreras
il intégrera
nous intégrerons
vous intégrerez
ils intégreront

PAST HISTORIC
j'intégrai
tu intégras
il intégra
nous intégrâmes
vous intégrâtes
ils intégrèrent

PERFECT
j'ai intégré
tu as intégré
il a intégré
nous avons intégré
vous avez intégré
ils ont intégré

PLUPERFECT
j'avais intégré
tu avais intégré
il avait intégré
nous avions intégré
vous aviez intégré
ils avaient intégré

PAST ANTERIOR
j'eus intégré *etc*

FUTURE PERFECT
j'aurai intégré *etc*

CONDITIONAL

PRESENT
j'intégrerais
tu intégrerais
il intégrerait
nous intégrerions
vous intégreriez
ils intégreraient

PAST
j'aurais intégré
tu aurais intégré
il aurait intégré
nous aurions intégré
vous auriez intégré
ils auraient intégré

IMPERATIVE

intègre
intégrons
intégrez

SUBJUNCTIVE

PRESENT
j'intègre
tu intègres
il intègre
nous intégrions
vous intégriez
ils intègrent

IMPERFECT
j'intégrasse
tu intégrasses
il intégrât
nous intégrassions
vous intégrassiez
ils intégrassent

PERFECT
j'aie intégré
tu aies intégré
il ait intégré
nous ayons intégré
vous ayez intégré
ils aient intégré

INFINITIVE

PRESENT
intégrer

PAST
avoir intégré

PARTICIPLE

PRESENT
intégrant

PAST
intégré

PRESENT
j'interdis
tu interdis
il interdit
nous interdisons
vous interdisez
ils interdisent

IMPERFECT
j'interdisais
tu interdisais
il interdisait
nous interdisions
vous interdisiez
ils interdisaient

FUTURE
j'interdirai
tu interdiras
il interdira
nous interdirons
vous interdirez
ils interdiront

PAST HISTORIC
j'interdis
tu interdis
il interdites
nous interdîmes
vous interdîtes
ils interdirent

PERFECT
j'ai interdit
tu as interdit
il a interdit
nous avons interdit
vous avez interdit
ils ont interdit

PLUPERFECT
j'avais interdit
tu avais interdit
il avait interdit
nous avions interdit
vous aviez interdit
ils avaient interdit

PAST ANTERIOR
j'eus interdit *etc*

FUTURE PERFECT
j'aurai interdit *etc*

CONDITIONAL

PRESENT
j'interdirais
tu interdirais
il interdirait
nous interdirions
vous interdiriez
ils interdiraient

PAST
j'aurais interdit
tu aurais interdit
il aurait interdit
nous aurions interdit
vous auriez interdit
ils auraient interdit

IMPERATIVE

interdis
interdisons
interdisez

SUBJUNCTIVE

PRESENT
j'interdise
tu interdises
il interdise
nous interdisions
vous interdisiez
ils interdisent

IMPERFECT
j'interdisse
tu interdisses
il interdît
nous interdissions
vous interdissiez
ils interdissent

PERFECT
j'aie interdit
tu aies interdit
il ait interdit
nous ayons interdit
vous ayez interdit
ils aient interdit

INFINITIVE

PRESENT
interdire

PAST
avoir interdit

PARTICIPLE

PRESENT
interdisant

PAST
interdit

PRESENT
j'interpelle
tu interpelles
il interpelle
nous interpellons
vous interpellez
ils interpellent

PAST HISTORIC
j'interpellai
tu interpellas
il interpella
nous interpellâmes
vous interpellâtes
ils interpellèrent

PAST ANTERIOR
j'eus interpellé *etc*

IMPERFECT
j'interpellais
tu interpellais
il interpellait
nous interpellions
vous interpelliez
ils interpellaient

PERFECT
j'ai interpellé
tu as interpellé
il a interpellé
nous avons interpellé
vous avez interpellé
ils ont interpellé

FUTURE PERFECT
j'aurai interpellé *etc*

FUTURE
j'interpellerai
tu interpelleras
il interpellera
nous interpellerons
vous interpellerez
ils interpelleront

PLUPERFECT
j'avais interpellé
tu avais interpellé
il avait interpellé
nous avions interpellé
vous aviez interpellé
ils avaient interpellé

CONDITIONAL

PRESENT
j'interpellerais
tu interpellerais
il interpellerait
nous interpellerions
vous interpelleriez
ils interpelleraient

PAST
j'aurais interpellé
tu aurais interpellé
il aurait interpellé
nous aurions interpellé
vous auriez interpellé
ils auraient interpellé

IMPERATIVE

interpelle
interpellons
interpellez

SUBJUNCTIVE

PRESENT
j'interpelle
tu interpelles
il interpelle
nous interpellions
vous interpelliez
ils interpellent

IMPERFECT
j'interpellasse
tu interpellasses
il interpellât
nous interpellassions
vous interpellassiez
ils interpellassent

PERFECT
j'aie interpellé
tu aies interpellé
il ait interpellé
nous ayons interpellé
vous ayez interpellé
ils aient interpellé

INFINITIVE

PRESENT
interpeller

PAST
avoir interpellé

PARTICIPLE

PRESENT
interpellant

PAST
interpellé

PRESENT	IMPERFECT	FUTURE
j'introduis	j'introduisais	j'introduirai
tu introduis	tu introduisais	tu introduiras
il introduit	il introduisait	il introduira
nous introduisons	nous introduisions	nous introduirons
vous introduisez	vous introduisiez	vous introduirez
ils introduisent	ils introduisaient	ils introduiront

PAST HISTORIC	PERFECT	PLUPERFECT
j'introduisis	j'ai introduit	j'avais introduit
tu introduisis	tu as introduit	tu avais introduit
il introduisit	il a introduit	il avait introduit
nous introduisîmes	nous avons introduit	nous avions introduit
vous introduisîtes	vous avez introduit	vous aviez introduit
ils introduisirent	ils ont introduit	ils avaient introduit

PAST ANTERIOR	FUTURE PERFECT
j'eus introduit *etc*	j'aurai introduit *etc*

CONDITIONAL

PRESENT	PAST
j'introduirais	j'aurais introduit
tu introduirais	tu aurais introduit
il introduirait	il aurait introduit
nous introduirions	nous aurions introduit
vous introduiriez	vous auriez introduit
ils introduiraient	ils auraient introduit

IMPERATIVE

introduis
introduisons
introduisez

SUBJUNCTIVE

PRESENT	IMPERFECT	PERFECT
j'introduise	j'introduisisse	j'aie introduit
tu introduises	tu introduisisses	tu aies introduit
il introduise	il introduisît	il ait introduit
nous introduisions	nous introduisissions	nous ayons introduit
vous introduisiez	vous introduisissiez	vous ayez introduit
ils introduisent	ils introduisissent	ils aient introduit

INFINITIVE

PRESENT
introduire

PAST
avoir introduit

PARTICIPLE

PRESENT
introduisant

PAST
introduit

PRESENT	IMPERFECT	FUTURE
je jette	je jetais	je jetterai
tu jettes	tu jetais	tu jetteras
il jette	il jetait	il jettera
nous jetons	nous jetions	nous jetterons
vous jetez	vous jetiez	vous jetterez
ils jettent	ils jetaient	ils jetteront

PAST HISTORIC	PERFECT	PLUPERFECT
je jetai	j'ai jeté	j'avais jeté
tu jetas	tu as jeté	tu avais jeté
il jeta	il a jeté	il avait jeté
nous jetâmes	nous avons jeté	nous avions jeté
vous jetâtes	vous avez jeté	vous aviez jeté
ils jetèrent	ils ont jeté	ils avaient jeté

PAST ANTERIOR	FUTURE PERFECT
j'eus jeté *etc*	j'aurai jeté *etc*

CONDITIONAL

PRESENT	PAST
je jetterais	j'aurais jeté
tu jetterais	tu aurais jeté
il jetterait	il aurait jeté
nous jetterions	nous aurions jeté
vous jetteriez	vous auriez jeté
ils jetteraient	ils auraient jeté

IMPERATIVE

jette
jetons
jetez

SUBJUNCTIVE

PRESENT	IMPERFECT	PERFECT
je jette	je jetasse	j'aie jeté
tu jettes	tu jetasses	tu aies jeté
il jette	il jetât	il ait jeté
nous jetions	nous jetassions	nous ayons jeté
vous jetiez	vous jetassiez	vous ayez jeté
ils jettent	ils jetassent	ils aient jeté

INFINITIVE

PRESENT
jeter

PAST
avoir jeté

PARTICIPLE

PRESENT
jetant

PAST
jeté

JOINDRE
109 *to join*

PRESENT	**IMPERFECT**	**FUTURE**
je joins	je joignais	je joindrai
tu joins	tu joignais	tu joindras
il joint	il joignait	il joindra
nous joignons	nous joignions	nous joindrons
vous joignez	vous joigniez	vous joindrez
ils joignent	ils joignaient	ils joindront

PAST HISTORIC	**PERFECT**	**PLUPERFECT**
je joignis	j'ai joint	j'avais joint
tu joignis	tu as joint	tu avais joint
il joignit	il a joint	il avait joint
nous joignîmes	nous avons joint	nous avions joint
vous joignîtes	vous avez joint	vous aviez joint
ils joignirent	ils ont joint	ils avaient joint

PAST ANTERIOR	**FUTURE PERFECT**
j'eus joint *etc*	j'aurai joint *etc*

CONDITIONAL

PRESENT	**PAST**
je joindrais	j'aurais joint
tu joindrais	tu aurais joint
il joindrait	il aurait joint
nous joindrions	nous aurions joint
vous joindriez	vous auriez joint
ils joindraient	ils auraient joint

IMPERATIVE

joins
joignons
joignez

SUBJUNCTIVE

PRESENT	**IMPERFECT**	**PERFECT**
je joigne	je joignisse	j'aie joint
tu joignes	tu joignisses	tu aies joint
il joigne	il joignît	il ait joint
nous joignions	nous joignissions	nous ayons joint
vous joigniez	vous joignissiez	vous ayez joint
ils joignent	ils joignissent	ils aient joint

INFINITIVE

PRESENT
joindre

PAST
avoir joint

PARTICIPLE

PRESENT
joignant

PAST
joint

NOTE

only the infinitive and the past participle of the verb oindre are used

PRESENT	**IMPERFECT**	**FUTURE**
je joue	je jouais	je jouerai
tu joues	tu jouais	tu joueras
il joue	il jouait	il jouera
nous jouons	nous jouions	nous jouerons
vous jouez	vous jouiez	vous jouerez
ils jouent	ils jouaient	ils joueront

PAST HISTORIC	**PERFECT**	**PLUPERFECT**
je jouai	j'ai joué	j'avais joué
tu jouas	tu as joué	tu avais joué
il joua	il a joué	il avait joué
nous jouâmes	nous avons joué	nous avions joué
vous jouâtes	vous avez joué	vous aviez joué
ils jouèrent	ils ont joué	ils avaient joué

PAST ANTERIOR	**FUTURE PERFECT**
j'eus joué *etc*	j'aurai joué *etc*

CONDITIONAL

PRESENT	**PAST**
je jouerais	j'aurais joué
tu jouerais	tu aurais joué
il jouerait	il aurait joué
nous jouerions	nous aurions joué
vous joueriez	vous auriez joué
ils joueraient	ils auraient joué

IMPERATIVE

joue
jouons
jouez

SUBJUNCTIVE

PRESENT	**IMPERFECT**	**PERFECT**
je joue	je jouasse	j'aie joué
tu joues	tu jouasses	tu aies joué
il joue	il jouât	il ait joué
nous jouions	nous jouassions	nous ayons joué
vous jouiez	vous jouassiez	vous ayez joué
ils jouent	ils jouassent	ils aient joué

INFINITIVE

PRESENT
jouer

PAST
avoir joué

PARTICIPLE

PRESENT
jouant

PAST
joué

JUGER
111 *to judge*

PRESENT	IMPERFECT	FUTURE
je juge	je jugeais	je jugerai
tu juges	tu jugeais	tu jugeras
il juge	il jugeait	il jugera
nous jugeons	nous jugions	nous jugerons
vous jugez	vous jugiez	vous jugerez
ils jugent	ils jugeaient	ils jugeront

PAST HISTORIC	PERFECT	PLUPERFECT
je jugeai	j'ai jugé	j'avais jugé
tu jugeas	tu as jugé	tu avais jugé
il jugea	il a jugé	il avait jugé
nous jugeâmes	nous avons jugé	nous avions jugé
vous jugeâtes	vous avez jugé	vous aviez jugé
ils jugèrent	ils ont jugé	ils avaient jugé

PAST ANTERIOR	FUTURE PERFECT
j'eus jugé *etc*	j'aurai jugé *etc*

CONDITIONAL

PRESENT	PAST
je jugerais	j'aurais jugé
tu jugerais	tu aurais jugé
il jugerait	il aurait jugé
nous jugerions	nous aurions jugé
vous jugeriez	vous auriez jugé
ils jugeraient	ils auraient jugé

IMPERATIVE

juge
jugeons
jugez

SUBJUNCTIVE

PRESENT	IMPERFECT	PERFECT
je juge	je jugeasse	j'aie jugé
tu juges	tu jugeasses	tu aies jugé
il juge	il jugeât	il ait jugé
nous jugions	nous jugeassions	nous ayons jugé
vous jugiez	vous jugeassiez	vous ayez jugé
ils jugent	ils jugeassent	ils aient jugé

INFINITIVE

PRESENT
juger

PAST
avoir jugé

PARTICIPLE

PRESENT
jugeant

PAST
jugé

PRESENT
je lance
tu lances
il lance
nous lançons
vous lancez
ils lancent

IMPERFECT
je lançais
tu lançais
il lançait
nous lancions
vous lanciez
ils lançaient

FUTURE
je lancerai
tu lanceras
il lancera
nous lancerons
vous lancerez
ils lanceront

PAST HISTORIC
je lançai
tu lanças
il lança
nous lançâmes
vous lançâtes
ils lancèrent

PERFECT
j'ai lancé
tu as lancé
il a lancé
nous avons lancé
vous avez lancé
ils ont lancé

PLUPERFECT
j'avais lancé
tu avais lancé
il avait lancé
nous avions lancé
vous aviez lancé
ils avaient lancé

PAST ANTERIOR
j'eus lancé *etc*

FUTURE PERFECT
j'aurai lancé *etc*

CONDITIONAL

PRESENT
je lancerais
tu lancerais
il lancerait
nous lancerions
vous lanceriez
ils lanceraient

PAST
j'aurais lancé
tu aurais lancé
il aurait lancé
nous aurions lancé
vous auriez lancé
ils auraient lancé

IMPERATIVE

lance
lançons
lancez

SUBJUNCTIVE

PRESENT
je lance
tu lances
il lance
nous lancions
vous lanciez
ils lancent

IMPERFECT
je lançasse
tu lançasses
il lançât
nous lançassions
vous lançassiez
ils lançassent

PERFECT
j'aie lancé
tu aies lancé
il ait lancé
nous ayons lancé
vous ayez lancé
ils aient lancé

INFINITIVE

PRESENT
lancer

PAST
avoir lancé

PARTICIPLE

PRESENT
lançant

PAST
lancé

LÉGUER
113 *to bequeath*

PRESENT	IMPERFECT	FUTURE
je lègue	je léguais	je léguerai
tu lègues	tu léguais	tu légueras
il lègue	il léguait	il léguera
nous léguons	nous léguions	nous léguerons
vous léguez	vous léguiez	vous léguerez
ils lèguent	ils léguaient	ils légueront

PAST HISTORIC	PERFECT	PLUPERFECT
je léguai	j'ai légué	j'avais légué
tu léguas	tu as légué	tu avais légué
il légua	il a légué	il avait légué
nous léguâmes	nous avons légué	nous avions légué
vous léguâtes	vous avez légué	vous aviez légué
ils léguèrent	ils ont légué	ils avaient légué

PAST ANTERIOR	FUTURE PERFECT
j'eus légué *etc*	j'aurai légué *etc*

CONDITIONAL

PRESENT	PAST
je léguerais	j'aurais légué
tu léguerais	tu aurais légué
il léguerait	il aurait légué
nous léguerions	nous aurions légué
vous légueriez	vous auriez légué
ils légueraient	ils auraient légué

IMPERATIVE

lègue
léguons
léguez

SUBJUNCTIVE

PRESENT	IMPERFECT	PERFECT
je lègue	je léguasse	j'aie légué
tu lègues	tu léguasses	tu aies légué
il lègue	il léguât	il ait légué
nous léguions	nous léguassions	nous ayons légué
vous léguiez	vous léguassiez	vous ayez légué
ils lèguent	ils léguassent	ils aient légué

INFINITIVE

PRESENT
léguer

PAST
avoir légué

PARTICIPLE

PRESENT
léguant

PAST
légué

PRESENT
je lèse
tu lèses
il lèse
nous lésons
vous lésez
ils lèsent

IMPERFECT
je lésais
tu lésais
il lésait
nous lésions
vous lésiez
ils lésaient

FUTURE
je léserai
tu léseras
il lésera
nous léserons
vous léserez
ils léseront

PAST HISTORIC
je lésai
tu lésas
il lésa
nous lésâmes
vous lésâtes
ils lésèrent

PERFECT
j'ai lésé
tu as lésé
il a lésé
nous avons lésé
vous avez lésé
ils ont lésé

PLUPERFECT
j'avais lésé
tu avais lésé
il avait lésé
nous avions lésé
vous aviez lésé
ils avaient lésé

PAST ANTERIOR
j'eus lésé *etc*

FUTURE PERFECT
j'aurai lésé *etc*

CONDITIONAL

PRESENT
je léserais
tu léserais
il léserait
nous léserions
vous léseriez
ils léseraient

PAST
j'aurais lésé
tu aurais lésé
il aurait lésé
nous aurions lésé
vous auriez lésé
ils auraient lésé

IMPERATIVE

lèse
lésons
lésez

SUBJUNCTIVE

PRESENT
je lèse
tu lèses
il lèse
nous lésions
vous lésiez
ils lèsent

IMPERFECT
je lésasse
tu lésasses
il lésât
nous lésassions
vous lésassiez
ils lésassent

PERFECT
j'aie lésé
tu aies lésé
il ait lésé
nous ayons lésé
vous ayez lésé
ils aient lésé

INFINITIVE

PRESENT
léser

PAST
avoir lésé

PARTICIPLE

PRESENT
lésant

PAST
lésé

PRESENT	**IMPERFECT**	**FUTURE**
je lis	je lisais	je lirai
tu lis	tu lisais	tu liras
il lit	il lisait	il lira
nous lisons	nous lisions	nous lirons
vous lisez	vous lisiez	vous lirez
ils lisent	ils lisaient	ils liront

PAST HISTORIC	**PERFECT**	**PLUPERFECT**
je lus	j'ai lu	j'avais lu
tu lus	tu as lu	tu avais lu
il lut	il a lu	il avait lu
nous lûmes	nous avons lu	nous avions lu
vous lûtes	vous avez lu	vous aviez lu
ils lurent	ils ont lu	ils avaient lu

PAST ANTERIOR	**FUTURE PERFECT**
j'eus lu *etc*	j'aurai lu *etc*

CONDITIONAL

PRESENT	**PAST**
je lirais	j'aurais lu
tu lirais	tu aurais lu
il lirait	il aurait lu
nous lirions	nous aurions lu
vous liriez	vous auriez lu
ils liraient	ils auraient lu

IMPERATIVE

lis
lisons
lisez

SUBJUNCTIVE

PRESENT	**IMPERFECT**	**PERFECT**
je lise	je lusse	j'aie lu
tu lises	tu lusses	tu aies lu
il lise	il lût	il ait lu
nous lisions	nous lussions	nous ayons lu
vous lisiez	vous lussiez	vous ayez lu
ils lisent	ils lussent	ils aient lu

INFINITIVE

PRESENT
lire

PAST
avoir lu

PARTICIPLE

PRESENT
lisant

PAST
lu

PRESENT
je mange
tu manges
il mange
nous mangeons
vous mangez
ils mangent

PAST HISTORIC
je mangeai
tu mangeas
il mangea
nous mangeâmes
vous mangeâtes
ils mangèrent

PAST ANTERIOR
j'eus mangé *etc*

IMPERFECT
je mangeais
tu mangeais
il mangeait
nous mangions
vous mangiez
ils mangeaient

PERFECT
j'ai mangé
tu as mangé
il a mangé
nous avons mangé
vous avez mangé
ils ont mangé

FUTURE PERFECT
j'aurai mangé *etc*

FUTURE
je mangerai
tu mangeras
il mangera
nous mangerons
vous mangerez
ils mangeront

PLUPERFECT
j'avais mangé
tu avais mangé
il avait mangé
nous avions mangé
vous aviez mangé
ils avaient mangé

CONDITIONAL

PRESENT
je mangerais
tu mangerais
il mangerait
nous mangerions
vous mangeriez
ils mangeraient

PAST
j'aurais mangé
tu aurais mangé
il aurait mangé
nous aurions mangé
vous auriez mangé
ils auraient mangé

IMPERATIVE

mange
mangeons
mangez

SUBJUNCTIVE

PRESENT
je mange
tu manges
il mange
nous mangions
vous mangiez
ils mangent

IMPERFECT
je mangeasse
tu mangeasses
il mangeât
nous mangeassions
vous mangeassiez
ils mangeassent

PERFECT
j'aie mangé
tu aies mangé
il ait mangé
nous ayons mangé
vous ayez mangé
ils aient mangé

INFINITIVE

PRESENT
manger

PAST
avoir mangé

PARTICIPLE

PRESENT
mangeant

PAST
mangé

MAUDIRE
117 *to curse*

PRESENT
je maudis
tu maudis
il maudit
nous maudissons
vous maudissez
ils maudissent

PAST HISTORIC
je maudis
tu maudis
il maudit
nous maudîmes
vous maudîtes
ils maudirent

PAST ANTERIOR
j'eus maudit *etc*

IMPERFECT
je maudissais
tu maudissais
il maudissait
nous maudissions
vous maudissiez
ils maudissaient

PERFECT
j'ai maudit
tu as maudit
il a maudit
nous avons maudit
vous avez maudit
ils ont maudit

FUTURE PERFECT
j'aurai maudit *etc*

FUTURE
je maudirai
tu maudiras
il maudira
nous maudirons
vous maudirez
ils maudiront

PLUPERFECT
j'avais maudit
tu avais maudit
il avait maudit
nous avions maudit
vous aviez maudit
ils avaient maudit

CONDITIONAL

PRESENT
je maudirais
tu maudirais
il maudirait
nous maudirions
vous maudiriez
ils maudiraient

PAST
j'aurais maudit
tu aurais maudit
il aurait maudit
nous aurions maudit
vous auriez maudit
ils auraient maudit

IMPERATIVE

maudis
maudissons
maudissez

SUBJUNCTIVE

PRESENT
je maudisse
tu maudisses
il maudisse
nous maudissions
vous maudissiez
ils maudissent

IMPERFECT
je maudisse
tu maudisses
il maudît
nous maudissions
vous maudissiez
ils maudissent

PERFECT
j'aie maudit
tu aies maudit
il ait maudit
nous ayons maudit
vous ayez maudit
ils aient maudit

INFINITIVE

PRESENT
maudire

PAST
avoir maudit

PARTICIPLE

PRESENT
maudissant

PAST
maudit

PRESENT
je me méfie
tu te méfies
il se méfie
nous nous méfions
vous vous méfiez
ils se méfient

IMPERFECT
je me méfiais
tu te méfiais
il se méfiait
nous nous méfiions
vous vous méfiiez
ils se méfiaient

FUTURE
je me méfierai
tu te méfieras
il se méfiera
nous nous méfierons
vous vous méfierez
ils se méfieront

PAST HISTORIC
je me méfiai
tu te méfias
il se méfia
nous nous méfiâmes
vous vous méfiâtes
ils se méfièrent

PERFECT
je me suis méfié
tu t'es méfié
il s'est méfié
nous ns. sommes méfiés
vous vs. êtes méfié(s)
ils se sont méfiés

PLUPERFECT
je m'étais méfié
tu t'étais méfié
il s'était méfié
nous ns. étions méfiés
vous vs. étiez méfié(s)
ils s'étaient méfiés

PAST ANTERIOR
je me fus méfié *etc*

FUTURE PERFECT
je me serai méfié *etc*

CONDITIONAL

PRESENT
je me méfierais
tu te méfierais
il se méfierait
nous nous méfierions
vous vous méfieriez
ils se méfieraient

PAST
je me serais méfié
tu te serais méfié
il se serait méfié
nous ns. serions méfiés
vous vs. seriez méfié(s)
ils se seraient méfiés

IMPERATIVE

méfie-toi
méfions-nous
méfiez-vous

SUBJUNCTIVE

PRESENT
je me méfie
tu te méfies
il se méfie
nous nous méfiions
vous vous méfiiez
ils se méfient

IMPERFECT
je me méfiasse
tu te méfiasses
il se méfiât
nous nous méfiassions
vous vous méfiassiez
ils se méfiassent

PERFECT
je me sois méfié
tu te sois méfié
il se soit méfié
nous ns. soyons méfiés
vous vs. soyez méfié(s)
ils se soient méfiés

INFINITIVE

PRESENT
se méfier

PAST
s'être méfié

PARTICIPLE

PRESENT
se méfiant

PAST
méfié

MENER
119 *to lead*

PRESENT	IMPERFECT	FUTURE
je mène	je menais	je mènerai
tu mènes	tu menais	tu mèneras
il mène	il menait	il mènera
nous menons	nous menions	nous mènerons
vous menez	vous meniez	vous mènerez
ils mènent	ils menaient	ils mèneront

PAST HISTORIC	PERFECT	PLUPERFECT
je menai	j'ai mené	j'avais mené
tu menas	tu as mené	tu avais mené
il mena	il a mené	il avait mené
nous menâmes	nous avons mené	nous avions mené
vous menâtes	vous avez mené	vous aviez mené
ils menèrent	ils ont mené	ils avaient mené

PAST ANTERIOR	FUTURE PERFECT
j'eus mené *etc*	j'aurai mené *etc*

CONDITIONAL

PRESENT	PAST
je mènerais	j'aurais mené
tu mènerais	tu aurais mené
il mènerait	il aurait mené
nous mènerions	nous aurions mené
vous mèneriez	vous auriez mené
ils mèneraient	ils auraient mené

IMPERATIVE

mène
menons
menez

SUBJUNCTIVE

PRESENT	IMPERFECT	PERFECT
je mène	je menasse	j'aie mené
tu mènes	tu menasses	tu aies mené
il mène	il menât	il ait mené
nous menions	nous menassions	nous ayons mené
vous meniez	vous menassiez	vous ayez mené
ils mènent	ils menassent	ils aient mené

INFINITIVE

PRESENT
mener

PAST
avoir mené

PARTICIPLE

PRESENT
menant

PAST
mené

PRESENT
je mens
tu mens
il ment
nous mentons
vous mentez
ils mentent

IMPERFECT
je mentais
tu mentais
il mentait
nous mentions
vous mentiez
ils mentaient

FUTURE
je mentirai
tu mentiras
il mentira
nous mentirons
vous mentirez
ils mentiront

PAST HISTORIC
je mentis
tu mentis
il mentit
nous mentîmes
vous mentîtes
ils mentirent

PERFECT
j'ai menti
tu as menti
il a menti
nous avons menti
vous avez menti
ils ont menti

PLUPERFECT
j'avais menti
tu avais menti
il avait menti
nous avions menti
vous aviez menti
ils avaient menti

PAST ANTERIOR
j'eus menti *etc*

FUTURE PERFECT
j'aurai menti *etc*

CONDITIONAL

PRESENT
je mentirais
tu mentirais
il mentirait
nous mentirions
vous mentiriez
ils mentiraient

PAST
j'aurais menti
tu aurais menti
il aurait menti
nous aurions menti
vous auriez menti
ils auraient menti

IMPERATIVE

mens
mentons
mentez

SUBJUNCTIVE

PRESENT
je mente
tu mentes
il mente
nous mentions
vous mentiez
ils mentent

IMPERFECT
je mentisse
tu mentisses
il mentît
nous mentissions
vous mentissiez
ils mentissent

PERFECT
j'aie menti
tu aies menti
il ait menti
nous ayons menti
vous ayez menti
ils aient menti

INFINITIVE

PRESENT
mentir

PAST
avoir menti

PARTICIPLE

PRESENT
mentant

PAST
menti

PRESENT	IMPERFECT	FUTURE
je mets	je mettais	je mettrai
tu mets	tu mettais	tu mettras
il met	il mettait	il mettra
nous mettons	nous mettions	nous mettrons
vous mettez	vous mettiez	vous mettrez
ils mettent	ils mettaient	ils mettront

PAST HISTORIC	PERFECT	PLUPERFECT
je mis	j'ai mis	j'avais mis
tu mis	tu as mis	tu avais mis
il mit	il a mis	il avait mis
nous mîmes	nous avons mis	nous avions mis
vous mîtes	vous avez mis	vous aviez mis
ils mirent	ils ont mis	ils avaient mis

PAST ANTERIOR	FUTURE PERFECT
j'eus mis *etc*	j'aurai mis *etc*

CONDITIONAL

PRESENT	PAST
je mettrais	j'aurais mis
tu mettrais	tu aurais mis
il mettrait	il aurait mis
nous mettrions	nous aurions mis
vous mettriez	vous auriez mis
ils mettraient	ils auraient mis

IMPERATIVE

mets
mettons
mettez

SUBJUNCTIVE

PRESENT	IMPERFECT	PERFECT
je mette	je misse	j'aie mis
tu mettes	tu misses	tu aies mis
il mette	il mît	il ait mis
nous mettions	nous missions	nous ayons mis
vous mettiez	vous missiez	vous ayez mis
ils mettent	ils missent	ils aient mis

INFINITIVE

PRESENT	PARTICIPLE

INFINITIVE

PRESENT
mettre

PAST
avoir mis

PARTICIPLE

PRESENT
mettant

PAST
mis

PRESENT	IMPERFECT	FUTURE
je monte	je montais	je monterai
tu montes	tu montais	tu monteras
il monte	il montait	il montera
nous montons	nous montions	nous monterons
vous montez	vous montiez	vous monterez
ils montent	ils montaient	ils monteront

PAST HISTORIC	PERFECT	PLUPERFECT
je montai	je suis monté	j'étais monté
tu montas	tu es monté	tu étais monté
il monta	il est monté	il était monté
nous montâmes	nous sommes montés	nous étions montés
vous montâtes	vous êtes monté(s)	vous étiez monté(s)
ils montèrent	ils sont montés	ils étaient montés

PAST ANTERIOR	FUTURE PERFECT
je fus monté *etc*	je serai monté *etc*

CONDITIONAL

PRESENT	PAST	IMPERATIVE
je monterais	je serais monté	monte
tu monterais	tu serais monté	montons
il monterait	il serait monté	montez
nous monterions	nous serions montés	
vous monteriez	vous seriez monté(s)	
ils monteraient	ils seraient montés	

SUBJUNCTIVE

PRESENT	IMPERFECT	PERFECT
je monte	je montasse	je sois monté
tu montes	tu montasses	tu sois monté
il monte	il montât	il soit monté
nous montions	nous montassions	nous soyons montés
vous montiez	vous montassiez	vous soyez monté(s)
ils montent	ils montassent	ils soient montés

INFINITIVE

PRESENT	PARTICIPLE	NOTE
monter	PRESENT	monter takes the
	montant	auxiliary **avoir** when
PAST		transitive
être monté	PAST	
	monté	

MORDRE
123 *to bite*

PRESENT	IMPERFECT	FUTURE
je mords	je mordais	je mordrai
tu mords	tu mordais	tu mordras
il mord	il mordait	il mordra
nous mordons	nous mordions	nous mordrons
vous mordez	vous mordiez	vous mordrez
ils mordent	ils mordaient	ils mordront

PAST HISTORIC	PERFECT	PLUPERFECT
je mordis	j'ai mordu	j'avais mordu
tu mordis	tu as mordu	tu avais mordu
il mordit	il a mordu	il avait mordu
nous mordîmes	nous avons mordu	nous avions mordu
vous mordîtes	vous avez mordu	vous aviez mordu
ils mordirent	ils ont mordu	ils avaient mordu

PAST ANTERIOR	FUTURE PERFECT
j'eus mordu *etc*	j'aurai mordu *etc*

CONDITIONAL

PRESENT	PAST
je mordrais	j'aurais mordu
tu mordrais	tu aurais mordu
il mordrait	il aurait mordu
nous mordrions	nous aurions mordu
vous mordriez	vous auriez mordu
ils mordraient	ils auraient mordu

IMPERATIVE

mords
mordons
mordez

SUBJUNCTIVE

PRESENT	IMPERFECT	PERFECT
je morde	je mordisse	j'aie mordu
tu mordes	tu mordisses	tu aies mordu
il morde	il mordît	il ait mordu
nous mordions	nous mordissions	nous ayons mordu
vous mordiez	vous mordissiez	vous ayez mordu
ils mordent	ils mordissent	ils aient mordu

INFINITIVE

PRESENT
mordre

PAST
avoir mordu

PARTICIPLE

PRESENT
mordant

PAST
mordu

PRESENT	**IMPERFECT**	**FUTURE**
je mouds	je moulais	je moudrai
tu mouds	tu moulais	tu moudras
il moud	il moulait	il moudra
nous moulons	nous moulions	nous moudrons
vous moulez	vous mouliez	vous moudrez
ils moulent	ils moulaient	ils moudront

PAST HISTORIC	**PERFECT**	**PLUPERFECT**
je moulus	j'ai moulu	j'avais moulu
tu moulus	tu as moulu	tu avais moulu
il moulut	il a moulu	il avait moulu
nous moulûmes	nous avons moulu	nous avions moulu
vous moulûtes	vous avez moulu	vous aviez moulu
ils moulurent	ils ont moulu	ils avaient moulu

PAST ANTERIOR	**FUTURE PERFECT**	
j'eus moulu *etc*	j'aurai moulu *etc*	

CONDITIONAL

PRESENT	**PAST**	**IMPERATIVE**
je moudrais	j'aurais moulu	mouds
tu moudrais	tu aurais moulu	moulons
il moudrait	il aurait moulu	moulez
nous moudrions	nous aurions moulu	
vous moudriez	vous auriez moulu	
ils moudraient	ils auraient moulu	

SUBJUNCTIVE

PRESENT	**IMPERFECT**	**PERFECT**
je moule	je moulusse	j'aie moulu
tu moules	tu moulusses	tu aies moulu
il moule	il moulût	il ait moulu
nous moulions	nous moulussions	nous ayons moulu
vous mouliez	vous moulussiez	vous ayez moulu
ils moulent	ils moulussent	ils aient moulu

INFINITIVE

PARTICIPLE

PRESENT	**PRESENT**
moudre	moulant

PAST	**PAST**
avoir moulu	moulu

PRESENT
je meurs
tu meurs
il meurt
nous mourons
vous mourez
ils meurent

IMPERFECT
je mourais
tu mourais
il mourait
nous mourions
vous mouriez
ils mouraient

FUTURE
je mourrai
tu mourras
il mourra
nous mourrons
vous mourrez
ils mourront

PAST HISTORIC
je mourus
tu mourus
il mourut
nous mourûmes
vous mourûtes
ils moururent

PERFECT
je suis mort
tu es mort
il est mort
nous sommes morts
vous êtes mort(s)
ils sont morts

PLUPERFECT
j'étais mort
tu étais mort
il était mort
nous étions morts
vous étiez mort(s)
ils étaient morts

PAST ANTERIOR
je fus mort *etc*

FUTURE PERFECT
je serai mort *etc*

CONDITIONAL

PRESENT
je mourrais
tu mourrais
il mourrait
nous mourrions
vous mourriez
ils mourraient

PAST
je serais mort
tu serais mort
il serait mort
nous serions morts
vous seriez mort(s)
ils seraient morts

IMPERATIVE

meurs
mourons
mourez

SUBJUNCTIVE

PRESENT
je meure
tu meures
il meure
nous mourions
vous mouriez
ils meurent

IMPERFECT
je mourusse
tu mourusses
il mourût
nous mourussions
vous mourussiez
ils mourussent

PERFECT
je sois mort
tu sois mort
il soit mort
nous soyons morts
vous soyez mort(s)
ils soient morts

INFINITIVE

PRESENT
mourir

PAST
être mort

PARTICIPLE

PRESENT
mourant

PAST
mort

PRESENT
je meus
tu meus
il meut
nous mouvons
vous mouvez
ils meuvent

IMPERFECT
je mouvais
tu mouvais
il mouvait
nous mouvions
vous mouviez
ils mouvaient

FUTURE
je mouvrai
tu mouvras
il mouvra
nous mouvrons
vous mouvrez
ils mouvront

PAST HISTORIC
je mus
tu mus
il mut
nous mûmes
vous mûtes
ils murent

PERFECT
j'ai mû
tu as mû
il a mû
nous avons mû
vous avez mû
ils ont mû

PLUPERFECT
j'avais mû
tu avais mû
il avait mû
nous avions mû
vous aviez mû
ils avaient mû

PAST ANTERIOR
j'eus mû *etc*

FUTURE PERFECT
j'aurai mû *etc*

CONDITIONAL

PRESENT
je mouvrais
tu mouvrais
il mouvrait
nous mouvrions
vous mouvriez
ils mouvraient

PAST
j'aurais mû
tu aurais mû
il aurait mû
nous aurions mû
vous auriez mû
ils auraient mû

IMPERATIVE

meus
mouvons
mouvez

SUBJUNCTIVE

PRESENT
je meuve
tu meuves
il meuve
nous mouvions
vous mouviez
ils meuvent

IMPERFECT
je musse
tu musses
il mût
nous mussions
vous mussiez
ils mussent

PERFECT
j'aie mû
tu aies mû
il ait mû
nous ayons mû
vous ayez mû
ils aient mû

INFINITIVE

PRESENT
mouvoir

PAST
avoir mû

PARTICIPLE

PRESENT
mouvant

PAST
mû (mue, mus)

PRÉSENT
je nais
tu nais
il naît
nous naissons
vous naissez
ils naissent

IMPERFECT
je naissais
tu naissais
il naissait
nous naissions
vous naissiez
ils naissaient

FUTURE
je naîtrai
tu naîtras
il naîtra
nous naîtrons
vous naîtrez
ils naîtront

PAST HISTORIC
je naquis
tu naquis
il naquit
nous naquîmes
vous naquîtes
ils naquirent

PERFECT
je suis né
tu es né
il est né
nous sommes nés
vous êtes né(s)
ils sont nés

PLUPERFECT
j'étais né
tu étais né
il était né
nous étions nés
vous étiez né(s)
ils étaient nés

PAST ANTERIOR
je fus né *etc*

FUTURE PERFECT
je serai né *etc*

CONDITIONAL

PRESENT
je naîtrais
tu naîtrais
il naîtrait
nous naîtrions
vous naîtriez
ils naîtraient

PAST
je serais né
tu serais né
il serait né
nous serions nés
vous seriez né(s)
ils seraient nés

IMPERATIVE

nais
naissons
naissez

SUBJUNCTIVE

PRESENT
je naisse
tu naisses
il naisse
nous naissions
vous naissiez
ils naissent

IMPERFECT
je naquisse
tu naquisses
il naquît
nous naquissions
vous naquissiez
ils naquissent

PERFECT
je sois né
tu sois né
il soit né
nous soyons nés
vous soyez né(s)
ils soient nés

INFINITIVE

PRESENT
naître

PAST
être né

PARTICIPLE

PRESENT
naissant

PAST
né

PRESENT	IMPERFECT	FUTURE
je nargue	je narguais	je narguerai
tu nargues	tu narguais	tu nargueras
il nargue	il narguait	il narguera
nous narguons	nous narguions	nous narguerons
vous narguez	vous narguiez	vous narguerez
ils narguent	ils narguaient	ils nargueront

PAST HISTORIC	PERFECT	PLUPERFECT
je narguai	j'ai nargué	j'avais nargué
tu narguas	tu as nargué	tu avais nargué
il nargua	il a nargué	il avait nargué
nous narguâmes	nous avons nargué	nous avions nargué
vous narguâtes	vous avez nargué	vous aviez nargué
ils narguèrent	ils ont nargué	ils avaient nargué

PAST ANTERIOR	FUTURE PERFECT
j'eus nargué *etc*	j'aurai nargué *etc*

CONDITIONAL

PRESENT	PAST	IMPERATIVE
je narguerais	j'aurais nargué	nargue
tu narguerais	tu aurais nargué	narguons
il narguerait	il aurait nargué	narguez
nous narguerions	nous aurions nargué	
vous nargueriez	vous auriez nargué	
ils nargueraient	ils auraient nargué	

SUBJUNCTIVE

PRESENT	IMPERFECT	PERFECT
je nargue	je narguasse	j'aie nargué
tu nargues	tu narguasses	tu aies nargué
il nargue	il narguât	il ait nargué
nous narguions	nous narguassions	nous ayons nargué
vous narguiez	vous narguassiez	vous ayez nargué
ils narguent	ils narguassent	ils aient nargué

INFINITIVE

	PARTICIPLE
PRESENT	PRESENT
narguer	narguant
PAST	PAST
avoir nargué	nargué

PRESENT
je nettoie
tu nettoies
il nettoie
nous nettoyons
vous nettoyez
ils nettoient

PAST HISTORIC
je nettoyai
tu nettoyas
il nettoya
nous nettoyâmes
vous nettoyâtes
ils nettoyèrent

PAST ANTERIOR
j'eus nettoyé *etc*

IMPERFECT
je nettoyais
tu nettoyais
il nettoyait
nous nettoyions
vous nettoyiez
ils nettoyaient

PERFECT
j'ai nettoyé
tu as nettoyé
il a nettoyé
nous avons nettoyé
vous avez nettoyé
ils ont nettoyé

FUTURE PERFECT
j'aurai nettoyé *etc*

FUTURE
je nettoierai
tu nettoieras
il nettoiera
nous nettoierons
vous nettoierez
ils nettoieront

PLUPERFECT
j'avais nettoyé
tu avais nettoyé
il avait nettoyé
nous avions nettoyé
vous aviez nettoyé
ils avaient nettoyé

CONDITIONAL

PRESENT
je nettoierais
tu nettoierais
il nettoierait
nous nettoierions
vous nettoieriez
ils nettoieraient

PAST
j'aurais nettoyé
tu aurais nettoyé
il aurait nettoyé
nous aurions nettoyé
vous auriez nettoyé
ils auraient nettoyé

IMPERATIVE

nettoie
nettoyons
nettoyez

SUBJUNCTIVE

PRESENT
je nettoie
tu nettoies
il nettoie
nous nettoyions
vous nettoyiez
ils nettoient

IMPERFECT
je nettoyasse
tu nettoyasses
il nettoyât
nous nettoyassions
vous nettoyassiez
ils nettoyassent

PERFECT
j'aie nettoyé
tu aies nettoyé
il ait nettoyé
nous ayons nettoyé
vous ayez nettoyé
ils aient nettoyé

INFINITIVE

PRESENT
nettoyer

PAST
avoir nettoyé

PARTICIPLE

PRESENT
nettoyant

PAST
nettoyé

PRESENT
je nuis
tu nuis
il nuit
nous nuisons
vous nuisez
ils nuisent

IMPERFECT
je nuisais
tu nuisais
il nuisait
nous nuisions
vous nuisiez
ils nuisaient

FUTURE
je nuirai
tu nuiras
il nuira
nous nuirons
vous nuirez
ils nuiront

PAST HISTORIC
je nuisis
tu nuisis
il nuisit
nous nuisîmes
vous nuisîtes
ils nuisirent

PERFECT
j'ai nui
tu as nui
il a nui
nous avons nui
vous avez nui
ils ont nui

PLUPERFECT
j'avais nui
tu avais nui
il avait nui
nous avions nui
vous aviez nui
ils avaient nui

PAST ANTERIOR
j'eus nui *etc*

FUTURE PERFECT
j'aurai nui *etc*

CONDITIONAL

PRESENT
je nuirais
tu nuirais
il nuirait
nous nuirions
vous nuiriez
ils nuiraient

PAST
j'aurais nui
tu aurais nui
il aurait nui
nous aurions nui
vous auriez nui
ils auraient nui

IMPERATIVE

nuis
nuisons
nuisez

SUBJUNCTIVE

PRESENT
je nuise
tu nuises
il nuise
nous nuisions
vous nuisiez
ils nuisent

IMPERFECT
je nuisisse
tu nuisisses
il nuisît
nous nuisissions
vous nuisissiez
ils nuisissent

PERFECT
j'aie nui
tu aies nui
il ait nui
nous ayons nui
vous ayez nui
ils aient nui

INFINITIVE

PRESENT
nuire

PAST
avoir nui

PARTICIPLE

PRESENT
nuisant

PAST
nui

OBÉIR
131 *to obey*

PRESENT	IMPERFECT	FUTURE
j'obéis	j'obéissais	j'obéirai
tu obéis	tu obéissais	tu obéiras
il obéit	il obéissait	il obéira
nous obéissons	nous obéissions	nous obéirons
vous obéissez	vous obéissiez	vous obéirez
ils obéissent	ils obéissaient	ils obéiront

PAST HISTORIC	PERFECT	PLUPERFECT
j'obéis	j'ai obéi	j'avais obéi
tu obéis	tu as obéi	tu avais obéi
il obéit	il a obéi	il avait obéi
nous obéîmes	nous avons obéi	nous avions obéi
vous obéîtes	vous avez obéi	vous aviez obéi
ils obéirent	ils ont obéi	ils avaient obéi

PAST ANTERIOR	FUTURE PERFECT
j'eus obéi *etc*	j'aurai obéi *etc*

CONDITIONAL

PRESENT	PAST
j'obéirais	j'aurais obéi
tu obéirais	tu aurais obéi
il obéirait	il aurait obéi
nous obéirions	nous aurions obéi
vous obéiriez	vous auriez obéi
ils obéiraient	ils auraient obéi

IMPERATIVE

obéis
obéissons
obéissez

SUBJUNCTIVE

PRESENT	IMPERFECT	PERFECT
j'obéisse	j'obéisse	j'aie obéi
tu obéisses	tu obéisses	tu aies obéi
il obéisse	il obéît	il ait obéi
nous obéissions	nous obéissions	nous ayons obéi
vous obéissiez	vous obéissiez	vous ayez obéi
ils obéissent	ils obéissent	ils aient obéi

INFINITIVE

PRESENT
obéir

PAST
avoir obéi

PARTICIPLE

PRESENT
obéissant

PAST
obéi

PRESENT
j'obtiens
tu obtiens
il obtient
nous obtenons
vous obtenez
ils obtiennent

PAST HISTORIC
j'obtins
tu obtins
il obtint
nous obtînmes
vous obtîntes
ils obtinrent

PAST ANTERIOR
j'eus obtenu *etc*

IMPERFECT
j'obtenais
tu obtenais
il obtenait
nous obtenions
vous obteniez
ils obtenaient

PERFECT
j'ai obtenu
tu as obtenu
il a obtenu
nous avons obtenu
vous avez obtenu
ils ont obtenu

FUTURE PERFECT
j'aurai obtenu *etc*

FUTURE
j'obtiendrai
tu obtiendras
il obtiendra
nous obtiendrons
vous obtiendrez
ils obtiendront

PLUPERFECT
j'avais obtenu
tu avais obtenu
il avait obtenu
nous avions obtenu
vous aviez obtenu
ils avaient obtenu

CONDITIONAL

PRESENT
j'obtiendrais
tu obtiendrais
il obtiendrait
nous obtiendrions
vous obtiendriez
ils obtiendraient

PAST
j'aurais obtenu
tu aurais obtenu
il aurait obtenu
nous aurions obtenu
vous auriez obtenu
ils auraient obtenu

IMPERATIVE

obtiens
obtenons
obtenez

SUBJUNCTIVE

PRESENT
j'obtienne
tu obtiennes
il obtienne
nous obtenions
vous obteniez
ils obtiennent

IMPERFECT
j'obtinsse
tu obtinsses
il obtînt
nous obtinssions
vous obtinssiez
ils obtinssent

PERFECT
j'aie obtenu
tu aies obtenu
il ait obtenu
nous ayons obtenu
vous ayez obtenu
ils aient obtenu

INFINITIVE

PRESENT
obtenir

PAST
avoir obtenu

PARTICIPLE

PRESENT
obtenant

PAST
obtenu

PRESENT
j'offre
tu offres
il offre
nous offrons
vous offrez
ils offrent

IMPERFECT
j'offrais
tu offrais
il offrait
nous offrions
vous offriez
ils offraient

FUTURE
j'offrirai
tu offriras
il offrira
nous offrirons
vous offrirez
ils offriront

PAST HISTORIC
j'offris
tu offris
il offrit
nous offrîmes
vous offrîtes
ils offrirent

PERFECT
j'ai offert
tu as offert
il a offert
nous avons offert
vous avez offert
ils ont offert

PLUPERFECT
j'avais offert
tu avais offert
il avait offert
nous avions offert
vous aviez offert
ils avaient offert

PAST ANTERIOR
j'eus offert *etc*

FUTURE PERFECT
j'aurai offert *etc*

CONDITIONAL

IMPERATIVE

PRESENT
j'offrirais
tu offrirais
il offrirait
nous offririons
vous offririez
ils offriraient

PAST
j'aurais offert
tu aurais offert
il aurait offert
nous aurions offert
vous auriez offert
ils auraient offert

offre
offrons
offrez

SUBJUNCTIVE

PRESENT
j'offre
tu offres
il offre
nous offrions
vous offriez
ils offrent

IMPERFECT
j'offrisse
tu offrisses
il offrît
nous offrissions
vous offrissiez
ils offrissent

PERFECT
j'aie offert
tu aies offert
il ait offert
nous ayons offert
vous ayez offert
ils aient offert

INFINITIVE

PARTICIPLE

PRESENT
offrir

PRESENT
offrant

PAST
avoir offert

PAST
offert

PRESENT
j'ouvre
tu ouvres
il ouvre
nous ouvrons
vous ouvrez
ils ouvrent

IMPERFECT
j'ouvrais
tu ouvrais
il ouvrait
nous ouvrions
vous ouvriez
ils ouvraient

FUTURE
j'ouvrirai
tu ouvriras
il ouvrira
nous ouvrirons
vous ouvrirez
ils ouvriront

PAST HISTORIC
j'ouvris
tu ouvris
il ouvrit
nous ouvrîmes
vous ouvrîtes
ils ouvrirent

PERFECT
j'ai ouvert
tu as ouvert
il a ouvert
nous avons ouvert
vous avez ouvert
ils ont ouvert

PLUPERFECT
j'avais ouvert
tu avais ouvert
il avait ouvert
nous avions ouvert
vous aviez ouvert
ils avaient ouvert

PAST ANTERIOR
j'eus ouvert *etc*

FUTURE PERFECT
j'aurai ouvert *etc*

CONDITIONAL

PRESENT
j'ouvrirais
tu ouvrirais
il ouvrirait
nous ouvririons
vous ouvririez
ils ouvriraient

PAST
j'aurais ouvert
tu aurais ouvert
il aurait ouvert
nous aurions ouvert
vous auriez ouvert
ils auraient ouvert

IMPERATIVE

ouvre
ouvrons
ouvrez

SUBJUNCTIVE

PRESENT
j'ouvre
tu ouvres
il ouvre
nous ouvrions
vous ouvriez
ils ouvrent

IMPERFECT
j'ouvrisse
tu ouvrisses
il ouvrît
nous ouvrissions
vous ouvrissiez
ils ouvrissent

PERFECT
j'aie ouvert
tu aies ouvert
il ait ouvert
nous ayons ouvert
vous ayez ouvert
ils aient ouvert

INFINITIVE

PRESENT
ouvrir

PAST
avoir ouvert

PARTICIPLE

PRESENT
ouvrant

PAST
ouvert

PAÎTRE
135 *to graze*

PRESENT	IMPERFECT	FUTURE
je pais	je paissais	je paîtrai
tu pais	tu paissais	tu paîtras
il paît	il paissait	il paîtra
nous paissons	nous paissions	nous paîtrons
vous paissez	vous paissiez	vous paîtrez
ils paissent	ils paissaient	ils paîtront

PAST HISTORIC	PERFECT	PLUPERFECT

PAST ANTERIOR	FUTURE PERFECT	

CONDITIONAL

PRESENT	PAST
je paîtrais	
tu paîtrais	
il paîtrait	
nous paîtrions	
vous paîtriez	
ils paîtraient	

IMPERATIVE

pais
paissons
paissez

SUBJUNCTIVE

PRESENT	IMPERFECT	PERFECT
je paisse		
tu paisses		
il paisse		
nous paissions		
vous paissiez		
ils paissent		

INFINITIVE

PRESENT
paître

PAST
pu

PARTICIPLE

PRESENT
paissant

PAST
pu

PRESENT
je parais
tu parais
il paraît
nous paraissons
vous paraissez
ils paraissent

IMPERFECT
je paraissais
tu paraissais
il paraissait
nous paraissions
vous paraissiez
ils paraissaient

FUTURE
je paraîtrai
tu paraîtras
il paraîtra
nous paraîtrons
vous paraîtrez
ils paraîtront

PAST HISTORIC
je parus
tu parus
il parut
nous parûmes
vous parûtes
ils parurent

PERFECT
j'ai paru
tu as paru
il a paru
nous avons paru
vous avez paru
ils ont paru

PLUPERFECT
j'avais paru
tu avais paru
il avait paru
nous avions paru
vous aviez paru
ils avaient paru

PAST ANTERIOR
j'eus paru *etc*

FUTURE PERFECT
j'aurai paru *etc*

CONDITIONAL

PRESENT
je paraîtrais
tu paraîtrais
il paraîtrait
nous paraîtrions
vous paraîtriez
ils paraîtraient

PAST
j'aurais paru
tu aurais paru
il aurait paru
nous aurions paru
vous auriez paru
ils auraient paru

IMPERATIVE

parais
paraissons
paraissez

SUBJUNCTIVE

PRESENT
je paraisse
tu paraisses
il paraisse
nous paraissions
vous paraissiez
ils paraissent

IMPERFECT
je parusse
tu parusses
il parût
nous parussions
vous parussiez
ils parussent

PERFECT
j'aie paru
tu aies paru
il ait paru
nous ayons paru
vous ayez paru
ils aient paru

INFINITIVE

PRESENT
paraître

PAST
avoir paru

PARTICIPLE

PRESENT
paraissant

PAST
paru

NOTE

paraître takes the auxiliary **être** when it means 'to be published' apparaître can also take the auxiliary **être**

PARTIR

PRESENT	IMPERFECT	FUTURE
je pars	je partais	je partirai
tu pars	tu partais	tu partiras
il part	il partait	il partira
nous partons	nous partions	nous partirons
vous partez	vous partiez	vous partirez
ils partent	ils partaient	ils partiront

PAST HISTORIC	PERFECT	PLUPERFECT
je partis	je suis parti	j'étais parti
tu partis	tu es parti	tu étais parti
il partit	il est parti	il était parti
nous partîmes	nous sommes partis	nous étions partis
vous partîtes	vous êtes parti(s)	vous étiez parti(s)
ils partirent	ils sont partis	ils étaient partis

PAST ANTERIOR	FUTURE PERFECT
je fus parti *etc*	je serai parti *etc*

CONDITIONAL

PRESENT	PAST
je partirais	je serais parti
tu partirais	tu serais parti
il partirait	il serait parti
nous partirions	nous serions partis
vous partiriez	vous seriez parti(s)
ils partiraient	ils seraient partis

IMPERATIVE

pars
partons
partez

SUBJUNCTIVE

PRESENT	IMPERFECT	PERFECT
je parte	je partisse	je sois parti
tu partes	tu partisses	tu sois parti
il parte	il partît	il soit parti
nous partions	nous partissions	nous soyons partis
vous partiez	vous partissiez	vous soyez parti(s)
ils partent	ils partissent	ils soient partis

INFINITIVE

PRESENT
partir

PAST
être parti

PARTICIPLE

PRESENT
partant

PAST
parti

NOTE

repartir takes the
auxiliary **avoir** when it
means 'to reply'

PRESENT
je parviens
tu parviens
il parvient
nous parvenons
vous parvenez
ils parviennent

IMPERFECT
je parvenais
tu parvenais
il parvenait
nous parvenions
vous parveniez
ils parvenaient

FUTURE
je parviendrai
tu parviendras
il parviendra
nous parviendrons
vous parviendrez
ils parviendront

PAST HISTORIC
je parvins
tu parvins
il parvint
nous parvînmes
vous parvîntes
ils parvinrent

PERFECT
je suis parvenu
tu es parvenu
il est parvenu
nous sommes parvenus
vous êtes parvenu(s)
ils sont parvenus

PLUPERFECT
j'étais parvenu
tu étais parvenu
il était parvenu
nous étions parvenus
vous étiez parvenu(s)
ils étaient parvenus

PAST ANTERIOR
je fus parvenu *etc*

FUTURE PERFECT
je serai parvenu *etc*

CONDITIONAL

PRESENT
je parviendrais
tu parviendrais
il parviendrait
nous parviendrions
vous parviendriez
ils parviendraient

PAST
je serais parvenu
tu serais parvenu
il serait parvenu
nous serions parvenus
vous seriez parvenu(s)
ils seraient parvenus

IMPERATIVE

parviens
parvenons
parvenez

SUBJUNCTIVE

PRESENT
je parvienne
tu parviennes
il parvienne
nous parvenions
vous parveniez
ils parviennent

IMPERFECT
je parvinsse
tu parvinsses
il parvînt
nous parvinssions
vous parvinssiez
ils parvinssent

PERFECT
je sois parvenu
tu sois parvenu
il soit parvenu
nous soyons parvenus
vous soyez parvenu(s)
ils soient parvenus

INFINITIVE

PRESENT
parvenir

PAST
être parvenu

PARTICIPLE

PRESENT
parvenant

PAST
parvenu

PRESENT	IMPERFECT	FUTURE
je passe	je passais	je passerai
tu passes	tu passais	tu passeras
il passe	il passait	il passera
nous passons	nous passions	nous passerons
vous passez	vous passiez	vous passerez
ils passent	ils passaient	ils passeront

PAST HISTORIC	PERFECT	PLUPERFECT
je passai	j'ai passé	j'avais passé
tu passas	tu as passé	tu avais passé
il passa	il a passé	il avait passé
nous passâmes	nous avons passé	nous avions passé
vous passâtes	vous avez passé	vous aviez passé
ils passèrent	ils ont passé	ils avaient passé

PAST ANTERIOR	FUTURE PERFECT
j'eus passé *etc*	j'aurai passé *etc*

CONDITIONAL

PRESENT	PAST
je passerais	j'aurais passé
tu passerais	tu aurais passé
il passerait	il aurait passé
nous passerions	nous aurions passé
vous passeriez	vous auriez passé
ils passeraient	ils auraient passé

IMPERATIVE

passe
passons
passez

SUBJUNCTIVE

PRESENT	IMPERFECT	PERFECT
je passe	je passasse	j'aie passé
tu passes	tu passasses	tu aies passé
il passe	il passât	il ait passé
nous passions	nous passassions	nous ayons passé
vous passiez	vous passassiez	vous ayez passé
ils passent	ils passassent	ils aient passé

INFINITIVE

PRESENT		PARTICIPLE

PRESENT
passer

PAST
avoir passé

PARTICIPLE

PRESENT
passant

PAST
passé

NOTE

passer can take the
auxiliary **être** when it
means 'to go/come past'
repasser can take the
auxiliary **être** when it
means 'to go/come past
again'

PRESENT
je paye
tu payes
il paye
nous payons
vous payez
ils payent

IMPERFECT
je payais
tu payais
il payait
nous payions
vous payiez
ils payaient

FUTURE
je payerai
tu payeras
il payera
nous payerons
vous payerez
ils payeront

PAST HISTORIC
je payai
tu payas
il paya
nous payâmes
vous payâtes
ils payèrent

PERFECT
j'ai payé
tu as payé
il a payé
nous avons payé
vous avez payé
ils ont payé

PLUPERFECT
j'avais payé
tu avais payé
il avait payé
nous avions payé
vous aviez payé
ils avaient payé

PAST ANTERIOR
j'eus payé *etc*

FUTURE PERFECT
j'aurai payé *etc*

CONDITIONAL

IMPERATIVE

PRESENT
je payerais
tu payerais
il payerait
nous payerions
vous payeriez
ils payeraient

PAST
j'aurais payé
tu aurais payé
il aurait payé
nous aurions payé
vous auriez payé
ils auraient payé

paye
payons
payez

SUBJUNCTIVE

PRESENT
je paye
tu payes
il paye
nous payions
vous payiez
ils payent

IMPERFECT
je payasse
tu payasses
il payât
nous payassions
vous payassiez
ils payassent

PERFECT
j'aie payé
tu aies payé
il ait payé
nous ayons payé
vous ayez payé
ils aient payé

INFINITIVE

PARTICIPLE

PRESENT
payer

PRESENT
payant

PAST
avoir payé

PAST
payé

PRESENT	IMPERFECT	FUTURE
je peins	je peignais	je peindrai
tu peins	tu peignais	tu peindras
il peint	il peignait	il peindra
nous peignons	nous peignions	nous peindrons
vous peignez	vous peigniez	vous peindrez
ils peignent	ils peignaient	ils peindront

PAST HISTORIC	PERFECT	PLUPERFECT
je peignis	j'ai peint	j'avais peint
tu peignis	tu as peint	tu avais peint
il peignit	il a peint	il avait peint
nous peignîmes	nous avons peint	nous avions peint
vous peignîtes	vous avez peint	vous aviez peint
ils peignirent	ils ont peint	ils avaient peint

PAST ANTERIOR	FUTURE PERFECT
j'eus peint *etc*	j'aurai peint *etc*

CONDITIONAL

IMPERATIVE

PRESENT	PAST	
je peindrais	j'aurais peint	
tu peindrais	tu aurais peint	peins
il peindrait	il aurait peint	peignons
nous peindrions	nous aurions peint	peignez
vous peindriez	vous auriez peint	
ils peindraient	ils auraient peint	

SUBJUNCTIVE

PRESENT	IMPERFECT	PERFECT
je peigne	je peignisse	j'aie peint
tu peignes	tu peignisses	tu aies peint
il peigne	il peignît	il ait peint
nous peignions	nous peignissions	nous ayons peint
vous peigniez	vous peignissiez	vous ayez peint
ils peignent	ils peignissent	ils aient peint

INFINITIVE

PARTICIPLE

PRESENT	PRESENT
peindre	peignant

PAST	PAST
avoir peint	peint

PRESENT	**IMPERFECT**	**FUTURE**
je pèle	je pelais	je pèlerai
tu pèles	tu pelais	tu pèleras
il pèle	il pelait	il pèlera
nous pelons	nous pelions	nous pèlerons
vous pelez	vous peliez	vous pèlerez
ils pèlent	ils pelaient	ils pèleront

PAST HISTORIC	**PERFECT**	**PLUPERFECT**
je pelai	j'ai pelé	j'avais pelé
tu pelas	tu as pelé	tu avais pelé
il pela	il a pelé	il avait pelé
nous pelâmes	nous avons pelé	nous avions pelé
vous pelâtes	vous avez pelé	vous aviez pelé
ils pelèrent	ils ont pelé	ils avaient pelé

PAST ANTERIOR	**FUTURE PERFECT**	
j'eus pelé *etc*	j'aurai pelé *etc*	

CONDITIONAL

IMPERATIVE

PRESENT	**PAST**	
je pèlerais	j'aurais pelé	pèle
tu pèlerais	tu aurais pelé	pelons
il pèlerait	il aurait pelé	pelez
nous pèlerions	nous aurions pelé	
vous pèleriez	vous auriez pelé	
ils pèleraient	ils auraient pelé	

SUBJUNCTIVE

PRESENT	**IMPERFECT**	**PERFECT**
je pèle	je pelasse	j'aie pelé
tu pèles	tu pelasses	tu aies pelé
il pèle	il pelât	il ait pelé
nous pelions	nous pelassions	nous ayons pelé
vous peliez	vous pelassiez	vous ayez pelé
ils pèlent	ils pelassent	ils aient pelé

INFINITIVE

PARTICIPLE

PRESENT	**PRESENT**
peler	pelant

PAST	**PAST**
avoir pelé	pelé

PÉNÉTRER
143 *to enter*

PRESENT	IMPERFECT	FUTURE
je pénètre	je pénétrais	je pénétrerai
tu pénètres	tu pénétrais	tu pénétreras
il pénètre	il pénétrait	il pénétrera
nous pénétrons	nous pénétrions	nous pénétrerons
vous pénétrez	vous pénétriez	vous pénétrerez
ils pénètrent	ils pénétraient	ils pénétreront

PAST HISTORIC	PERFECT	PLUPERFECT
je pénétrai	j'ai pénétré	j'avais pénétré
tu pénétras	tu as pénétré	tu avais pénétré
il pénétra	il a pénétré	il avait pénétré
nous pénétrâmes	nous avons pénétré	nous avions pénétré
vous pénétrâtes	vous avez pénétré	vous aviez pénétré
ils pénétrèrent	ils ont pénétré	ils avaient pénétré

PAST ANTERIOR	FUTURE PERFECT
j'eus pénétré *etc*	j'aurai pénétré *etc*

CONDITIONAL

IMPERATIVE

PRESENT	PAST	
je pénétrerais	j'aurais pénétré	pénètre
tu pénétrerais	tu aurais pénétré	pénétrons
il pénétrerait	il aurait pénétré	pénétrez
nous pénétrerions	nous aurions pénétré	
vous pénétreriez	vous auriez pénétré	
ils pénétreraient	ils auraient pénétré	

SUBJUNCTIVE

PRESENT	IMPERFECT	PERFECT
je pénètre	je pénétrasse	j'aie pénétré
tu pénètres	tu pénétrasses	tu aies pénétré
il pénètre	il pénétrât	il ait pénétré
nous pénétrions	nous pénétrassions	nous ayons pénétré
vous pénétriez	vous pénétrassiez	vous ayez pénétré
ils pénètrent	ils pénétrassent	ils aient pénétré

INFINITIVE

PARTICIPLE

PRESENT	PRESENT
pénétrer	pénétrant

PAST	PAST
avoir pénétré	pénétré

PRESENT
je perds
tu perds
il perd
nous perdons
vous perdez
ils perdent

IMPERFECT
je perdais
tu perdais
il perdait
nous perdions
vous perdiez
ils perdaient

FUTURE
je perdrai
tu perdras
il perdra
nous perdrons
vous perdrez
ils perdront

PAST HISTORIC
je perdis
tu perdis
il perdit
nous perdîmes
vous perdîtes
ils perdirent

PERFECT
j'ai perdu
tu as perdu
il a perdu
nous avons perdu
vous avez perdu
ils ont perdu

PLUPERFECT
j'avais perdu
tu avais perdu
il avait perdu
nous avions perdu
vous aviez perdu
ils avaient perdu

PAST ANTERIOR
j'eus perdu *etc*

FUTURE PERFECT
j'aurai perdu *etc*

CONDITIONAL

PRESENT
je perdrais
tu perdrais
il perdrait
nous perdrions
vous perdriez
ils perdraient

PAST
j'aurais perdu
tu aurais perdu
il aurait perdu
nous aurions perdu
vous auriez perdu
ils auraient perdu

IMPERATIVE

perds
perdons
perdez

SUBJUNCTIVE

PRESENT
je perde
tu perdes
il perde
nous perdions
vous perdiez
ils perdent

IMPERFECT
je perdisse
tu perdisses
il perdît
nous perdissions
vous perdissiez
ils perdissent

PERFECT
j'aie perdu
tu aies perdu
il ait perdu
nous ayons perdu
vous ayez perdu
ils aient perdu

INFINITIVE

PRESENT
perdre

PAST
avoir perdu

PARTICIPLE

PRESENT
perdant

PAST
perdu

PERMETTRE
145 *to allow*

PRESENT
je permets
tu permets
il permet
nous permettons
vous permettez
ils permettent

IMPERFECT
je permettais
tu permettais
il permettait
nous permettions
vous permettiez
ils permettaient

FUTURE
je permettrai
tu permettras
il permettra
nous permettrons
vous permettrez
ils permettront

PAST HISTORIC
je permis
tu permis
il permit
nous permîmes
vous permîtes
ils permirent

PERFECT
j'ai permis
tu as permis
il a permis
nous avons permis
vous avez permis
ils ont permis

PLUPERFECT
j'avais permis
tu avais permis
il avait permis
nous avions permis
vous aviez permis
ils avaient permis

PAST ANTERIOR
j'eus permis *etc*

FUTURE PERFECT
j'aurai permis *etc*

CONDITIONAL

PRESENT
je permettrais
tu permettrais
il permettrait
nous permettrions
vous permettriez
ils permettraient

PAST
j'aurais permis
tu aurais permis
il aurait permis
nous aurions permis
vous auriez permis
ils auraient permis

IMPERATIVE

permets
permettons
permettez

SUBJUNCTIVE

PRESENT
je permette
tu permettes
il permette
nous permettions
vous permettiez
ils permettent

IMPERFECT
je permisse
tu permisses
il permît
nous permissions
vous permissiez
ils permissent

PERFECT
j'aie permis
tu aies permis
il ait permis
nous ayons permis
vous ayez permis
ils aient permis

INFINITIVE

PRESENT
permettre

PAST
avoir permis

PARTICIPLE

PRESENT
permettant

PAST
permis

PRESENT	IMPERFECT	FUTURE
je pèse	je pesais	je pèserai
tu pèses	tu pesais	tu pèseras
il pèse	il pesait	il pèsera
nous pesons	nous pesions	nous pèserons
vous pesez	vous pesiez	vous pèserez
ils pèsent	ils pesaient	ils pèseront

PAST HISTORIC	PERFECT	PLUPERFECT
je pesai	j'ai pesé	j'avais pesé
tu pesas	tu as pesé	tu avais pesé
il pesa	il a pesé	il avait pesé
nous pesâmes	nous avons pesé	nous avions pesé
vous pesâtes	vous avez pesé	vous aviez pesé
ils pesèrent	ils ont pesé	ils avaient pesé

PAST ANTERIOR	FUTURE PERFECT
j'eus pesé *etc*	j'aurai pesé *etc*

CONDITIONAL

IMPERATIVE

PRESENT	PAST	
je pèserais	j'aurais pesé	pèse
tu pèserais	tu aurais pesé	pesons
il pèserait	il aurait pesé	pesez
nous pèserions	nous aurions pesé	
vous pèseriez	vous auriez pesé	
ils pèseraient	ils auraient pesé	

SUBJUNCTIVE

PRESENT	IMPERFECT	PERFECT
je pèse	je pesasse	j'aie pesé
tu pèses	tu pesasses	tu aies pesé
il pèse	il pesât	il ait pesé
nous pesions	nous pesassions	nous ayons pesé
vous pesiez	vous pesassiez	vous ayez pesé
ils pèsent	ils pesassent	ils aient pesé

INFINITIVE

PARTICIPLE

PRESENT	PRESENT
peser	pesant

PAST	PAST
avoir pesé	pesé

PRESENT
je place
tu places
il place
nous plaçons
vous placez
ils placent

IMPERFECT
je plaçais
tu plaçais
il plaçait
nous placions
vous placiez
ils plaçaient

FUTURE
je placerai
tu placeras
il placera
nous placerons
vous placerez
ils placeront

PAST HISTORIC
je plaçai
tu plaças
il plaça
nous plaçâmes
vous plaçâtes
ils placèrent

PERFECT
j'ai placé
tu as placé
il a placé
nous avons placé
vous avez placé
ils ont placé

PLUPERFECT
j'avais placé
tu avais placé
il avait placé
nous avions placé
vous aviez placé
ils avaient placé

PAST ANTERIOR
j'eus placé *etc*

FUTURE PERFECT
j'aurai placé *etc*

CONDITIONAL

PRESENT
je placerais
tu placerais
il placerait
nous placerions
vous placeriez
ils placeraient

PAST
j'aurais placé
tu aurais placé
il aurait placé
nous aurions placé
vous auriez placé
ils auraient placé

IMPERATIVE

place
plaçons
placez

SUBJUNCTIVE

PRESENT
je place
tu places
il place
nous placions
vous placiez
ils placent

IMPERFECT
je plaçasse
tu plaçasses
il plaçât
nous plaçassions
vous plaçassiez
ils plaçassent

PERFECT
j'aie placé
tu aies placé
il ait placé
nous ayons placé
vous ayez placé
ils aient placé

INFINITIVE

PRESENT
placer

PAST
avoir placé

PARTICIPLE

PRESENT
plaçant

PAST
placé

PRESENT	**IMPERFECT**	**FUTURE**
je plais	je plaisais	je plairai
tu plais	tu plaisais	tu plairas
il plaît	il plaisait	il plaira
nous plaisons	nous plaisions	nous plairons
vous plaisez	vous plaisiez	vous plairez
ils plaisent	ils plaisaient	ils plairont

PAST HISTORIC	**PERFECT**	**PLUPERFECT**
je plus	j'ai plu	j'avais plu
tu plus	tu as plu	tu avais plu
il plut	il a plu	il avait plu
nous plûmes	nous avons plu	nous avions plu
vous plûtes	vous avez plu	vous aviez plu
ils plurent	ils ont plu	ils avaient plu

PAST ANTERIOR	**FUTURE PERFECT**
j'eus plu *etc*	j'aurai plu *etc*

CONDITIONAL

IMPERATIVE

PRESENT	**PAST**	
je plairais	j'aurais plu	plais
tu plairais	tu aurais plu	plaisons
il plairait	il aurait plu	plaisez
nous plairions	nous aurions plu	
vous plairiez	vous auriez plu	
ils plairaient	ils auraient plu	

SUBJUNCTIVE

PRESENT	**IMPERFECT**	**PERFECT**
je plaise	je plusse	j'aie plu
tu plaises	tu plusses	tu aies plu
il plaise	il plût	il ait plu
nous plaisions	nous plussions	nous ayons plu
vous plaisiez	vous plussiez	vous ayez plu
ils plaisent	ils plussent	ils aient plu

INFINITIVE

PARTICIPLE

NOTE

PRESENT	**PRESENT**	cette idée me plaît = I
plaire	plaisant	like this idea

PAST	**PAST**
avoir plu	plu

PLEUVOIR
149 *to rain*

PRESENT	IMPERFECT	FUTURE
il pleut	il pleuvait	il pleuvra

PAST HISTORIC	PERFECT	PLUPERFECT
il plut	il a plu	il avait plu

PAST ANTERIOR	FUTURE PERFECT	
il eut plu	il aura plu	

CONDITIONAL | IMPERATIVE

PRESENT	PAST
il pleuvrait	il aurait plu

SUBJUNCTIVE

PRESENT	IMPERFECT	PERFECT
il pleuve	il plût	il ait plu

INFINITIVE | PARTICIPLE

PRESENT	PRESENT
pleuvoir	pleuvant

PAST	PAST
avoir plu	plu

PRESENT
je plonge
tu plonges
il plonge
nous plongeons
vous plongez
ils plongent

IMPERFECT
je plongeais
tu plongeais
il plongeait
nous plongions
vous plongiez
ils plongeaient

FUTURE
je plongerai
tu plongeras
il plongera
nous plongerons
vous plongerez
ils plongeront

PAST HISTORIC
je plongeai
tu plongeas
il plongea
nous plongeâmes
vous plongeâtes
ils plongèrent

PERFECT
j'ai plongé
tu as plongé
il a plongé
nous avons plongé
vous avez plongé
ils ont plongé

PLUPERFECT
j'avais plongé
tu avais plongé
il avait plongé
nous avions plongé
vous aviez plongé
ils avaient plongé

PAST ANTERIOR
j'eus plongé *etc*

FUTURE PERFECT
j'aurai plongé *etc*

CONDITIONAL

PRESENT
je plongerais
tu plongerais
il plongerait
nous plongerions
vous plongeriez
ils plongeraient

PAST
j'aurais plongé
tu aurais plongé
il aurait plongé
nous aurions plongé
vous auriez plongé
ils auraient plongé

IMPERATIVE

plonge
plongeons
plongez

SUBJUNCTIVE

PRESENT
je plonge
tu plonges
il plonge
nous plongions
vous plongiez
ils plongent

IMPERFECT
je plongeasse
tu plongeasses
il plongeât
nous plongeassions
vous plongeassiez
ils plongeassent

PERFECT
j'aie plongé
tu aies plongé
il ait plongé
nous ayons plongé
vous ayez plongé
ils aient plongé

INFINITIVE

PRESENT
plonger

PAST
avoir plongé

PARTICIPLE

PRESENT
plongeant

PAST
plongé

POINDRE
151 *to dawn*

PRESENT	IMPERFECT	FUTURE
il point		il poindra

| PAST HISTORIC | PERFECT | PLUPERFECT |

| PAST ANTERIOR | FUTURE PERFECT | |

CONDITIONAL

PRESENT	PAST

IMPERATIVE

SUBJUNCTIVE

PRESENT	IMPERFECT	PERFECT

INFINITIVE

PRESENT
poindre

| PAST |

PARTICIPLE

PRESENT

| PAST |

PRESENT
je possède
tu possèdes
il possède
nous possédons
vous possédez
ils possèdent

IMPERFECT
je possédais
tu possédais
il possédait
nous possédions
vous possédiez
ils possédaient

FUTURE
je posséderai
tu posséderas
il possédera
nous posséderons
vous posséderez
ils posséderont

PAST HISTORIC
je possédai
tu possédas
il posséda
nous possédâmes
vous possédâtes
ils possédèrent

PERFECT
j'ai possédé
tu as possédé
il a possédé
nous avons possédé
vous avez possédé
ils ont possédé

PLUPERFECT
j'avais possédé
tu avais possédé
il avait possédé
nous avions possédé
vous aviez possédé
ils avaient possédé

PAST ANTERIOR
j'eus possédé *etc*

FUTURE PERFECT
j'aurai possédé *etc*

CONDITIONAL

PRESENT
je posséderais
tu posséderais
il posséderait
nous posséderions
vous posséderiez
ils posséderaient

PAST
j'aurais possédé
tu aurais possédé
il aurait possédé
nous aurions possédé
vous auriez possédé
ils auraient possédé

IMPERATIVE

possède
possédons
possédez

SUBJUNCTIVE

PRESENT
je possède
tu possèdes
il possède
nous possédions
vous possédiez
ils possèdent

IMPERFECT
je possédasse
tu possédasses
il possédât
nous possédassions
vous possédassiez
ils possédassent

PERFECT
j'aie possédé
tu aies possédé
il ait possédé
nous ayons possédé
vous ayez possédé
ils aient possédé

INFINITIVE

PRESENT
posséder

PAST
avoir possédé

PARTICIPLE

PRESENT
possédant

PAST
possédé

POURVOIR
153 *to provide*

PRESENT
je pourvois
tu pourvois
il pourvoit
nous pourvoyons
vous pourvoyez
ils pourvoient

IMPERFECT
je pourvoyais
tu pourvoyais
il pourvoyait
nous pourvoyions
vous pourvoyiez
ils pourvoyaient

FUTURE
je pourvoirai
tu pourvoiras
il pourvoira
nous pourvoirons
vous pourvoirez
ils pourvoiront

PAST HISTORIC
je pourvus
tu pourvus
il pourvut
nous pourvûmes
vous pourvûtes
ils pourvurent

PERFECT
j'ai pourvu
tu as pourvu
il a pourvu
nous avons pourvu
vous avez pourvu
ils ont pourvu

PLUPERFECT
j'avais pourvu
tu avais pourvu
il avait pourvu
nous avions pourvu
vous aviez pourvu
ils avaient pourvu

PAST ANTERIOR
j'eus pourvu *etc*

FUTURE PERFECT
j'aurai pourvu *etc*

CONDITIONAL

PRESENT
je pourvoirais
tu pourvoirais
il pourvoirait
nous pourvoirions
vous pourvoiriez
ils pourvoiraient

PAST
j'aurais pourvu
tu aurais pourvu
il aurait pourvu
nous aurions pourvu
vous auriez pourvu
ils auraient pourvu

IMPERATIVE

pourvois
pourvoyons
pourvoyez

SUBJUNCTIVE

PRESENT
je pourvoie
tu pourvoies
il pourvoie
nous pourvoyions
vous pourvoyiez
ils pourvoient

IMPERFECT
je pourvusse
tu pourvusses
il pourvût
nous pourvussions
vous pourvussiez
ils pourvussent

PERFECT
j'aie pourvu
tu aies pourvu
il ait pourvu
nous ayons pourvu
vous ayez pourvu
ils aient pourvu

INFINITIVE

PRESENT
pourvoir

PAST
avoir pourvu

PARTICIPLE

PRESENT
pourvoyant

PAST
pourvu

PRESENT
je pousse
tu pousses
il pousse
nous poussons
vous poussez
ils poussent

IMPERFECT
je poussais
tu poussais
il poussait
nous poussions
vous poussiez
ils poussaient

FUTURE
je pousserai
tu pousseras
il poussera
nous pousserons
vous pousserez
ils pousseront

PAST HISTORIC
je poussai
tu poussas
il poussa
nous poussâmes
vous poussâtes
ils poussèrent

PERFECT
j'ai poussé
tu as poussé
il a poussé
nous avons poussé
vous avez poussé
ils ont poussé

PLUPERFECT
j'avais poussé
tu avais poussé
il avait poussé
nous avions poussé
vous aviez poussé
ils avaient poussé

PAST ANTERIOR
j'eus poussé *etc*

FUTURE PERFECT
j'aurai poussé *etc*

CONDITIONAL

PRESENT
je pousserais
tu pousserais
il pousserait
nous pousserions
vous pousseriez
ils pousseraient

PAST
j'aurais poussé
tu aurais poussé
il aurait poussé
nous aurions poussé
vous auriez poussé
ils auraient poussé

IMPERATIVE

pousse
poussons
poussez

SUBJUNCTIVE

PRESENT
je pousse
tu pousses
il pousse
nous poussions
vous poussiez
ils poussent

IMPERFECT
je poussasse
tu poussasses
il poussât
nous poussassions
vous poussassiez
ils poussassent

PERFECT
j'aie poussé
tu aies poussé
il ait poussé
nous ayons poussé
vous ayez poussé
ils aient poussé

INFINITIVE

PRESENT
pousser

PAST
avoir poussé

PARTICIPLE

PRESENT
poussant

PAST
poussé

PRESENT	IMPERFECT	FUTURE
je peux	je pouvais	je pourrai
tu peux	tu pouvais	tu pourras
il peut	il pouvait	il pourra
nous pouvons	nous pouvions	nous pourrons
vous pouvez	vous pouviez	vous pourrez
ils peuvent	ils pouvaient	ils pourront

PAST HISTORIC	PERFECT	PLUPERFECT
je pus	j'ai pu	j'avais pu
tu pus	tu as pu	tu avais pu
il put	il a pu	il avait pu
nous pûmes	nous avons pu	nous avions pu
vous pûtes	vous avez pu	vous aviez pu
ils purent	ils ont pu	ils avaient pu

PAST ANTERIOR	FUTURE PERFECT
j'eus pu *etc*	j'aurai pu *etc*

CONDITIONAL

PRESENT	PAST
je pourrais	j'aurais pu
tu pourrais	tu aurais pu
il pourrait	il aurait pu
nous pourrions	nous aurions pu
vous pourriez	vous auriez pu
ils pourraient	ils auraient pu

IMPERATIVE

SUBJUNCTIVE

PRESENT	IMPERFECT	PERFECT
je puisse	je pusse	j'aie pu
tu puisses	tu pusses	tu aies pu
il puisse	il pût	il ait pu
nous puissions	nous pussions	nous ayons pu
vous puissiez	vous pussiez	vous ayez pu
ils puissent	ils pussent	ils aient pu

INFINITIVE

PRESENT
pouvoir

PAST
avoir pu

PARTICIPLE

PRESENT
pouvant

PAST
pu

PRESENT
je préfère
tu préfères
il préfère
nous préférons
vous préférez
ils préfèrent

IMPERFECT
je préférais
tu préférais
il préférait
nous préférions
vous préfériez
ils préféraient

FUTURE
je préférerai
tu préféreras
il préférera
nous préférerons
vous préférerez
ils préféreront

PAST HISTORIC
je préférai
tu préféras
il préféra
nous préférâmes
vous préférâtes
ils préférèrent

PERFECT
j'ai préféré
tu as préféré
il a préféré
nous avons préféré
vous avez préféré
ils ont préféré

PLUPERFECT
j'avais préféré
tu avais préféré
il avait préféré
nous avions préféré
vous aviez préféré
ils avaient préféré

PAST ANTERIOR
j'eus préféré *etc*

FUTURE PERFECT
j'aurai préféré *etc*

CONDITIONAL

IMPERATIVE

PRESENT
je préférerais
tu préférerais
il préférerait
nous préférerions
vous préféreriez
ils préféreraient

PAST
j'aurais préféré
tu aurais préféré
il aurait préféré
nous aurions préféré
vous auriez préféré
ils auraient préféré

préfère
préférons
préférez

SUBJUNCTIVE

PRESENT
je préfère
tu préfères
il préfère
nous préférions
vous préfériez
ils préfèrent

IMPERFECT
je préférasse
tu préférasses
il préférât
nous préférassions
vous préférassiez
ils préférassent

PERFECT
j'aie préféré
tu aies préféré
il ait préféré
nous ayons préféré
vous ayez préféré
ils aient préféré

INFINITIVE

PARTICIPLE

PRESENT
préférer

PRESENT
préférant

PAST
avoir préféré

PAST
préféré

PRENDRE
157 *to take*

PRESENT
je prends
tu prends
il prend
nous prenons
vous prenez
ils prennent

PAST HISTORIC
je pris
tu pris
il prit
nous prîmes
vous prîtes
ils prirent

PAST ANTERIOR
j'eus pris *etc*

IMPERFECT
je prenais
tu prenais
il prenait
nous prenions
vous preniez
ils prenaient

PERFECT
j'ai pris
tu as pris
il a pris
nous avons pris
vous avez pris
ils ont pris

FUTURE PERFECT
j'aurai pris *etc*

FUTURE
je prendrai
tu prendras
il prendra
nous prendrons
vous prendrez
ils prendront

PLUPERFECT
j'avais pris
tu avais pris
il avait pris
nous avions pris
vous aviez pris
ils avaient pris

CONDITIONAL

PRESENT
je prendrais
tu prendrais
il prendrait
nous prendrions
vous prendriez
ils prendraient

PAST
j'aurais pris
tu aurais pris
il aurait pris
nous aurions pris
vous auriez pris
ils auraient pris

IMPERATIVE

prends
prenons
prenez

SUBJUNCTIVE

PRESENT
je prenne
tu prennes
il prenne
nous prenions
vous preniez
ils prennent

IMPERFECT
je prisse
tu prisses
il prît
nous prissions
vous prissiez
ils prissent

PERFECT
j'aie pris
tu aies pris
il ait pris
nous ayons pris
vous ayez pris
ils aient pris

INFINITIVE

PRESENT
prendre

PAST
avoir pris

PARTICIPLE

PRESENT
prenant

PAST
pris

PRESENT	IMPERFECT	FUTURE
je prévaux	je prévalais	je prévaudrai
tu prévaux	tu prévalais	tu prévaudras
il prévaut	il prévalait	il prévaudra
nous prévalons	nous prévalions	nous prévaudrons
vous prévalez	vous prévaliez	vous prévaudrez
ils prévalent	ils prévalaient	ils prévaudront

PAST HISTORIC	PERFECT	PLUPERFECT
je prévalus	j'ai prévalu	j'avais prévalu
tu prévalus	tu as prévalu	tu avais prévalu
il prévalut	il a prévalu	il avait prévalu
nous prévalûmes	nous avons prévalu	nous avions prévalu
vous prévalûtes	vous avez prévalu	vous aviez prévalu
ils prévalurent	ils ont prévalu	ils avaient prévalu

PAST ANTERIOR	FUTURE PERFECT
j'eus prévalu *etc*	j'aurai prévalu *etc*

CONDITIONAL

IMPERATIVE

PRESENT	PAST	
je prévaudrais	j'aurais prévalu	prévaux
tu prévaudrais	tu aurais prévalu	prévalons
il prévaudrait	il aurait prévalu	prévalez
nous prévaudrions	nous aurions prévalu	
vous prévaudriez	vous auriez prévalu	
ils prévaudraient	ils auraient prévalu	

SUBJUNCTIVE

PRESENT	IMPERFECT	PERFECT
je prévale	je prévalusse	j'aie prévalu
tu prévales	tu prévalusses	tu aies prévalu
il prévale	il prévalût	il ait prévalu
nous prévalions	nous prévalussions	nous ayons prévalu
vous prévaliez	vous prévalussiez	vous ayez prévalu
ils prévalent	ils prévalussent	ils aient prévalu

INFINITIVE

PARTICIPLE

PRESENT	PRESENT
prévaloir	prévalant

PAST	PAST
avoir prévalu	prévalu

PRÉVENIR
159 to warn

PRESENT
je préviens
tu préviens
il prévient
nous prévenons
vous prévenez
ils préviennent

IMPERFECT
je prévenais
tu prévenais
il prévenait
nous prévenions
vous préveniez
ils prévenaient

FUTURE
je préviendrai
tu préviendras
il préviendra
nous préviendrons
vous préviendrez
ils préviendront

PAST HISTORIC
je prévins
tu prévins
il prévint
nous prévînmes
vous prévîntes
ils prévinrent

PERFECT
j'ai prévenu
tu as prévenu
il a prévenu
nous avons prévenu
vous avez prévenu
ils ont prévenu

PLUPERFECT
j'avais prévenu
tu avais prévenu
il avait prévenu
nous avions prévenu
vous aviez prévenu
ils avaient prévenu

PAST ANTERIOR
j'eus prévenu *etc*

FUTURE PERFECT
j'aurai prévenu *etc*

CONDITIONAL

PRESENT
je préviendrais
tu préviendrais
il préviendrait
nous préviendrions
vous préviendriez
ils préviendraient

PAST
j'aurais prévenu
tu aurais prévenu
il aurait prévenu
nous aurions prévenu
vous auriez prévenu
ils auraient prévenu

IMPERATIVE

préviens
prévenons
prévenez

SUBJUNCTIVE

PRESENT
je prévienne
tu préviennes
il prévienne
nous prévenions
vous préveniez
ils préviennent

IMPERFECT
je prévinsse
tu prévinsses
il prévînt
nous prévinssions
vous prévinssiez
ils prévinssent

PERFECT
j'aie prévenu
tu aies prévenu
il ait prévenu
nous ayons prévenu
vous ayez prévenu
ils aient prévenu

INFINITIVE

PRESENT
prévenir

PAST
avoir prévenu

PARTICIPLE

PRESENT
prévenant

PAST
prévenu

NOTE

convenir takes the auxiliary **être** when it means 'to agree'

PRESENT
je prévois
tu prévois
il prévoit
nous prévoyons
vous prévoyez
ils prévoient

PAST HISTORIC
je prévis
tu prévis
il prévit
nous prévîmes
vous prévîtes
ils prévirent

PAST ANTERIOR
j'eus prévu *etc*

IMPERFECT
je prévoyais
tu prévoyais
il prévoyait
nous prévoyions
vous prévoyiez
ils prévoyaient

PERFECT
j'ai prévu
tu as prévu
il a prévu
nous avons prévu
vous avez prévu
ils ont prévu

FUTURE PERFECT
j'aurai prévu *etc*

FUTURE
je prévoirai
tu prévoiras
il prévoira
nous prévoirons
vous prévoirez
ils prévoiront

PLUPERFECT
j'avais prévu
tu avais prévu
il avait prévu
nous avions prévu
vous aviez prévu
ils avaient prévu

CONDITIONAL

PRESENT
je prévoirais
tu prévoirais
il prévoirait
nous prévoirions
vous prévoiriez
ils prévoiraient

PAST
j'aurais prévu
tu aurais prévu
il aurait prévu
nous aurions prévu
vous auriez prévu
ils auraient prévu

IMPERATIVE

prévois
prévoyons
prévoyez

SUBJUNCTIVE

PRESENT
je prévoie
tu prévoies
il prévoie
nous prévoyions
vous prévoyiez
ils prévoient

IMPERFECT
je prévisse
tu prévisses
il prévît
nous prévissions
vous prévissiez
ils prévissent

PERFECT
j'aie prévu
tu aies prévu
il ait prévu
nous ayons prévu
vous ayez prévu
ils aient prévu

INFINITIVE

PRESENT
prévoir

PAST
avoir prévu

PARTICIPLE

PRESENT
prévoyant

PAST
prévu

PROMETTRE
161 *to promise*

PRESENT	IMPERFECT	FUTURE
je promets	je promettais	je promettrai
tu promets	tu promettais	tu promettras
il promet	il promettait	il promettra
nous promettons	nous promettions	nous promettrons
vous promettez	vous promettiez	vous promettrez
ils promettent	ils promettaient	ils promettront

PAST HISTORIC	PERFECT	PLUPERFECT
je promis	j'ai promis	j'avais promis
tu promis	tu as promis	tu avais promis
il promit	il a promis	il avait promis
nous promîmes	nous avons promis	nous avions promis
vous promîtes	vous avez promis	vous aviez promis
ils promirent	ils ont promis	ils avaient promis

PAST ANTERIOR	FUTURE PERFECT
j'eus promis *etc*	j'aurai promis *etc*

CONDITIONAL

PRESENT	PAST
je promettrais	j'aurais promis
tu promettrais	tu aurais promis
il promettrait	il aurait promis
nous promettrions	nous aurions promis
vous promettriez	vous auriez promis
ils promettraient	ils auraient promis

IMPERATIVE

promets
promettons
promettez

SUBJUNCTIVE

PRESENT	IMPERFECT	PERFECT
je promette	je promisse	j'aie promis
tu promettes	tu promisses	tu aies promis
il promette	il promît	il ait promis
nous promettions	nous promissions	nous ayons promis
vous promettiez	vous promissiez	vous ayez promis
ils promettent	ils promissent	ils aient promis

INFINITIVE

PRESENT
promettre

PAST
avoir promis

PARTICIPLE

PRESENT
promettant

PAST
promis

PRESENT	IMPERFECT	FUTURE
PAST HISTORIC	PERFECT	PLUPERFECT
	j'ai promu	j'avais promu
	tu as promu	tu avais promu
	il a promu	il avait promu
	nous avons promu	nous avions promu
	vous avez promu	vous aviez promu
	ils ont promu	ils avaient promu
PAST ANTERIOR	FUTURE PERFECT	
j'eus promu *etc*	j'aurai promu *etc*	

CONDITIONAL		IMPERATIVE
PRESENT	PAST	
	j'aurais promu	
	tu aurais promu	
	il aurait promu	
	nous aurions promu	
	vous auriez promu	
	ils auraient promu	

SUBJUNCTIVE		
PRESENT	IMPERFECT	PERFECT
		j'aie promu
		tu aies promu
		il ait promu
		nous ayons promu
		vous ayez promu
		ils aient promu

INFINITIVE	PARTICIPLE
PRESENT	PRESENT
promouvoir	promouvant
PAST	PAST
avoir promu	promu

PROTÉGER
163 to protect

PRESENT
je protège
tu protèges
il protège
nous protégeons
vous protégez
ils protègent

PAST HISTORIC
je protégeai
tu protégeas
il protégea
nous protégeâmes
vous protégeâtes
ils protégèrent

PAST ANTERIOR
j'eus protégé *etc*

IMPERFECT
je protégeais
tu protégeais
il protégeait
nous protégions
vous protégiez
ils protégeaient

PERFECT
j'ai protégé
tu as protégé
il a protégé
nous avons protégé
vous avez protégé
ils ont protégé

FUTURE PERFECT
j'aurai protégé *etc*

FUTURE
je protégerai
tu protégeras
il protégera
nous protégerons
vous protégerez
ils protégeront

PLUPERFECT
j'avais protégé
tu avais protégé
il avait protégé
nous avions protégé
vous aviez protégé
ils avaient protégé

CONDITIONAL

PRESENT
je protégerais
tu protégerais
il protégerait
nous protégerions
vous protégeriez
ils protégeraient

PAST
j'aurais protégé
tu aurais protégé
il aurait protégé
nous aurions protégé
vous auriez protégé
ils auraient protégé

IMPERATIVE

protège
protégeons
protégez

SUBJUNCTIVE

PRESENT
je protège
tu protèges
il protège
nous protégions
vous protégiez
ils protègent

IMPERFECT
je protégeasse
tu protégeasses
il protégeât
nous protégeassions
vous protégeassiez
ils protégeassent

PERFECT
j'aie protégé
tu aies protégé
il ait protégé
nous ayons protégé
vous ayez protégé
ils aient protégé

INFINITIVE

PRESENT
protéger

PAST
avoir protégé

PARTICIPLE

PRESENT
protégeant

PAST
protégé

PRESENT
je pue
tu pues
il pue
nous puons
vous puez
ils puent

PAST HISTORIC

IMPERFECT
je puais
tu puais
il puait
nous puions
vous puiez
ils puaient

PERFECT
j'ai pué
tu as pué
il a pué
nous avons pué
vous avez pué
ils ont pué

FUTURE
je puerai
tu pueras
il puera
nous puerons
vous puerez
ils pueront

PLUPERFECT
j'avais pué
tu avais pué
il avait pué
nous avions pué
vous aviez pué
ils avaient pué

PAST ANTERIOR
j'eus pué *etc*

FUTURE PERFECT
j'aurai pué *etc*

CONDITIONAL

PRESENT
je puerais
tu puerais
il puerait
nous puerions
vous pueriez
ils pueraient

PAST
j'aurais pué
tu aurais pué
il aurait pué
nous aurions pué
vous auriez pué
ils auraient pué

IMPERATIVE

SUBJUNCTIVE

PRESENT
je pue
tu pues
il pue
nous puions
vous puiez
ils puent

IMPERFECT

PERFECT
j'aie pué
tu aies pué
il ait pué
nous ayons pué
vous ayez pué
ils aient pué

INFINITIVE

PRESENT
puer

PAST
avoir pué

PARTICIPLE

PRESENT
puant

PAST
pué

RAPIÉCER
165 to mend

PRESENT
je rapièce
tu rapièces
il rapièce
nous rapiéçons
vous rapiécez
ils rapiècent

PAST HISTORIC
je rapiéçai
tu rapiéças
il rapiéça
nous rapiéçâmes
vous rapiéçâtes
ils rapiécèrent

PAST ANTERIOR
j'eus rapiécé etc

IMPERFECT
je rapiéçais
tu rapiéçais
il rapiéçait
nous rapiécions
vous rapiéciez
ils rapiéçaient

PERFECT
j'ai rapiécé
tu as rapiécé
il a rapiécé
nous avons rapiécé
vous avez rapiécé
ils ont rapiécé

FUTURE PERFECT
j'aurai rapiécé etc

FUTURE
je rapiécerai
tu rapiéceras
il rapiécera
nous rapiécerons
vous rapiécerez
ils rapiéceront

PLUPERFECT
j'avais rapiécé
tu avais rapiécé
il avait rapiécé
nous avions rapiécé
vous aviez rapiécé
ils avaient rapiécé

CONDITIONAL

PRESENT
je rapiécerais
tu rapiécerais
il rapiécerait
nous rapiécerions
vous rapiéceriez
ils rapiéceraient

PAST
j'aurais rapiécé
tu aurais rapiécé
il aurait rapiécé
nous aurions rapiécé
vous auriez rapiécé
ils auraient rapiécé

IMPERATIVE

rapièce
rapiéçons
rapiécez

SUBJUNCTIVE

PRESENT
je rapièce
tu rapièces
il rapièce
nous rapiécions
vous rapiéciez
ils rapiècent

IMPERFECT
je rapiéçasse
tu rapiéçasses
il rapiéçât
nous rapiéçassions
vous rapiéçassiez
ils rapiéçassent

PERFECT
j'aie rapiécé
tu aies rapiécé
il ait rapiécé
nous ayons rapiécé
vous ayez rapiécé
ils aient rapiécé

INFINITIVE

PRESENT
rapiécer

PAST
avoir rapiécé

PARTICIPLE

PRESENT
rapiéçant

PAST
rapiécé

PRESENT
je reçois
tu reçois
il reçoit
nous recevons
vous recevez
ils reçoivent

PAST HISTORIC
je reçus
tu reçus
il reçut
nous reçûmes
vous reçûtes
ils reçurent

PAST ANTERIOR
j'eus reçu *etc*

IMPERFECT
je recevais
tu recevais
il recevait
nous recevions
vous receviez
ils recevaient

PERFECT
j'ai reçu
tu as reçu
il a reçu
nous avons reçu
vous avez reçu
ils ont reçu

FUTURE PERFECT
j'aurai reçu *etc*

FUTURE
je recevrai
tu recevras
il recevra
nous recevrons
vous recevrez
ils recevront

PLUPERFECT
j'avais reçu
tu avais reçu
il avait reçu
nous avions reçu
vous aviez reçu
ils avaient reçu

CONDITIONAL

PRESENT
je recevrais
tu recevrais
il recevrait
nous recevrions
vous recevriez
ils recevraient

PAST
j'aurais reçu
tu aurais reçu
il aurait reçu
nous aurions reçu
vous auriez reçu
ils auraient reçu

IMPERATIVE

reçois
recevons
recevez

SUBJUNCTIVE

PRESENT
je reçoive
tu reçoives
il reçoive
nous recevions
vous receviez
ils reçoivent

IMPERFECT
je reçusse
tu reçusses
il reçût
nous reçussions
vous reçussiez
ils reçussent

PERFECT
j'aie reçu
tu aies reçu
il ait reçu
nous ayons reçu
vous ayez reçu
ils aient reçu

INFINITIVE

PRESENT
recevoir

PAST
avoir reçu

PARTICIPLE

PRESENT
recevant

PAST
reçu

RÉFRÉNER
to repress

PRESENT
je réfrène
tu réfrènes
il réfrène
nous réfrénons
vous réfrénez
ils réfrènent

IMPERFECT
je réfrénais
tu réfrénais
il réfrénait
nous réfrénions
vous réfréniez
ils réfrénaient

FUTURE
je réfrénerai
tu réfréneras
il réfrénera
nous réfrénerons
vous réfrénerez
ils réfréneront

PAST HISTORIC
je réfrénai
tu réfrénas
il réfréna
nous réfrénâmes
vous réfrénâtes
ils réfrénèrent

PERFECT
j'ai réfréné
tu as réfréné
il a réfréné
nous avons réfréné
vous avez réfréné
ils ont réfréné

PLUPERFECT
j'avais réfréné
tu avais réfréné
il avait réfréné
nous avions réfréné
vous aviez réfréné
ils avaient réfréné

PAST ANTERIOR
j'eus réfréné *etc*

FUTURE PERFECT
j'aurai réfréné *etc*

CONDITIONAL

PRESENT
je réfrénerais
tu réfrénerais
il réfrénerait
nous réfrénerions
vous réfréneriez
ils réfréneraient

PAST
j'aurais réfréné
tu aurais réfréné
il aurait réfréné
nous aurions réfréné
vous auriez réfréné
ils auraient réfréné

IMPERATIVE

réfrène
réfrénons
réfrénez

SUBJUNCTIVE

PRESENT
je réfrène
tu réfrènes
il réfrène
nous réfrénions
vous réfréniez
ils réfrènent

IMPERFECT
je réfrénasse
tu réfrénasses
il réfrénât
nous réfrénassions
vous réfrénassiez
ils réfrénassent

PERFECT
j'aie réfréné
tu aies réfréné
il ait réfréné
nous ayons réfréné
vous ayez réfréné
ils aient réfréné

INFINITIVE

PRESENT
réfréner

PAST
avoir réfréné

PARTICIPLE

PRESENT
réfrénant

PAST
réfréné

PRESENT
je règle
tu règles
il règle
nous réglons
vous réglez
ils règlent

IMPERFECT
je réglais
tu réglais
il réglait
nous réglions
vous régliez
ils réglaient

FUTURE
je réglerai
tu régleras
il réglera
nous réglerons
vous réglerez
ils régleront

PAST HISTORIC
je réglai
tu réglas
il régla
nous réglâmes
vous réglâtes
ils réglèrent

PERFECT
j'ai réglé
tu as réglé
il a réglé
nous avons réglé
vous avez réglé
ils ont réglé

PLUPERFECT
j'avais réglé
tu avais réglé
il avait réglé
nous avions réglé
vous aviez réglé
ils avaient réglé

PAST ANTERIOR
j'eus réglé *etc*

FUTURE PERFECT
j'aurai réglé *etc*

CONDITIONAL

PRESENT
je réglerais
tu réglerais
il réglerait
nous réglerions
vous régleriez
ils régleraient

PAST
j'aurais réglé
tu aurais réglé
il aurait réglé
nous aurions réglé
vous auriez réglé
ils auraient réglé

IMPERATIVE

règle
réglons
réglez

SUBJUNCTIVE

PRESENT
je règle
tu règles
il règle
nous réglions
vous régliez
ils règlent

IMPERFECT
je réglasse
tu réglasses
il réglât
nous réglassions
vous réglassiez
ils réglassent

PERFECT
j'aie réglé
tu aies réglé
il ait réglé
nous ayons réglé
vous ayez réglé
ils aient réglé

INFINITIVE

PRESENT
régler

PAST
avoir réglé

PARTICIPLE

PRESENT
réglant

PAST
réglé

RÉGNER
169 *to reign*

PRESENT
je règne
tu règnes
il règne
nous régnons
vous régnez
ils règnent

IMPERFECT
je régnais
tu régnais
il régnait
nous régnions
vous régniez
ils régnaient

FUTURE
je régnerai
tu régneras
il régnera
nous régnerons
vous régnerez
ils régneront

PAST HISTORIC
je régnai
tu régnas
il régna
nous régnâmes
vous régnâtes
ils régnèrent

PERFECT
j'ai régné
tu as régné
il a régné
nous avons régné
vous avez régné
ils ont régné

PLUPERFECT
j'avais régné
tu avais régné
il avait régné
nous avions régné
vous aviez régné
ils avaient régné

PAST ANTERIOR
j'eus régné *etc*

FUTURE PERFECT
j'aurai régné *etc*

CONDITIONAL

IMPERATIVE

PRESENT
je régnerais
tu régnerais
il régnerait
nous régnerions
vous régneriez
ils régneraient

PAST
j'aurais régné
tu aurais régné
il aurait régné
nous aurions régné
vous auriez régné
ils auraient régné

règne
régnons
régnez

SUBJUNCTIVE

PRESENT
je règne
tu règnes
il règne
nous régnions
vous régniez
ils règnent

IMPERFECT
je régnasse
tu régnasses
il régnât
nous régnassions
vous régnassiez
ils régnassent

PERFECT
j'aie régné
tu aies régné
il ait régné
nous ayons régné
vous ayez régné
ils aient régné

INFINITIVE

PARTICIPLE

PRESENT
régner

PRESENT
régnant

PAST
avoir régné

PAST
régné

PRESENT
je renais
tu renais
il renaît
nous renaissons
vous renaissez
ils renaissent

IMPERFECT
je renaissais
tu renaissais
il renaissait
nous renaissions
vous renaissiez
ils renaissaient

FUTURE
je renaîtrai
tu renaîtras
il renaîtra
nous renaîtrons
vous renaîtrez
ils renaîtront

PAST HISTORIC
je renaquis
tu renaquis
il renaquit
nous renaquîmes
vous renaquîtes
ils renaquirent

PERFECT

PLUPERFECT

PAST ANTERIOR

FUTURE PERFECT

CONDITIONAL

PRESENT
je renaîtrais
tu renaîtrais
il renaîtrait
nous renaîtrions
vous renaîtriez
ils renaîtraient

PAST

IMPERATIVE

renais
renaissons
renaissez

SUBJUNCTIVE

PRESENT
je renaisse
tu renaisses
il renaisse
nous renaissions
vous renaissiez
ils renaissent

IMPERFECT
je renaquisse
tu renaquisses
il renaquît
nous renaquissions
vous renaquissiez
ils renaquissent

PERFECT

INFINITIVE

PRESENT
renaître

PAST

PARTICIPLE

PRESENT
renaissant

PAST

RENDRE
171 *to give back*

PRESENT
je rends
tu rends
il rend
nous rendons
vous rendez
ils rendent

IMPERFECT
je rendais
tu rendais
il rendait
nous rendions
vous rendiez
ils rendaient

FUTURE
je rendrai
tu rendras
il rendra
nous rendrons
vous rendrez
ils rendront

PAST HISTORIC
je rendis
tu rendis
il rendit
nous rendîmes
vous rendîtes
ils rendirent

PERFECT
j'ai rendu
tu as rendu
il a rendu
nous avons rendu
vous avez rendu
ils ont rendu

PLUPERFECT
j'avais rendu
tu avais rendu
il avait rendu
nous avions rendu
vous aviez rendu
ils avaient rendu

PAST ANTERIOR
j'eus rendu *etc*

FUTURE PERFECT
j'aurai rendu *etc*

CONDITIONAL

PRESENT
je rendrais
tu rendrais
il rendrait
nous rendrions
vous rendriez
ils rendraient

PAST
j'aurais rendu
tu aurais rendu
il aurait rendu
nous aurions rendu
vous auriez rendu
ils auraient rendu

IMPERATIVE

rends
rendons
rendez

SUBJUNCTIVE

PRESENT
je rende
tu rendes
il rende
nous rendions
vous rendiez
ils rendent

IMPERFECT
je rendisse
tu rendisses
il rendît
nous rendissions
vous rendissiez
ils rendissent

PERFECT
j'aie rendu
tu aies rendu
il ait rendu
nous ayons rendu
vous ayez rendu
ils aient rendu

INFINITIVE

PRESENT
rendre

PAST
avoir rendu

PARTICIPLE

PRESENT
rendant

PAST
rendu

PRESENT	IMPERFECT	FUTURE
je rentre	je rentrais	je rentrerai
tu rentres	tu rentrais	tu rentreras
il rentre	il rentrait	il rentrera
nous rentrons	nous rentrions	nous rentrerons
vous rentrez	vous rentriez	vous rentrerez
ils rentrent	ils rentraient	ils rentreront

PAST HISTORIC	PERFECT	PLUPERFECT
je rentrai	je suis rentré	j'étais rentré
tu rentras	tu es rentré	tu étais rentré
il rentra	il est rentré	il était rentré
nous rentrâmes	nous sommes rentrés	nous étions rentrés
vous rentrâtes	vous êtes rentré(s)	vous étiez rentré(s)
ils rentrèrent	ils sont rentrés	ils étaient rentrés

PAST ANTERIOR	FUTURE PERFECT
je fus rentré *etc*	je serai rentré *etc*

CONDITIONAL

PRESENT	PAST
je rentrerais	je serais rentré
tu rentrerais	tu serais rentré
il rentrerait	il serait rentré
nous rentrerions	nous serions rentrés
vous rentreriez	vous seriez rentré(s)
ils rentreraient	ils seraient rentrés

IMPERATIVE

rentre
rentrons
rentrez

SUBJUNCTIVE

PRESENT	IMPERFECT	PERFECT
je rentre	je rentrasse	je sois rentré
tu rentres	tu rentrasses	tu sois rentré
il rentre	il rentrât	il soit rentré
nous rentrions	nous rentrassions	nous soyons rentrés
vous rentriez	vous rentrassiez	vous soyez rentré(s)
ils rentrent	ils rentrassent	ils soient rentrés

INFINITIVE

PRESENT
rentrer

PAST
être rentré

PARTICIPLE

PRESENT
rentrant

PAST
rentré

NOTE

rentrer takes the
auxiliary **avoir** when
transitive

PRESENT	IMPERFECT	FUTURE
je répands	je répandais	je répandrai
tu répands	tu répandais	tu répandras
il répand	il répandait	il répandra
nous répandons	nous répandions	nous répandrons
vous répandez	vous répandiez	vous répandrez
ils répandent	ils répandaient	ils répandront

PAST HISTORIC	PERFECT	PLUPERFECT
je répandis	j'ai répandu	j'avais répandu
tu répandis	tu as répandu	tu avais répandu
il répandit	il a répandu	il avait répandu
nous répandîmes	nous avons répandu	nous avions répandu
vous répandîtes	vous avez répandu	vous aviez répandu
ils répandirent	ils ont répandu	ils avaient répandu

PAST ANTERIOR	FUTURE PERFECT
j'eus répandu *etc*	j'aurai répandu *etc*

CONDITIONAL

IMPERATIVE

PRESENT	PAST	
je répandrais	j'aurais répandu	répands
tu répandrais	tu aurais répandu	répandons
il répandrait	il aurait répandu	répandez
nous répandrions	nous aurions répandu	
vous répandriez	vous auriez répandu	
ils répandraient	ils auraient répandu	

SUBJUNCTIVE

PRESENT	IMPERFECT	PERFECT
je répande	je répandisse	j'aie répandu
tu répandes	tu répandisses	tu aies répandu
il répande	il répandît	il ait répandu
nous répandions	nous répandissions	nous ayons répandu
vous répandiez	vous répandissiez	vous ayez répandu
ils répandent	ils répandissent	ils aient répandu

INFINITIVE

PARTICIPLE

PRESENT	PRESENT
répandre	répandant

PAST	PAST
avoir répandu	répandu

PRESENT
je réponds
tu réponds
il répond
nous répondons
vous répondez
ils répondent

IMPERFECT
je répondais
tu répondais
il répondait
nous répondions
vous répondiez
ils répondaient

FUTURE
je répondrai
tu répondras
il répondra
nous répondrons
vous répondrez
ils répondront

PAST HISTORIC
je répondis
tu répondis
il répondit
nous répondîmes
vous répondîtes
ils répondirent

PERFECT
j'ai répondu
tu as répondu
il a répondu
nous avons répondu
vous avez répondu
ils ont répondu

PLUPERFECT
j'avais répondu
tu avais répondu
il avait répondu
nous avions répondu
vous aviez répondu
ils avaient répondu

PAST ANTERIOR
j'eus répondu *etc*

FUTURE PERFECT
j'aurai répondu *etc*

CONDITIONAL

PRESENT
je répondrais
tu répondrais
il répondrait
nous répondrions
vous répondriez
ils répondraient

PAST
j'aurais répondu
tu aurais répondu
il aurait répondu
nous aurions répondu
vous auriez répondu
ils auraient répondu

IMPERATIVE

réponds
répondons
répondez

SUBJUNCTIVE

PRESENT
je réponde
tu répondes
il réponde
nous répondions
vous répondiez
ils répondent

IMPERFECT
je répondisse
tu répondisses
il répondît
nous répondissions
vous répondissiez
ils répondissent

PERFECT
j'aie répondu
tu aies répondu
il ait répondu
nous ayons répondu
vous ayez répondu
ils aient répondu

INFINITIVE

PRESENT
répondre

PAST
avoir répondu

PARTICIPLE

PRESENT
répondant

PAST
répondu

RÉSOUDRE
175 *to solve*

PRESENT
je résous
tu résous
il résout
nous résolvons
vous résolvez
ils résolvent

PAST HISTORIC
je résolus
tu résolus
il résolut
nous résolûmes
vous résolûtes
ils résolurent

PAST ANTERIOR
j'eus résolu *etc*

IMPERFECT
je résolvais
tu résolvais
il résolvait
nous résolvions
vous résolviez
ils résolvaient

PERFECT
j'ai résolu
tu as résolu
il a résolu
nous avons résolu
vous avez résolu
ils ont résolu

FUTURE PERFECT
j'aurai résolu *etc*

FUTURE
je résoudrai
tu résoudras
il résoudra
nous résoudrons
vous résoudrez
ils résoudront

PLUPERFECT
j'avais résolu
tu avais résolu
il avait résolu
nous avions résolu
vous aviez résolu
ils avaient résolu

CONDITIONAL

PRESENT
je résoudrais
tu résoudrais
il résoudrait
nous résoudrions
vous résoudriez
ils résoudraient

PAST
j'aurais résolu
tu aurais résolu
il aurait résolu
nous aurions résolu
vous auriez résolu
ils auraient résolu

IMPERATIVE

résous
résolvons
résolvez

SUBJUNCTIVE

PRESENT
je résolve
tu résolves
il résolve
nous résolvions
vous résolviez
ils résolvent

IMPERFECT
je résolusse
tu résolusses
il résolût
nous résolussions
vous résolussiez
ils résolussent

PERFECT
j'aie résolu
tu aies résolu
il ait résolu
nous ayons résolu
vous ayez résolu
ils aient résolu

INFINITIVE

PRESENT
résoudre

PAST
avoir résolu

PARTICIPLE

PRESENT
résolvant

PAST
résolu

PRESENT
je reste
tu restes
il reste
nous restons
vous restez
ils restent

IMPERFECT
je restais
tu restais
il restait
nous restions
vous restiez
ils restaient

FUTURE
je resterai
tu resteras
il restera
nous resterons
vous resterez
ils resteront

PAST HISTORIC
je restai
tu restas
il resta
nous restâmes
vous restâtes
ils restèrent

PERFECT
je suis resté
tu es resté
il est resté
nous sommes restés
vous êtes resté(s)
ils sont restés

PLUPERFECT
j'étais resté
tu étais resté
il était resté
nous étions restés
vous étiez resté(s)
ils étaient restés

PAST ANTERIOR
je fus resté *etc*

FUTURE PERFECT
je serai resté *etc*

CONDITIONAL

PRESENT
je resterais
tu resterais
il resterait
nous resterions
vous resteriez
ils resteraient

PAST
je serais resté
tu serais resté
il serait resté
nous serions restés
vous seriez resté(s)
ils seraient restés

IMPERATIVE

reste
restons
restez

SUBJUNCTIVE

PRESENT
je reste
tu restes
il reste
nous restions
vous restiez
ils restent

IMPERFECT
je restasse
tu restasses
il restât
nous restassions
vous restassiez
ils restassent

PERFECT
je sois resté
tu sois resté
il soit resté
nous soyons restés
vous soyez resté(s)
ils soient restés

INFINITIVE

PRESENT
rester

PAST
être resté

PARTICIPLE

PRESENT
restant

PAST
resté

PRESENT
je retourne
tu retournes
il retourne
nous retournons
vous retournez
ils retournent

PAST HISTORIC
je retournai
tu retournas
il retourna
nous retournâmes
vous retournâtes
ils retournèrent

PAST ANTERIOR
je fus retourné *etc*

IMPERFECT
je retournais
tu retournais
il retournait
nous retournions
vous retourniez
ils retournaient

PERFECT
je suis retourné
tu es retourné
il est retourné
nous sommes retournés
vous êtes retourné(s)
ils sont retournés

FUTURE PERFECT
je serai retourné *etc*

FUTURE
je retournerai
tu retourneras
il retournera
nous retournerons
vous retournerez
ils retourneront

PLUPERFECT
j'étais retourné
tu étais retourné
il était retourné
nous étions retournés
vous étiez retourné(s)
ils étaient retournés

CONDITIONAL

PRESENT
je retournerais
tu retournerais
il retournerait
nous retournerions
vous retourneriez
ils retourneraient

PAST
je serais retourné
tu serais retourné
il serait retourné
nous serions retournés
vous seriez retourné(s)
ils seraient retournés

IMPERATIVE

retourne
retournons
retournez

SUBJUNCTIVE

PRESENT
je retourne
tu retournes
il retourne
nous retournions
vous retourniez
ils retournent

IMPERFECT
je retournasse
tu retournasses
il retournât
nous retournassions
vous retournassiez
ils retournassent

PERFECT
je sois retourné
tu sois retourné
il soit retourné
nous soyons retournés
vous soyez retourné(s)
ils soient retournés

INFINITIVE

PRESENT
retourner

PAST
être retourné

PARTICIPLE

PRESENT
retournant

PAST
retourné

NOTE

retourner takes the
auxiliary avoir when
transitive

PRESENT
je révèle
tu révèles
il révèle
nous révélons
vous révélez
ils révèlent

IMPERFECT
je révélais
tu révélais
il révélait
nous révélions
vous révéliez
ils révélaient

FUTURE
je révélerai
tu révéleras
il révélera
nous révélerons
vous révélerez
ils révéleront

PAST HISTORIC
je révélai
tu révélas
il révéla
nous révélâmes
vous révélâtes
ils révélèrent

PERFECT
j'ai révélé
tu as révélé
il a révélé
nous avons révélé
vous avez révélé
ils ont révélé

PLUPERFECT
j'avais révélé
tu avais révélé
il avait révélé
nous avions révélé
vous aviez révélé
ils avaient révélé

PAST ANTERIOR
j'eus révélé *etc*

FUTURE PERFECT
j'aurai révélé *etc*

CONDITIONAL

PRESENT
je révélerais
tu révélerais
il révélerait
nous révélerions
vous révéleriez
ils révéleraient

PAST
j'aurais révélé
tu aurais révélé
il aurait révélé
nous aurions révélé
vous auriez révélé
ils auraient révélé

IMPERATIVE

révèle
révélons
révélez

SUBJUNCTIVE

PRESENT
je révèle
tu révèles
il révèle
nous révélions
vous révéliez
ils révèlent

IMPERFECT
je révélasse
tu révélasses
il révélât
nous révélassions
vous révélassiez
ils révélassent

PERFECT
j'aie révélé
tu aies révélé
il ait révélé
nous ayons révélé
vous ayez révélé
ils aient révélé

INFINITIVE

PRESENT
révéler

PAST
avoir révélé

PARTICIPLE

PRESENT
révélant

PAST
révélé

REVENIR
179 *to come back*

PRESENT	IMPERFECT	FUTURE
je reviens	je revenais	je reviendrai
tu reviens	tu revenais	tu reviendras
il revient	il revenait	il reviendra
nous revenons	nous revenions	nous reviendrons
vous revenez	vous reveniez	vous reviendrez
ils reviennent	ils revenaient	ils reviendront

PAST HISTORIC	PERFECT	PLUPERFECT
je revins	je suis revenu	j'étais revenu
tu revins	tu es revenu	tu étais revenu
il revint	il est revenu	il était revenu
nous revînmes	nous sommes revenus	nous étions revenus
vous revîntes	vous êtes revenu(s)	vous étiez revenu(s)
ils revinrent	ils sont revenus	ils étaient revenus

PAST ANTERIOR	FUTURE PERFECT
je fus revenu *etc*	je serai revenu *etc*

CONDITIONAL

PRESENT	PAST
je reviendrais	je serais revenu
tu reviendrais	tu serais revenu
il reviendrait	il serait revenu
nous reviendrions	nous serions revenus
vous reviendriez	vous seriez revenu(s)
ils reviendraient	ils seraient revenus

IMPERATIVE

reviens
revenons
revenez

SUBJUNCTIVE

PRESENT	IMPERFECT	PERFECT
je revienne	je revinsse	je sois revenu
tu reviennes	tu revinsses	tu sois revenu
il revienne	il revînt	il soit revenu
nous revenions	nous revinssions	nous soyons revenus
vous reveniez	vous revinssiez	vous soyez revenu(s)
ils reviennent	ils revinssent	ils soient revenus

INFINITIVE

| PARTICIPLE | |

PRESENT	PRESENT
revenir	revenant

PAST	PAST
être revenu	revenu

PRESENT	IMPERFECT	FUTURE
je ris	je riais	je rirai
tu ris	tu riais	tu riras
il rit	il riait	il rira
nous rions	nous riions	nous rirons
vous riez	vous riiez	vous rirez
ils rient	ils riaient	ils riront

PAST HISTORIC	PERFECT	PLUPERFECT
je ris	j'ai ri	j'avais ri
tu ris	tu as ri	tu avais ri
il rit	il a ri	il avait ri
nous rîmes	nous avons ri	nous avions ri
vous rîtes	vous avez ri	vous aviez ri
ils rirent	ils ont ri	ils avaient ri

PAST ANTERIOR	FUTURE PERFECT
j'eus ri *etc*	j'aurai ri *etc*

CONDITIONAL

PRESENT	PAST	IMPERATIVE
je rirais	j'aurais ri	ris
tu rirais	tu aurais ri	rions
il rirait	il aurait ri	riez
nous ririons	nous aurions ri	
vous ririez	vous auriez ri	
ils riraient	ils auraient ri	

SUBJUNCTIVE

PRESENT	IMPERFECT	PERFECT
je rie	je risse	j'aie ri
tu ries	tu risses	tu aies ri
il rie	il rît	il ait ri
nous riions	nous rissions	nous ayons ri
vous riiez	vous rissiez	vous ayez ri
ils rient	ils rissent	ils aient ri

INFINITIVE

PRESENT
rire

PAST
avoir ri

PARTICIPLE

PRESENT
riant

PAST
ri

PRESENT	**IMPERFECT**	**FUTURE**
je romps	je rompais	je romprai
tu romps	tu rompais	tu rompras
il rompt	il rompait	il rompra
nous rompons	nous rompions	nous romprons
vous rompez	vous rompiez	vous romprez
ils rompent	ils rompaient	ils rompront

PAST HISTORIC	**PERFECT**	**PLUPERFECT**
je rompis	j'ai rompu	j'avais rompu
tu rompis	tu as rompu	tu avais rompu
il rompit	il a rompu	il avait rompu
nous rompîmes	nous avons rompu	nous avions rompu
vous rompîtes	vous avez rompu	vous aviez rompu
ils rompirent	ils ont rompu	ils avaient rompu

PAST ANTERIOR	**FUTURE PERFECT**
j'eus rompu *etc*	j'aurai rompu *etc*

CONDITIONAL

PRESENT	**PAST**
je romprais	j'aurais rompu
tu romprais	tu aurais rompu
il romprait	il aurait rompu
nous romprions	nous aurions rompu
vous rompriez	vous auriez rompu
ils rompraient	ils auraient rompu

IMPERATIVE

romps
rompons
rompez

SUBJUNCTIVE

PRESENT	**IMPERFECT**	**PERFECT**
je rompe	je rompisse	j'aie rompu
tu rompes	tu rompisses	tu aies rompu
il rompe	il rompît	il ait rompu
nous rompions	nous rompissions	nous ayons rompu
vous rompiez	vous rompissiez	vous ayez rompu
ils rompent	ils rompissent	ils aient rompu

INFINITIVE

PARTICIPLE

PRESENT	**PRESENT**
rompre	rompant

PAST	**PAST**
avoir rompu	rompu

PRESENT	**IMPERFECT**	**FUTURE**
il saille	il saillait	il saillera
ils saillent	ils saillaient	ils sailleront

PAST HISTORIC	**PERFECT**	**PLUPERFECT**
il saillit	il a sailli	il avait sailli
ils saillirent	ils ont sailli	ils avaient sailli

PAST ANTERIOR	**FUTURE PERFECT**	
il eut sailli	il aura sailli	
ils eurent sailli	ils auront sailli	

CONDITIONAL

IMPERATIVE

PRESENT	**PAST**
il saillerait	il aurait sailli
ils sailleraient	ils auraient sailli

SUBJUNCTIVE

PRESENT	**IMPERFECT**	**PERFECT**
il saille	il saillît	il ait sailli
ils saillent	ils saillissent	ils aient sailli

INFINITIVE

PARTICIPLE

PRESENT	**PRESENT**
saillir	saillant

PAST	**PAST**
avoir sailli	sailli

PRESENT	**IMPERFECT**	**FUTURE**
je sais	je savais	je saurai
tu sais	tu savais	tu sauras
il sait	il savait	il saura
nous savons	nous savions	nous saurons
vous savez	vous saviez	vous saurez
ils savent	ils savaient	ils sauront

PAST HISTORIC	**PERFECT**	**PLUPERFECT**
je sus	j'ai su	j'avais su
tu sus	tu as su	tu avais su
il sut	il a su	il avait su
nous sûmes	nous avons su	nous avions su
vous sûtes	vous avez su	vous aviez su
ils surent	ils ont su	ils avaient su

PAST ANTERIOR	**FUTURE PERFECT**
j'eus su *etc*	j'aurai su *etc*

CONDITIONAL

PRESENT	**PAST**	**IMPERATIVE**
je saurais	j'aurais su	
tu saurais	tu aurais su	sache
il saurait	il aurait su	sachons
nous saurions	nous aurions su	sachez
vous sauriez	vous auriez su	
ils sauraient	ils auraient su	

SUBJUNCTIVE

PRESENT	**IMPERFECT**	**PERFECT**
je sache	je susse	j'aie su
tu saches	tu susses	tu aies su
il sache	il sût	il ait su
nous sachions	nous sussions	nous ayons su
vous sachiez	vous sussiez	vous ayez su
ils sachent	ils sussent	ils aient su

INFINITIVE

PARTICIPLE

PRESENT	**PRESENT**
savoir	sachant

PAST	**PAST**
avoir su	su

PRESENT
je sèche
tu sèches
il sèche
nous séchons
vous séchez
ils sèchent

IMPERFECT
je séchais
tu séchais
il séchait
nous séchions
vous séchiez
ils séchaient

FUTURE
je sécherai
tu sécheras
il séchera
nous sécherons
vous sécherez
ils sécheront

PAST HISTORIC
je séchai
tu séchas
il sécha
nous séchâmes
vous séchâtes
ils séchèrent

PERFECT
j'ai séché
tu as séché
il a séché
nous avons séché
vous avez séché
ils ont séché

PLUPERFECT
j'avais séché
tu avais séché
il avait séché
nous avions séché
vous aviez séché
ils avaient séché

PAST ANTERIOR
j'eus séché *etc*

FUTURE PERFECT
j'aurai séché *etc*

CONDITIONAL

PRESENT
je sécherais
tu sécherais
il sécherait
nous sécherions
vous sécheriez
ils sécheraient

PAST
j'aurais séché
tu aurais séché
il aurait séché
nous aurions séché
vous auriez séché
ils auraient séché

IMPERATIVE

sèche
séchons
séchez

SUBJUNCTIVE

PRESENT
je sèche
tu sèches
il sèche
nous séchions
vous séchiez
ils sèchent

IMPERFECT
je séchasse
tu séchasses
il séchât
nous séchassions
vous séchassiez
ils séchassent

PERFECT
j'aie séché
tu aies séché
il ait séché
nous ayons séché
vous ayez séché
ils aient séché

INFINITIVE

PRESENT
sécher

PAST
avoir séché

PARTICIPLE

PRESENT
séchant

PAST
séché

SEMER
185 *to sow*

PRESENT	IMPERFECT	FUTURE
je sème	je semais	je sèmerai
tu sèmes	tu semais	tu sèmeras
il sème	il semait	il sèmera
nous semons	nous semions	nous sèmerons
vous semez	vous semiez	vous sèmerez
ils sèment	ils semaient	ils sèmeront

PAST HISTORIC	PERFECT	PLUPERFECT
je semai	j'ai semé	j'avais semé
tu semas	tu as semé	tu avais semé
il sema	il a semé	il avait semé
nous semâmes	nous avons semé	nous avions semé
vous semâtes	vous avez semé	vous aviez semé
ils semèrent	ils ont semé	ils avaient semé

PAST ANTERIOR	FUTURE PERFECT
j'eus semé *etc*	j'aurai semé *etc*

CONDITIONAL

PRESENT	PAST
je sèmerais	j'aurais semé
tu sèmerais	tu aurais semé
il sèmerait	il aurait semé
nous sèmerions	nous aurions semé
vous sèmeriez	vous auriez semé
ils sèmeraient	ils auraient semé

IMPERATIVE

sème
semons
semez

SUBJUNCTIVE

PRESENT	IMPERFECT	PERFECT
je sème	je semasse	j'aie semé
tu sèmes	tu semasses	tu aies semé
il sème	il semât	il ait semé
nous semions	nous semassions	nous ayons semé
vous semiez	vous semassiez	vous ayez semé
ils sèment	ils semassent	ils aient semé

INFINITIVE

PRESENT
semer

PAST
avoir semé

PARTICIPLE

PRESENT
semant

PAST
semé

PRESENT
je sens
tu sens
il sent
nous sentons
vous sentez
ils sentent

IMPERFECT
je sentais
tu sentais
il sentait
nous sentions
vous sentiez
ils sentaient

FUTURE
je sentirai
tu sentiras
il sentira
nous sentirons
vous sentirez
ils sentiront

PAST HISTORIC
je sentis
tu sentis
il sentit
nous sentîmes
vous sentîtes
ils sentirent

PERFECT
j'ai senti
tu as senti
il a senti
nous avons senti
vous avez senti
ils ont senti

PLUPERFECT
j'avais senti
tu avais senti
il avait senti
nous avions senti
vous aviez senti
ils avaient senti

PAST ANTERIOR
j'eus senti *etc*

FUTURE PERFECT
j'aurai senti *etc*

CONDITIONAL

PRESENT
je sentirais
tu sentirais
il sentirait
nous sentirions
vous sentiriez
ils sentiraient

PAST
j'aurais senti
tu aurais senti
il aurait senti
nous aurions senti
vous auriez senti
ils auraient senti

IMPERATIVE

sens
sentons
sentez

SUBJUNCTIVE

PRESENT
je sente
tu sentes
il sente
nous sentions
vous sentiez
ils sentent

IMPERFECT
je sentisse
tu sentisses
il sentît
nous sentissions
vous sentissiez
ils sentissent

PERFECT
j'aie senti
tu aies senti
il ait senti
nous ayons senti
vous ayez senti
ils aient senti

INFINITIVE

PRESENT
sentir

PAST
avoir senti

PARTICIPLE

PRESENT
sentant

PAST
senti

PRESENT	IMPERFECT	FUTURE
il sied	il seyait	il siéra
ils siéent	ils seyaient	ils siéront

PAST HISTORIC	PERFECT	PLUPERFECT

PAST ANTERIOR	FUTURE PERFECT	

CONDITIONAL

		IMPERATIVE

PRESENT	PAST	
il siérait		
ils siéraient		

SUBJUNCTIVE

PRESENT	IMPERFECT	PERFECT
il siée		
ils siéent		

INFINITIVE   PARTICIPLE

PRESENT	PRESENT
seoir	seyant

PAST	PAST

PRESENT
je serre
tu serres
il serre
nous serrons
vous serrez
ils serrent

PAST HISTORIC
je serrai
tu serras
il serra
nous serrâmes
vous serrâtes
ils serrèrent

PAST ANTERIOR
j'eus serré *etc*

IMPERFECT
je serrais
tu serrais
il serrait
nous serrions
vous serriez
ils serraient

PERFECT
j'ai serré
tu as serré
il a serré
nous avons serré
vous avez serré
ils ont serré

FUTURE PERFECT
j'aurai serré *etc*

FUTURE
je serrerai
tu serreras
il serrera
nous serrerons
vous serrerez
ils serreront

PLUPERFECT
j'avais serré
tu avais serré
il avait serré
nous avions serré
vous aviez serré
ils avaient serré

CONDITIONAL

PRESENT
je serrerais
tu serrerais
il serrerait
nous serrerions
vous serreriez
ils serreraient

PAST
j'aurais serré
tu aurais serré
il aurait serré
nous aurions serré
vous auriez serré
ils auraient serré

IMPERATIVE

serre
serrons
serrez

SUBJUNCTIVE

PRESENT
je serre
tu serres
il serre
nous serrions
vous serriez
ils serrent

IMPERFECT
je serrasse
tu serrasses
il serrât
nous serrassions
vous serrassiez
ils serrassent

PERFECT
j'aie serré
tu aies serré
il ait serré
nous ayons serré
vous ayez serré
ils aient serré

INFINITIVE

PRESENT
serrer

PAST
avoir serré

PARTICIPLE

PRESENT
serrant

PAST
serré

SERVIR
189 *to serve*

PRESENT	IMPERFECT	FUTURE
je sers	je servais	je servirai
tu sers	tu servais	tu serviras
il sert	il servait	il servira
nous servons	nous servions	nous servirons
vous servez	vous serviez	vous servirez
ils servent	ils servaient	ils serviront

PAST HISTORIC	PERFECT	PLUPERFECT
je servis	j'ai servi	j'avais servi
tu servis	tu as servi	tu avais servi
il servit	il a servi	il avait servi
nous servîmes	nous avons servi	nous avions servi
vous servîtes	vous avez servi	vous aviez servi
ils servirent	ils ont servi	ils avaient servi

PAST ANTERIOR	FUTURE PERFECT
j'eus servi *etc*	j'aurai servi *etc*

CONDITIONAL

PRESENT	PAST
je servirais	j'aurais servi
tu servirais	tu aurais servi
il servirait	il aurait servi
nous servirions	nous aurions servi
vous serviriez	vous auriez servi
ils serviraient	ils auraient servi

IMPERATIVE

sers
servons
servez

SUBJUNCTIVE

PRESENT	IMPERFECT	PERFECT
je serve	je servisse	j'aie servi
tu serves	tu servisses	tu aies servi
il serve	il servît	il ait servi
nous servions	nous servissions	nous ayons servi
vous serviez	vous servissiez	vous ayez servi
ils servent	ils servissent	ils aient servi

INFINITIVE

PRESENT
servir

PAST
avoir servi

PARTICIPLE

PRESENT
servant

PAST
servi

PRESENT
je sèvre
tu sèvres
il sèvre
nous sevrons
vous sevrez
ils sèvrent

IMPERFECT
je sevrais
tu sevrais
il sevrait
nous sevrions
vous sevriez
ils sevraient

FUTURE
je sèvrerai
tu sèvreras
il sèvrera
nous sèvrerons
vous sèvrerez
ils sèvreront

PAST HISTORIC
je sevrai
tu sevras
il sevra
nous sevrâmes
vous sevrâtes
ils sevrèrent

PERFECT
j'ai sevré
tu as sevré
il a sevré
nous avons sevré
vous avez sevré
ils ont sevré

PLUPERFECT
j'avais sevré
tu avais sevré
il avait sevré
nous avions sevré
vous aviez sevré
ils avaient sevré

PAST ANTERIOR
j'eus sevré *etc*

FUTURE PERFECT
j'aurai sevré *etc*

CONDITIONAL

IMPERATIVE

PRESENT
je sèvrerais
tu sèvrerais
il sèvrerait
nous sèvrerions
vous sèvreriez
ils sèvreraient

PAST
j'aurais sevré
tu aurais sevré
il aurait sevré
nous aurions sevré
vous auriez sevré
ils auraient sevré

sèvre
sevrons
sevrez

SUBJUNCTIVE

PRESENT
je sèvre
tu sèvres
il sèvre
nous sevrions
vous sevriez
ils sèvrent

IMPERFECT
je sevrasse
tu sevrasses
il sevrât
nous sevrassions
vous sevrassiez
ils sevrassent

PERFECT
j'aie sevré
tu aies sevré
il ait sevré
nous ayons sevré
vous ayez sevré
ils aient sevré

INFINITIVE

PARTICIPLE

PRESENT
sevrer

PRESENT
sevrant

PAST
avoir sevré

PAST
sevré

SORTIR
191 *to go out*

PRESENT	IMPERFECT	FUTURE
je sors	je sortais	je sortirai
tu sors	tu sortais	tu sortiras
il sort	il sortait	il sortira
nous sortons	nous sortions	nous sortirons
vous sortez	vous sortiez	vous sortirez
ils sortent	ils sortaient	ils sortiront

PAST HISTORIC	PERFECT	PLUPERFECT
je sortis	je suis sorti	j'étais sorti
tu sortis	tu es sorti	tu étais sorti
il sortit	il est sorti	il était sorti
nous sortîmes	nous sommes sortis	nous étions sortis
vous sortîtes	vous êtes sorti(s)	vous étiez sorti(s)
ils sortirent	ils sont sortis	ils étaient sortis

PAST ANTERIOR	FUTURE PERFECT
je fus sorti *etc*	je serai sorti *etc*

CONDITIONAL

IMPERATIVE

PRESENT	PAST	
je sortirais	je serais sorti	sors
tu sortirais	tu serais sorti	sortons
il sortirait	il serait sorti	sortez
nous sortirions	nous serions sortis	
vous sortiriez	vous seriez sorti(s)	
ils sortiraient	ils seraient sortis	

SUBJUNCTIVE

PRESENT	IMPERFECT	PERFECT
je sorte	je sortisse	je sois sorti
tu sortes	tu sortisses	tu sois sorti
il sorte	il sortît	il soit sorti
nous sortions	nous sortissions	nous soyons sortis
vous sortiez	vous sortissiez	vous soyez sorti(s)
ils sortent	ils sortissent	ils soient sortis

INFINITIVE

PARTICIPLE

PRESENT	PRESENT
sortir	sortant

PAST	PAST
être sorti	sorti

PRESENT

je me souviens
tu te souviens
il se souvient
nous nous souvenons
vous vous souvenez
ils se souviennent

IMPERFECT

je me souvenais
tu te souvenais
il se souvenait
nous nous souvenions
vous vous souveniez
ils se souvenaient

FUTURE

je me souviendrai
tu te souviendras
il se souviendra
nous nous souviendrons
vous vous souviendrez
ils se souviendront

PAST HISTORIC

je me souvins
tu te souvins
il se souvint
nous nous souvînmes
vous vous souvîntes
ils se souvinrent

PERFECT

je me suis souvenu
tu t'es souvenu
il s'est souvenu
nous ns. sommes souvenus
vous vs. êtes souvenu(s)
ils se sont souvenus

PLUPERFECT

je m'étais souvenu
tu t'étais souvenu
il s'était souvenu
nous ns. étions souvenus
vous vs. étiez souvenu(s)
ils s'étaient souvenus

PAST ANTERIOR

je me fus souvenu *etc*

FUTURE PERFECT

je me serai souvenu *etc*

CONDITIONAL

PRESENT

je me souviendrais
tu te souviendrais
il se souviendrait
nous ns. souviendrions
vous vous souviendriez
ils se souviendraient

PAST

je me serais souvenu
tu te serais souvenu
il se serait souvenu
nous ns. serions souvenus
vous vs. seriez souvenu(s)
ils se seraient souvenus

IMPERATIVE

souviens-toi
souvenons-nous
souvenez-vous

SUBJUNCTIVE

PRESENT

je me souvienne
tu te souviennes
il se souvienne
nous nous souvenions
vous vous souveniez
ils se souviennent

IMPERFECT

je me souvinsse
tu te souvinsses
il se souvînt
nous nous souvinssions
vous vous souvinssiez
ils se souvinssent

PERFECT

je me sois souvenu
tu te sois souvenu
il se soit souvenu
nous ns. soyons souvenus
vous vs. soyez souvenu(s)
ils se soient souvenus

INFINITIVE

PRESENT

se souvenir

PAST

s'être souvenu

PARTICIPLE

PRESENT

se souvenant

PAST

souvenu

STUPÉFAIRE
193 *to astound*

PRESENT	IMPERFECT	FUTURE
il stupéfait		

PAST HISTORIC	PERFECT	PLUPERFECT
	j'ai stupéfait	j'avais stupéfait
	tu as stupéfait	tu avais stupéfait
	il a stupéfait	il avait stupéfait
	nous avons stupéfait	nous avions stupéfait
	vous avez stupéfait	vous aviez stupéfait
	ils ont stupéfait	ils avaient stupéfait

PAST ANTERIOR	FUTURE PERFECT
j'eus stupéfait *etc*	j'aurai stupéfait *etc*

CONDITIONAL

IMPERATIVE

PRESENT	PAST
	j'aurais stupéfait
	tu aurais stupéfait
	il aurait stupéfait
	nous aurions stupéfait
	vous auriez stupéfait
	ils auraient stupéfait

SUBJUNCTIVE

PRESENT	IMPERFECT	PERFECT
		j'aie stupéfait
		tu aies stupéfait
		il ait stupéfait
		nous ayons stupéfait
		vous ayez stupéfait
		ils aient stupéfait

INFINITIVE

PARTICIPLE

PRESENT	PRESENT
stupéfaire	

PAST	PAST
avoir stupéfait	stupéfait

PRESENT	**IMPERFECT**	**FUTURE**
je suffis	je suffisais	je suffirai
tu suffis	tu suffisais	tu suffiras
il suffit	il suffisait	il suffira
nous suffisons	nous suffisions	nous suffirons
vous suffisez	vous suffisiez	vous suffirez
ils suffisent	ils suffisaient	ils suffiront

PAST HISTORIC	**PERFECT**	**PLUPERFECT**
je suffis	j'ai suffi	j'avais suffi
tu suffis	tu as suffi	tu avais suffi
il suffit	il a suffi	il avait suffi
nous suffîmes	nous avons suffi	nous avions suffi
vous suffîtes	vous avez suffi	vous aviez suffi
ils suffirent	ils ont suffi	ils avaient suffi

PAST ANTERIOR	**FUTURE PERFECT**	
j'eus suffi *etc*	j'aurai suffi *etc*	

CONDITIONAL

PRESENT	**PAST**	**IMPERATIVE**
je suffirais	j'aurais suffi	suffis
tu suffirais	tu aurais suffi	suffisons
il suffirait	il aurait suffi	suffisez
nous suffirions	nous aurions suffi	
vous suffiriez	vous auriez suffi	
ils suffiraient	ils auraient suffi	

SUBJUNCTIVE

PRESENT	**IMPERFECT**	**PERFECT**
je suffise	je suffisse	j'aie suffi
tu suffises	tu suffisses	tu aies suffi
il suffise	il suffît	il ait suffi
nous suffisions	nous suffissions	nous ayons suffi
vous suffisiez	vous suffissiez	vous ayez suffi
ils suffisent	ils suffissent	ils aient suffi

INFINITIVE / PARTICIPLE / NOTE

PRESENT	**PRESENT**	**NOTE**
suffire	suffisant	circoncire has the past participle **circoncis**
PAST	**PAST**	
avoir suffi	suffi	

PRESENT	IMPERFECT	FUTURE
je suis	je suivais	je suivrai
tu suis	tu suivais	tu suivras
il suit	il suivait	il suivra
nous suivons	nous suivions	nous suivrons
vous suivez	vous suiviez	vous suivrez
ils suivent	ils suivaient	ils suivront

PAST HISTORIC	PERFECT	PLUPERFECT
je suivis	j'ai suivi	j'avais suivi
tu suivis	tu as suivi	tu avais suivi
il suivit	il a suivi	il avait suivi
nous suivîmes	nous avons suivi	nous avions suivi
vous suivîtes	vous avez suivi	vous aviez suivi
ils suivirent	ils ont suivi	ils avaient suivi

PAST ANTERIOR	FUTURE PERFECT
j'eus suivi *etc*	j'aurai suivi *etc*

CONDITIONAL

PRESENT	PAST
je suivrais	j'aurais suivi
tu suivrais	tu aurais suivi
il suivrait	il aurait suivi
nous suivrions	nous aurions suivi
vous suivriez	vous auriez suivi
ils suivraient	ils auraient suivi

IMPERATIVE

suis
suivons
suivez

SUBJUNCTIVE

PRESENT	IMPERFECT	PERFECT
je suive	je suivisse	j'aie suivi
tu suives	tu suivisses	tu aies suivi
il suive	il suivît	il ait suivi
nous suivions	nous suivissions	nous ayons suivi
vous suiviez	vous suivissiez	vous ayez suivi
ils suivent	ils suivissent	ils aient suivi

INFINITIVE

PARTICIPLE

PRESENT	PRESENT
suivre	suivant

PAST	PAST
avoir suivi	suivi

PRESENT
je sursois
tu sursois
il sursoit
nous sursoyons
vous sursoyez
ils sursoient

IMPERFECT
je sursoyais
tu sursoyais
il sursoyait
nous sursoyions
vous sursoyiez
ils sursoyaient

FUTURE
je surseoirai
tu surseoiras
il surseoira
nous surseoirons
vous surseoirez
ils surseoiront

PAST HISTORIC
je sursis
tu sursis
il sursit
nous sursîmes
vous sursîtes
ils sursirent

PERFECT
j'ai sursis
tu as sursis
il a sursis
nous avons sursis
vous avez sursis
ils ont sursis

PLUPERFECT
j'avais sursis
tu avais sursis
il avait sursis
nous avions sursis
vous aviez sursis
ils avaient sursis

PAST ANTERIOR
j'eus sursis *etc*

FUTURE PERFECT
j'aurai sursis *etc*

CONDITIONAL

PRESENT
je surseoirais
tu surseoirais
il surseoirait
nous surseoirions
vous surseoiriez
ils surseoiraient

PAST
j'aurais sursis
tu aurais sursis
il aurait sursis
nous aurions sursis
vous auriez sursis
ils auraient sursis

IMPERATIVE

sursois
sursoyons
sursoyez

SUBJUNCTIVE

PRESENT
je sursoie
tu sursoies
il sursoie
nous sursoyions
vous sursoyiez
ils sursoient

IMPERFECT
je sursisse
tu sursisses
il sursît
nous sursissions
vous sursissiez
ils sursissent

PERFECT
j'aie sursis
tu aies sursis
il ait sursis
nous ayons sursis
vous ayez sursis
ils aient sursis

INFINITIVE

PRESENT
surseoir

PAST
avoir sursis

PARTICIPLE

PRESENT
sursoyant

PAST
sursis

SE TAIRE
197 *to keep quiet*

PRESENT
je me tais
tu te tais
il se tait
nous nous taisons
vous vous taisez
ils se taisent

IMPERFECT
je me taisais
tu te taisais
il se taisait
nous nous taisions
vous vous taisiez
ils se taisaient

FUTURE
je me tairai
tu te tairas
il se taira
nous nous tairons
vous vous tairez
ils se tairont

PAST HISTORIC
je me tus
tu te tus
il se tut
nous nous tûmes
vous vous tûtes
ils se turent

PERFECT
je me suis tu
tu t'es tu
il s'est tu
nous nous sommes tus
vous vous êtes tu(s)
ils se sont tus

PLUPERFECT
je m'étais tu
tu t'étais tu
il s'était tu
nous nous étions tus
vous vous étiez tu(s)
ils s'étaient tus

PAST ANTERIOR
je me fus tu *etc*

FUTURE PERFECT
je me serai tu *etc*

CONDITIONAL

PRESENT
je me tairais
tu te tairais
il se tairait
nous nous tairions
vous vous tairiez
ils se tairaient

PAST
je me serais tu
tu te serais tu
il se serait tu
nous nous serions tus
vous vous seriez tu(s)
ils se seraient tus

IMPERATIVE

tais-toi
taisons-nous
taisez-vous

SUBJUNCTIVE

PRESENT
je me taise
tu te taises
il se taise
nous nous taisions
vous vous taisiez
ils se taisent

IMPERFECT
je me tusse
tu te tusses
il se tût
nous nous tussions
vous vous tussiez
ils se tussent

PERFECT
je me sois tu
tu te sois tu
il se soit tu
nous nous soyons tus
vous vous soyez tu(s)
ils se soient tus

INFINITIVE

PRESENT
se taire

PAST
s'être tu

PARTICIPLE

PRESENT
se taisant

PAST
tu

PRESENT
je tiens
tu tiens
il tient
nous tenons
vous tenez
ils tiennent

IMPERFECT
je tenais
tu tenais
il tenait
nous tenions
vous teniez
ils tenaient

FUTURE
je tiendrai
tu tiendras
il tiendra
nous tiendrons
vous tiendrez
ils tiendront

PAST HISTORIC
je tins
tu tins
il tint
nous tînmes
vous tîntes
ils tinrent

PERFECT
j'ai tenu
tu as tenu
il a tenu
nous avons tenu
vous avez tenu
ils ont tenu

PLUPERFECT
j'avais tenu
tu avais tenu
il avait tenu
nous avions tenu
vous aviez tenu
ils avaient tenu

PAST ANTERIOR
j'eus tenu *etc*

FUTURE PERFECT
j'aurai tenu *etc*

CONDITIONAL

PRESENT
je tiendrais
tu tiendrais
il tiendrait
nous tiendrions
vous tiendriez
ils tiendraient

PAST
j'aurais tenu
tu aurais tenu
il aurait tenu
nous aurions tenu
vous auriez tenu
ils auraient tenu

IMPERATIVE

tiens
tenons
tenez

SUBJUNCTIVE

PRESENT
je tienne
tu tiennes
il tienne
nous tenions
vous teniez
ils tiennent

IMPERFECT
je tinsse
tu tinsses
il tînt
nous tinssions
vous tinssiez
ils tinssent

PERFECT
j'aie tenu
tu aies tenu
il ait tenu
nous ayons tenu
vous ayez tenu
ils aient tenu

INFINITIVE

PRESENT
tenir

PAST
avoir tenu

PARTICIPLE

PRESENT
tenant

PAST
tenu

PRESENT
je tombe
tu tombes
il tombe
nous tombons
vous tombez
ils tombent

IMPERFECT
je tombais
tu tombais
il tombait
nous tombions
vous tombiez
ils tombaient

FUTURE
je tomberai
tu tomberas
il tombera
nous tomberons
vous tomberez
ils tomberont

PAST HISTORIC
je tombai
tu tombas
il tomba
nous tombâmes
vous tombâtes
ils tombèrent

PERFECT
je suis tombé
tu es tombé
il est tombé
nous sommes tombés
vous êtes tombé(s)
ils sont tombés

PLUPERFECT
j'étais tombé
tu étais tombé
il était tombé
nous étions tombés
vous étiez tombé(s)
ils étaient tombés

PAST ANTERIOR
je fus tombé *etc*

FUTURE PERFECT
je serai tombé *etc*

CONDITIONAL

PRESENT
je tomberais
tu tomberais
il tomberait
nous tomberions
vous tomberiez
ils tomberaient

PAST
je serais tombé
tu serais tombé
il serait tombé
nous serions tombés
vous seriez tombé(s)
ils seraient tombés

IMPERATIVE

tombe
tombons
tombez

SUBJUNCTIVE

PRESENT
je tombe
tu tombes
il tombe
nous tombions
vous tombiez
ils tombent

IMPERFECT
je tombasse
tu tombasses
il tombât
nous tombassions
vous tombassiez
ils tombassent

PERFECT
je sois tombé
tu sois tombé
il soit tombé
nous soyons tombés
vous soyez tombé(s)
ils soient tombés

INFINITIVE

PRESENT
tomber

PAST
être tombé

PARTICIPLE

PRESENT
tombant

PAST
tombé

PRESENT
je traduis
tu traduis
il traduit
nous traduisons
vous traduisez
ils traduisent

IMPERFECT
je traduisais
tu traduisais
il traduisait
nous traduisions
vous traduisiez
ils traduisaient

FUTURE
je traduirai
tu traduiras
il traduira
nous traduirons
vous traduirez
ils traduiront

PAST HISTORIC
je traduisis
tu traduisis
il traduisit
nous traduisîmes
vous traduisîtes
ils traduisirent

PERFECT
j'ai traduit
tu as traduit
il a traduit
nous avons traduit
vous avez traduit
ils ont traduit

PLUPERFECT
j'avais traduit
tu avais traduit
il avait traduit
nous avions traduit
vous aviez traduit
ils avaient traduit

PAST ANTERIOR
j'eus traduit *etc*

FUTURE PERFECT
j'aurai traduit *etc*

CONDITIONAL

PRESENT
je traduirais
tu traduirais
il traduirait
nous traduirions
vous traduiriez
ils traduiraient

PAST
j'aurais traduit
tu aurais traduit
il aurait traduit
nous aurions traduit
vous auriez traduit
ils auraient traduit

IMPERATIVE

traduis
traduisons
traduisez

SUBJUNCTIVE

PRESENT
je traduise
tu traduises
il traduise
nous traduisions
vous traduisiez
ils traduisent

IMPERFECT
je traduisisse
tu traduisisses
il traduisît
nous traduisissions
vous traduisissiez
ils traduisissent

PERFECT
j'aie traduit
tu aies traduit
il ait traduit
nous ayons traduit
vous ayez traduit
ils aient traduit

INFINITIVE

PRESENT
traduire

PAST
avoir traduit

PARTICIPLE

PRESENT
traduisant

PAST
traduit

PRESENT	IMPERFECT	FUTURE
je travaille	je travaillais	je travaillerai
tu travailles	tu travaillais	tu travailleras
il travaille	il travaillait	il travaillera
nous travaillons	nous travaillions	nous travaillerons
vous travaillez	vous travailliez	vous travaillerez
ils travaillent	ils travaillaient	ils travailleront

PAST HISTORIC	PERFECT	PLUPERFECT
je travaillai	j'ai travaillé	j'avais travaillé
tu travaillas	tu as travaillé	tu avais travaillé
il travailla	il a travaillé	il avait travaillé
nous travaillâmes	nous avons travaillé	nous avions travaillé
vous travaillâtes	vous avez travaillé	vous aviez travaillé
ils travaillèrent	ils ont travaillé	ils avaient travaillé

PAST ANTERIOR	FUTURE PERFECT	
j'eus travaillé *etc*	j'aurai travaillé *etc*	

CONDITIONAL

IMPERATIVE

PRESENT	PAST	
je travaillerais	j'aurais travaillé	travaille
tu travaillerais	tu aurais travaillé	travaillons
il travaillerait	il aurait travaillé	travaillez
nous travaillerions	nous aurions travaillé	
vous travailleriez	vous auriez travaillé	
ils travailleraient	ils auraient travaillé	

SUBJUNCTIVE

PRESENT	IMPERFECT	PERFECT
je travaille	je travaillasse	j'aie travaillé
tu travailles	tu travaillasses	tu aies travaillé
il travaille	il travaillât	il ait travaillé
nous travaillions	nous travaillassions	nous ayons travaillé
vous travailliez	vous travaillassiez	vous ayez travaillé
ils travaillent	ils travaillassent	ils aient travaillé

INFINITIVE

PARTICIPLE

PRESENT	PRESENT
travailler	travaillant

PAST	PAST
avoir travaillé	travaillé

PRESENT	**IMPERFECT**	**FUTURE**
je tue	je tuais	je tuerai
tu tues	tu tuais	tu tueras
il tue	il tuait	il tuera
nous tuons	nous tuions	nous tuerons
vous tuez	vous tuiez	vous tuerez
ils tuent	ils tuaient	ils tueront

PAST HISTORIC	**PERFECT**	**PLUPERFECT**
je tuai	j'ai tué	j'avais tué
tu tuas	tu as tué	tu avais tué
il tua	il a tué	il avait tué
nous tuâmes	nous avons tué	nous avions tué
vous tuâtes	vous avez tué	vous aviez tué
ils tuèrent	ils ont tué	ils avaient tué

PAST ANTERIOR	**FUTURE PERFECT**
j'eus tué *etc*	j'aurai tué *etc*

CONDITIONAL

IMPERATIVE

PRESENT	**PAST**	
je tuerais	j'aurais tué	tue
tu tuerais	tu aurais tué	tuons
il tuerait	il aurait tué	tuez
nous tuerions	nous aurions tué	
vous tueriez	vous auriez tué	
ils tueraient	ils auraient tué	

SUBJUNCTIVE

PRESENT	**IMPERFECT**	**PERFECT**
je tue	je tuasse	j'aie tué
tu tues	tu tuasses	tu aies tué
il tue	il tuât	il ait tué
nous tuions	nous tuassions	nous ayons tué
vous tuiez	vous tuassiez	vous ayez tué
ils tuent	ils tuassent	ils aient tué

INFINITIVE

PARTICIPLE

PRESENT	**PRESENT**
tuer	tuant

PAST	**PAST**
avoir tué	tué

VAINCRE
203 *to defeat*

PRESENT
je vaincs
tu vaincs
il vainc
nous vainquons
vous vainquez
ils vainquent

IMPERFECT
je vainquais
tu vainquais
il vainquait
nous vainquions
vous vainquiez
ils vainquaient

FUTURE
je vaincrai
tu vaincras
il vaincra
nous vaincrons
vous vaincrez
ils vaincront

PAST HISTORIC
je vainquis
tu vainquis
il vainquit
nous vainquîmes
vous vainquîtes
ils vainquirent

PERFECT
j'ai vaincu
tu as vaincu
il a vaincu
nous avons vaincu
vous avez vaincu
ils ont vaincu

PLUPERFECT
j'avais vaincu
tu avais vaincu
il avait vaincu
nous avions vaincu
vous aviez vaincu
ils avaient vaincu

PAST ANTERIOR
j'eus vaincu *etc*

FUTURE PERFECT
j'aurai vaincu *etc*

CONDITIONAL

PRESENT
je vaincrais
tu vaincrais
il vaincrait
nous vaincrions
vous vaincriez
ils vaincraient

PAST
j'aurais vaincu
tu aurais vaincu
il aurait vaincu
nous aurions vaincu
vous auriez vaincu
ils auraient vaincu

IMPERATIVE

vaincs
vainquons
vainquez

SUBJUNCTIVE

PRESENT
je vainque
tu vainques
il vainque
nous vainquions
vous vainquiez
ils vainquent

IMPERFECT
je vainquisse
tu vainquisses
il vainquît
nous vainquissions
vous vainquissiez
ils vainquissent

PERFECT
j'aie vaincu
tu aies vaincu
il ait vaincu
nous ayons vaincu
vous ayez vaincu
ils aient vaincu

INFINITIVE

PRESENT
vaincre

PAST
avoir vaincu

PARTICIPLE

PRESENT
vainquant

PAST
vaincu

PRESENT
je vaux
tu vaux
il vaut
nous valons
vous valez
ils valent

IMPERFECT
je valais
tu valais
il valait
nous valions
vous valiez
ils valaient

FUTURE
je vaudrai
tu vaudras
il vaudra
nous vaudrons
vous vaudrez
ils vaudront

PAST HISTORIC
je valus
tu valus
il valut
nous valûmes
vous valûtes
ils valurent

PERFECT
j'ai valu
tu as valu
il a valu
nous avons valu
vous avez valu
ils ont valu

PLUPERFECT
j'avais valu
tu avais valu
il avait valu
nous avions valu
vous aviez valu
ils avaient valu

PAST ANTERIOR
j'eus valu *etc*

FUTURE PERFECT
j'aurai valu *etc*

CONDITIONAL

PRESENT
je vaudrais
tu vaudrais
il vaudrait
nous vaudrions
vous vaudriez
ils vaudraient

PAST
j'aurais valu
tu aurais valu
il aurait valu
nous aurions valu
vous auriez valu
ils auraient valu

IMPERATIVE

vaux
valons
valez

SUBJUNCTIVE

PRESENT
je vaille
tu vailles
il vaille
nous valions
vous valiez
ils vaillent

IMPERFECT
je valusse
tu valusses
il valût
nous valussions
vous valussiez
ils valussent

PERFECT
j'aie valu
tu aies valu
il ait valu
nous ayons valu
vous ayez valu
ils aient valu

INFINITIVE

PRESENT
valoir

PAST
avoir valu

PARTICIPLE

PRESENT
valant

PAST
valu

VENDRE
205 to sell

PRESENT	IMPERFECT	FUTURE
je vends	je vendais	je vendrai
tu vends	tu vendais	tu vendras
il vend	il vendait	il vendra
nous vendons	nous vendions	nous vendrons
vous vendez	vous vendiez	vous vendrez
ils vendent	ils vendaient	ils vendront

PAST HISTORIC	PERFECT	PLUPERFECT
je vendis	j'ai vendu	j'avais vendu
tu vendis	tu as vendu	tu avais vendu
il vendit	il a vendu	il avait vendu
nous vendîmes	nous avons vendu	nous avions vendu
vous vendîtes	vous avez vendu	vous aviez vendu
ils vendirent	ils ont vendu	ils avaient vendu

PAST ANTERIOR	FUTURE PERFECT
j'eus vendu *etc*	j'aurai vendu *etc*

CONDITIONAL

PRESENT	PAST	IMPERATIVE
je vendrais	j'aurais vendu	vends
tu vendrais	tu aurais vendu	vendons
il vendrait	il aurait vendu	vendez
nous vendrions	nous aurions vendu	
vous vendriez	vous auriez vendu	
ils vendraient	ils auraient vendu	

SUBJUNCTIVE

PRESENT	IMPERFECT	PERFECT
je vende	je vendisse	j'aie vendu
tu vendes	tu vendisses	tu aies vendu
il vende	il vendît	il ait vendu
nous vendions	nous vendissions	nous ayons vendu
vous vendiez	vous vendissiez	vous ayez vendu
ils vendent	ils vendissent	ils aient vendu

INFINITIVE

PRESENT	PARTICIPLE
vendre	PRESENT
	vendant
PAST	PAST
avoir vendu	vendu

PRESENT
je viens
tu viens
il vient
nous venons
vous venez
ils viennent

IMPERFECT
je venais
tu venais
il venait
nous venions
vous veniez
ils venaient

FUTURE
je viendrai
tu viendras
il viendra
nous viendrons
vous viendrez
ils viendront

PAST HISTORIC
je vins
tu vins
il vint
nous vînmes
vous vîntes
ils vinrent

PERFECT
je suis venu
tu es venu
il est venu
nous sommes venus
vous êtes venu(s)
ils sont venus

PLUPERFECT
j'étais venu
tu étais venu
il était venu
nous étions venus
vous étiez venu(s)
ils étaient venus

PAST ANTERIOR
je fus venu *etc*

FUTURE PERFECT
je serai venu *etc*

CONDITIONAL

PRESENT
je viendrais
tu viendrais
il viendrait
nous viendrions
vous viendriez
ils viendraient

PAST
je serais venu
tu serais venu
il serait venu
nous serions venus
vous seriez venu(s)
ils seraient venus

IMPERATIVE

viens
venons
venez

SUBJUNCTIVE

PRESENT
je vienne
tu viennes
il vienne
nous venions
vous veniez
ils viennent

IMPERFECT
je vinsse
tu vinsses
il vînt
nous vinssions
vous vinssiez
ils vinssent

PERFECT
je sois venu
tu sois venu
il soit venu
nous soyons venus
vous soyez venu(s)
ils soient venus

INFINITIVE

PRESENT
venir

PAST
être venu

PARTICIPLE

PRESENT
venant

PAST
venu

VÊTIR
207 *to dress*

PRESENT	IMPERFECT	FUTURE
je vêts	je vêtais	je vêtirai
tu vêts	tu vêtais	tu vêtiras
il vêt	il vêtait	il vêtira
nous vêtons	nous vêtions	nous vêtirons
vous vêtez	vous vêtiez	vous vêtirez
ils vêtent	ils vêtaient	ils vêtiront

PAST HISTORIC	PERFECT	PLUPERFECT
je vêtis	j'ai vêtu	j'avais vêtu
tu vêtis	tu as vêtu	tu avais vêtu
il vêtit	il a vêtu	il avait vêtu
nous vêtîmes	nous avons vêtu	nous avions vêtu
vous vêtîtes	vous avez vêtu	vous aviez vêtu
ils vêtirent	ils ont vêtu	ils avaient vêtu

PAST ANTERIOR	FUTURE PERFECT
j'eus vêtu *etc*	j'aurai vêtu *etc*

CONDITIONAL

PRESENT	PAST
je vêtirais	j'aurais vêtu
tu vêtirais	tu aurais vêtu
il vêtirait	il aurait vêtu
nous vêtirions	nous aurions vêtu
vous vêtiriez	vous auriez vêtu
ils vêtiraient	ils auraient vêtu

IMPERATIVE

vêts
vêtons
vêtez

SUBJUNCTIVE

PRESENT	IMPERFECT	PERFECT
je vête	je vêtisse	j'aie vêtu
tu vêtes	tu vêtisses	tu aies vêtu
il vête	il vêtît	il ait vêtu
nous vêtions	nous vêtissions	nous ayons vêtu
vous vêtiez	vous vêtissiez	vous ayez vêtu
ils vêtent	ils vêtissent	ils aient vêtu

INFINITIVE | PARTICIPLE

PRESENT	PRESENT
vêtir	vêtant

PAST	PAST
avoir vêtu	vêtu

PRESENT
je vis
tu vis
il vit
nous vivons
vous vivez
ils vivent

IMPERFECT
je vivais
tu vivais
il vivait
nous vivions
vous viviez
ils vivaient

FUTURE
je vivrai
tu vivras
il vivra
nous vivrons
vous vivrez
ils vivront

PAST HISTORIC
je vécus
tu vécus
il vécut
nous vécûmes
vous vécûtes
ils vécurent

PERFECT
j'ai vécu
tu as vécu
il a vécu
nous avons vécu
vous avez vécu
ils ont vécu

PLUPERFECT
j'avais vécu
tu avais vécu
il avait vécu
nous avions vécu
vous aviez vécu
ils avaient vécu

PAST ANTERIOR
j'eus vécu *etc*

FUTURE PERFECT
j'aurai vécu *etc*

CONDITIONAL

IMPERATIVE

PRESENT
je vivrais
tu vivrais
il vivrait
nous vivrions
vous vivriez
ils vivraient

PAST
j'aurais vécu
tu aurais vécu
il aurait vécu
nous aurions vécu
vous auriez vécu
ils auraient vécu

vis
vivons
vivez

SUBJUNCTIVE

PRESENT
je vive
tu vives
il vive
nous vivions
vous viviez
ils vivent

IMPERFECT
je vécusse
tu vécusses
il vécût
nous vécussions
vous vécussiez
ils vécussent

PERFECT
j'aie vécu
tu aies vécu
il ait vécu
nous ayons vécu
vous ayez vécu
ils aient vécu

INFINITIVE

PARTICIPLE

PRESENT
vivre

PRESENT
vivant

PAST
avoir vécu

PAST
vécu

PRESENT	IMPERFECT	FUTURE
je vois	je voyais	je verrai
tu vois	tu voyais	tu verras
il voit	il voyait	il verra
nous voyons	nous voyions	nous verrons
vous voyez	vous voyiez	vous verrez
ils voient	ils voyaient	ils verront

PAST HISTORIC	PERFECT	PLUPERFECT
je vis	j'ai vu	j'avais vu
tu vis	tu as vu	tu avais vu
il vit	il a vu	il avait vu
nous vîmes	nous avons vu	nous avions vu
vous vîtes	vous avez vu	vous aviez vu
ils virent	ils ont vu	ils avaient vu

PAST ANTERIOR	FUTURE PERFECT
j'eus vu *etc*	j'aurai vu *etc*

CONDITIONAL *IMPERATIVE*

PRESENT	PAST	
je verrais	j'aurais vu	vois
tu verrais	tu aurais vu	voyons
il verrait	il aurait vu	voyez
nous verrions	nous aurions vu	
vous verriez	vous auriez vu	
ils verraient	ils auraient vu	

SUBJUNCTIVE

PRESENT	IMPERFECT	PERFECT
je voie	je visse	j'aie vu
tu voies	tu visses	tu aies vu
il voie	il vît	il ait vu
nous voyions	nous vissions	nous ayons vu
vous voyiez	vous vissiez	vous ayez vu
ils voient	ils vissent	ils aient vu

INFINITIVE *PARTICIPLE*

PRESENT	PRESENT
voir	voyant

PAST	PAST
avoir vu	vu

PRESENT	IMPERFECT	FUTURE
je veux	je voulais	je voudrai
tu veux	tu voulais	tu voudras
il veut	il voulait	il voudra
nous voulons	nous voulions	nous voudrons
vous voulez	vous vouliez	vous voudrez
ils veulent	ils voulaient	ils voudront

PAST HISTORIC	PERFECT	PLUPERFECT
je voulus	j'ai voulu	j'avais voulu
tu voulus	tu as voulu	tu avais voulu
il voulut	il a voulu	il avait voulu
nous voulûmes	nous avons voulu	nous avions voulu
vous voulûtes	vous avez voulu	vous aviez voulu
ils voulurent	ils ont voulu	ils avaient voulu

PAST ANTERIOR	FUTURE PERFECT	
j'eus voulu *etc*	j'aurai voulu *etc*	

CONDITIONAL

PRESENT	PAST	IMPERATIVE
je voudrais	j'aurais voulu	veuille
tu voudrais	tu aurais voulu	veuillons
il voudrait	il aurait voulu	veuillez
nous voudrions	nous aurions voulu	
vous voudriez	vous auriez voulu	
ils voudraient	ils auraient voulu	

SUBJUNCTIVE

PRESENT	IMPERFECT	PERFECT
je veuille	je voulusse	j'aie voulu
tu veuilles	tu voulusses	tu aies voulu
il veuille	il voulût	il ait voulu
nous voulions	nous voulussions	nous ayons voulu
vous vouliez	vous voulussiez	vous ayez voulu
ils veuillent	ils voulussent	ils aient voulu

INFINITIVE

	PARTICIPLE
PRESENT	PRESENT
vouloir	voulant
PAST	PAST
avoir voulu	voulu

ACCROIRE
211 *to believe*

INFINITIVE

PRESENT
accroire

APPAROIR
211 *to appear*

PRESENT
il appert

INFINITIVE

PRESENT
apparoir

OUÏR
211 *to hear*

INFINITIVE	*PARTICIPLE*
PRESENT	**PAST**
ouïr	ouï

INDEX OF FRENCH VERBS

The verbs given in full in the tables on the preceding pages are used as models for all other French verbs given in this index. The number in the index is that of the corresponding verb table.

A verb shown in blue is given as a model itself.

A second number in brackets refers to a reflexive verb model or to the model for a verb starting with an 'h' (indicating whether it is aspirated or not).

An N in brackets refers to a footnote in the model verb table.

Reflexive verbs are listed alphabetically under the simple verb form and the reflexive pronoun (se or s') is given in brackets.

The few cases where a verb does not have the same auxiliary as its model are indicated in the footnotes.

A
abaisser 154
abandonner 67
abattre 25
abêtir 92
abimer 8
abolir 92
abonder 8
abonner (s') 118
aborder 8
aboutir 92
aboyer 129
abréger 163
abreuver 8
abriter 8
abrutir 92
absenter (s') 118
absorber 8

absoudre 65
abstenir (s') 192
abstraire 66
abuser 8
accabler 8
accaparer 8
accéder 29
accélérer 156
accepter 8
acclamer 8
accommoder 8
accompagner 97
accomplir 92
accorder 8
accoucher 8
accouder (s') 118
accourir 43 (N)
accoutumer 8

accrocher 8
accroire 211
accroître 1
accroupir (s') 87
accueillir 2
accumuler 8
accuser 8
acharner (s') 118
acheminer 8
acheter 3
achever 73
acquérir 4
acquiescer 147
acquitter 8
actionner 67
activer 8
adapter 8
additionner 67

adhérer 156
adjoindre 109
admettre 121
administrer 8
admirer 8
adonner (s') 118
adopter 8
adorer 8
adosser 154
adoucir 92
adresser 154
advenir 5
aérer 8
affaiblir 6
affairer (s') 118
affaisser (s') 118
affamer 8
affecter 8
affermir 92
afficher 8
affirmer 8
affliger 111
affoler 8
affranchir 92
affréter 35
affronter 8
agacer 147
agencer 34
agenouiller (s') 93 (118)
aggraver 8
agir 7
agiter 8
agrandir 92
agréer 46
agresser 154
agripper 8
ahurir 92
aider 8
aigrir 92
aiguiser 8

aimer 8
ajourner 8
ajouter 8
ajuster 8
alarmer 8
alerter 8
aliéner 167
aligner 97
alimenter 8
allaiter 8
allécher 184
alléger 163
alléguer 113
aller 9
aller (s'en) 10
allier 86
allonger 150
allouer 110
allumer 8
alourdir 92
altérer 156
alterner 8
alunir 92
amaigrir 92
amasser 154
ambitionner 67
améliorer 8
aménager 111
amener 119
ameuter 8
amincir 92
amoindrir 92
amollir 92
amonceler 14
amorcer 147
amortir 92
amplifier 86
amputer 8
amuser 8
analyser 8

anéantir 92
angoisser 154
animer 8
annexer 8
annoncer 11
annoter 8
annuler 8
anticiper 8
apaiser 8
apercevoir 12
apitoyer 129
aplanir 92
aplatir 92
apparaître 136 (N)
appareiller 41
apparenter (s') 118
apparier 86
apparoir 211
appartenir 13
appauvrir 92
appeler 14
appesantir (s') 87
applaudir 92
appliquer 103
apporter 8
apprécier 15
appréhender 8
apprendre 16
apprêter 8
apprivoiser 8
approcher 8
approfondir 92
approprier 86
approuver 8
approvisionner 67
appuyer 17
arguer 18
armer 8
arpenter 8
arracher 8

arranger 116
arrêter 8
arriver 19
arrondir 92
arroser 8
articuler 8
asphyxier 86
aspirer 8
assagir (s') 87
assaillir 20
assainir 92
assaisonner 67
assassiner 8
assembler 8
assener 119
asseoir (s') 21
asservir 92
assiéger 163
assigner 97
assimiler 8
assister 8
associer 15
assombrir 92
assommer 8
assortir 92
assoupir (s') 87
assouplir 92
assourdir 92
assouvir 92
assujettir 92
assumer 8
assurer 8
astiquer 103
astreindre 141
atermoyer 129
attabler (s') 118
attacher 8
attaquer 103
attarder (s') 118
atteindre 141

atteler 14
attendre 22
attendrir 92
atténuer 202
atterrir 92
attirer 8
attraper 8
attribuer 202
augmenter 8
ausculter 8
autoriser 8
avachir (s') 87
avaler 8
avancer 23
avantager 111
aventurer (s') 118
avérer (s') 156 (118)
avertir 92
aveugler 8
avilir 92
aviser 8
aviver 8
avoir 24
avorter 8
avouer 110

B
bâcler 31
bafouer 110
bafouiller 93
bagarrer (se) 118
baigner 97
bâiller 201
bâillonner 67
baiser 31
baisser 154
balader (se) 118
balancer 112
balayer 140
balbutier 47

baliser 31
balloter 31
bannir 92
baptiser 31
baratiner 31
barbouiller 93
barioler 31
barrer 31
barricader 31
basculer 31
baser 31
batailler 201
batifoler 31
bâtir 92
battre 25
bavarder 31
baver 31
béer 46
bégayer 140
bêler 31
bénéficier 15
bénir 92
bercer 147
berner 31
beugler 31
beurrer 31
biaiser 31
bichonner 67
biffer 31
blaguer 128
blâmer 31
blanchir 92
blaser 31
blasphémer 71
blêmir 92
blesser 154
bloquer 103
blottir (se) 87
boire 26
boiter 31

bombarder 31
bondir 92
bonifier 47
border 31
borner 31
boucher 31
boucler 31
bouder 31
bouffer 31
bouffir 92
bouger 111
bouillir 27
bouleverser 31
bourdonner 67
bourrer 31
boursoufler 31
bousculer 31
boutonner 67
braconner 67
brailler 201
braire 66 (N)
brancher 31
brandir 92
branler 31
braquer 103
brasser 154
braver 31
bredouiller 93
breveter 108
bricoler 31
brider 31
briguer 128
briller 28
brimer 31
briser 31
broder 31
broncher 31
bronzer 31
brosser 154
brouiller 93
brouter 31

broyer 129
brûler 31
brunir 92
brusquer 103
brutaliser 31
buter 31
butiner 31

C
cabrer 31
cacher 31
cadrer 31
cajoler 31
calculer 31
caler 31
calmer 31
calomnier 47
calquer 103
cambrioler 31
camoufler 31
camper 31
cantonner (se) 118
capituler 31
capter 31
captiver 31
capturer 31
caresser 154
caricaturer 31
caser 31
casser 154
cataloguer 128
catapulter 31
causer 31
cautionner 67
céder 29
ceindre 141
célébrer 30
celer 142
censurer 31
centraliser 31
centrer 31

cercler 31
cerner 31
certifier 47
cesser 154
chagriner 31
chahuter 31
chamailler 201
chanceler 14
changer 116
chanter 31
chantonner 67
charger 111
charmer 31
charrier 47
chasser 154
châtier 47
chatouiller 93
chauffer 31
chausser 154
chavirer 31
cheminer 31
chercher 31
chérir 92
chevaucher 31
chiffonner 67
chiffrer 31
choir 32
choisir 92
chômer 31
choquer 103
choyer 129
chuchoter 31
circoncire 194 (N)
circonscrire 54
circonvenir 159
circuler 31
cirer 31
ciseler 142
citer 31
clamer 31
claquer 103

clarifier 47
classer 154
classifier 47
cligner 97
clignoter 31
clore 33
clouer 110
coaguler 31
coaliser 31
cocher 31
coder 31
codifier 47
coexister 31
cogner 97
cohabiter 31
coiffer 31
coincer 147
coïncider 31
collaborer 31
collectionner 67
coller 31
coloniser 31
colorer 31
colorier 47
combattre 25
combiner 31
combler 31
commander 31
commémorer 31
commencer 34
commenter 31
commettre 121
communier 47
communiquer 103
comparaître 136
comparer 31
compatir 92
compenser 31
complaire (se) 148 (197)
compléter 35
complimenter 31

compliquer 103
comporter 31
composer 31
composter 31
comprendre 36
comprimer 31
compromettre 161
compter 31
compulser 31
concéder 29
concentrer 31
concerner 31
concevoir 166
concilier 47
conclure 37
concorder 31
concourir 43
condamner 31
condenser 31
condescendre 205
conduire 38
conférer 156
confesser 154
confier 47
confire 39
confirmer 31
confisquer 103
confondre 174
conforter 31
congédier 47
congeler 142
conjuguer 128
connaître 40
conquérir 4
consacrer 31
conseiller 41
consentir 186
conserver 31
considérer 156
consister 31
consoler 31

consolider 31
consommer 31
conspirer 31
constater 31
consterner 31
constituer 202
construire 60
consulter 31
consumer 31
contacter 31
contaminer 31
contempler 31
contenir 198
contenter 31
conter 31
contester 31
continuer 202
contourner 31
contracter 31
contraindre 45
contrarier 47
contraster 31
contredire 105
contrefaire 90
contrevenir 159
contribuer 202
contrôler 31
convaincre 203
convenir 159 (N)
convertir 92
convier 47
convoiter 31
convoquer 103
coopérer 156
coordonner 67
copier 47
correspondre 174
corriger 111
corrompre 181
côtoyer 129
coucher 31

coudre 42
couler 31
couper 31
courber 31
courir 43
couronner 67
coûter 31
couver 31
couvrir 44
cracher 31
craindre 45
cramponner
  (se) 118
craquer 103
créditer 31
créer 46
crépiter 31
creuser 31
crever 73
cribler 31
crier 47
crisper 31
critiquer 103
crocheter 3
croire 48
croiser 31
croître 49
croquer 103
crouler 31
croupir 92
crucifier 47
cueillir 50
cuire 51
cuisiner 31
culbuter 31
culminer 31
cultiver 31
cumuler 31
curer 31
cuver 31

D
daigner 97
dandiner (se) 118
danser 31
dater 31
déballer 31
débarbouiller 93
débarquer 103
débarrasser 154
débattre 25
débaucher 31
débiliter 31
débiter 31
déblayer 140
débloquer 103
déboîter 31
déborder 31
déboucher 31
débourser 31
déboutonner 67
débrancher 31
débrayer 140
débrouiller 93
débuter 31
décaler 31
décalquer 103
décamper 31
décanter 31
décaper 31
décéder 29 (N)
déceler 142
décentraliser 31
décerner 31
décevoir 166
déchaîner 31
décharger 111
déchiffrer 31
déchiqueter 108
déchirer 31
déchoir 52

décider 31
décimer 31
déclamer 31
déclarer 31
déclasser 154
déclencher 31
décliner 31
décoder 31
décoiffer 31
décolérer 156
décoller 31
décommander 31
déconcerter 31
déconseiller 41
décontracter (se) 118
décorer 31
découdre 42
découler 31
découper 31
décourager 111
découvrir 53
décréter 35
décrier 47
décrire 54
décroire 31
décroître 1
dédaigner 97
dédicacer 147
dédier 47
dédire (se) 105 (197)
dédommager 111
dédouaner 31
dédoubler 31
déduire 200
défaillir 55
défaire 90
défalquer 103
défavoriser 31
défendre 56
déférer 156

déferler 31
déficeler 14
défier 47
défigurer 31
défiler 31
définir 92
défoncer 11
déformer 31
défouler (se) 118
défraîchir 92
défricher 31
dégager 111
dégainer 31
dégauchir 92
dégeler 142
dégénérer 156
dégonfler 31
dégourdir 92
dégoûter 31
dégrader 31
dégringoler 31
dégriser 31
dégrossir 92
déguerpir 92
déguiser 31
déguster 31
déjeuner 31
déjouer 110
délaisser 154
délayer 140
délecter 31
déléguer 113
délibérer 156
délier 47
délimiter 31
délirer 31
délivrer 31
déloger 111
demander 31
démanger 116

démanteler 142
démaquiller 28
démarquer 103
démarrer 31
démasquer 103
démêler 31
déménager 111
démener (se) 119 (118)
démentir 120
démettre 121
demeurer 31 (N)
démissionner 67
démolir 92
démonter 57
démontrer 31
démoraliser 31
démouler 31
démunir 92
dénaturer 31
dénicher 31
dénier 47
dénigrer 31
dénombrer 31
dénoncer 11
dénouer 110
dépanner 31
départager 111
départir (se) 76
dépasser 154
dépayser 31
dépecer 58
dépêcher 31
dépeindre 141
dépendre 205
dépenser 31
dépérir 92
dépister 31
déplacer 147
déplaire 148
déplier 47

déplorer 31
déployer 129
dépolir 92
déposer 31
dépouiller 93
dépoussiérer 156
déprécier 15
déprimer 31
déraciner 31
dérailler 201
déranger 116
déraper 31
dérégler 168
dérider 31
dériver 31
dérober 31
déroger 111
dérouler 31
dérouter 31
désaccoutumer 31
désagréger 163
désaltérer 156
désamorcer 147
désapprendre 16
désapprouver 31
désarmer 31
désavantager 111
désavouer 110
descendre 59
désemparer 31
désennuyer 78
désensibiliser 31
désentraver 31
déséquilibrer 31
déserter 31
désespérer 84
déshabiller 28
déshabituer 202
désherber 31
déshériter 31

déshonorer 31
désigner 97
désinfecter 31
désintégrer 104
désintéresser 154
désintoxiquer 103
désirer 31
désister (se) 118
désobéir 131
désodoriser 31
désoler 31
désorganiser 31
désorienter 31
dessaisir 92
dessécher 184
desserrer 188
desservir 189
dessiner 31
destiner 31
destituer 202
désunir 92
détacher 31
détailler 201
détecter 31
déteindre 141
dételer 14
détendre 205
détenir 198
détériorer 31
déterminer 31
déterrer 188
détester 31
détourner 31
détraquer 103
détromper 31
détruire 60
dévaler 31
dévaliser 31
dévaluer 202
devancer 112
dévaster 31

développer 31
devenir 61
déverser 31
dévêtir 207
dévier 47
deviner 31
dévisager 111
dévisser 154
dévoiler 31
devoir 62
dévorer 31
dévouer (se) 118
dialoguer 128
dicter 31
différencier 15
différer 156
diffuser 31
digérer 156
diluer 202
diminuer 202
dîner 31
dire 63
diriger 111
discerner 31
discipliner 31
disconvenir 159
discourir 43
discréditer 31
discriminer 31
discuter 31
disjoindre 109
disparaître 136
dispenser 31
disperser 31
disposer 31
disputer 31
disséquer 64
disserter 31
dissimuler 31
dissiper 31
dissocier 15

dissoudre 65
dissuader 31
distancer 112
distendre 205
distinguer 128
distordre 123
distraire 66
distribuer 202
divaguer 128
diverger 111
diversifier 47
divertir 92
diviser 31
divorcer 147
divulguer 128
dominer 31
dompter 31
donner 67
dorloter 31
dormir 68
doter 31
doubler 31
doucher 31
douter 31
draguer 128
dresser 154
droguer 128
duper 31
durcir 92
durer 31

E
ébahir 82
ébattre (s') 25 (197)
ébaucher 8
éblouir 92
ébranler 8
écarteler 142
écarter 8
échanger 116
échapper 8

échauffer 8
échelonner 67
échoir 69
échouer 110
éclabousser 154
éclaircir 92
éclairer 8
éclater 8
éclipser 8
éclore 70
écœurer 8
éconduire 38
économiser 8
écorcher 8
écosser 154
écouler 8
écouter 8
écraser 8
écrémer 71
écrier (s') 118
écrire 72
écrouler (s') 118
édifier 86
éditer 8
éduquer 103
effacer 147
effarer 8
effaroucher 8
effectuer 202
effeuiller 93
effleurer 8
effondrer (s') 118
efforcer (s') 147 (118)
effrayer 140
égaler 8
égaliser 8
égarer 8
égayer 140
égorger 111
égoutter 8
élaborer 8

élancer (s') 112 (118)
élargir 7
électrifier 86
élever 73
éliminer 8
élire 115
éloigner 97
élucider 8
éluder 8
émanciper 8
émaner 8
emballer 8
embarquer 103
embarrasser 154
embaucher 8
embellir 92
embêter 8
emboîter 8
embourgeoiser (s') 118
emboutir 92
embrasser 154
embrouiller 93
émerger 111
émerveiller 41
émettre 121
émietter 8
émigrer 8
emmailloter 8
emmêler 8
emménager 111
emmener 119
émouvoir 74
empaqueter 108
emparer (s') 118
empêcher 8
empêtrer (s') 118
empiéter 35
empiler 8
empirer 8
emplir 92
employer 129

empocher 8
empoigner 97
empoisonner 67
emporter 31
empresser (s') 118
emprisonner 67
emprunter 8
encadrer 8
encaisser 154
encercler 8
enchaîner 8
enchanter 8
enclencher 8
enclore 75
encombrer 8
encourager 111
encourir 43
endetter 8
endoctriner 8
endommager 111
endormir (s') 76
enduire 107
endurcir 92
énerver 8
enfanter 8
enfermer 8
enfiler 8
enflammer 8
enfler 8
enfoncer 11
enfouir 92
enfreindre 141
enfuir (s') 77
engager 111
engendrer 8
engloutir 92
engouffrer 8
engourdir 92
engraisser 154
enivrer 8
enjamber 8

enjoindre 109
enjoliver 8
enlacer 147
enlever 73
ennuyer 78
énoncer 11
enorgueillir 92
enquérir (s') 4 (87)
enquêter 8
enraciner 8
enrager 111
enregistrer 8
enrhumer (s') 118
enrichir 92
enrouler 8
enseigner 97
ensemencer 34
ensevelir 92
ensorceler 14
ensuivre (s') 79
entailler 201
entamer 8
entasser 154
entendre 80
enterrer 188
entêter (s') 118
enthousiasmer 8
entonner 67
entourer 8
entraider (s') 118
entraîner 8
entraver 8
entrebâiller 201
entrecouper 8
entrelacer 147
entremêler 8
entremettre (s')
    121 (197)
entreposer 8
entreprendre 157
entrer 81

entretenir 198
entrevoir 209
entrouvrir 134
énumérer 156
envahir 82
envelopper 8
envenimer 8
envier 86
envisager 111
envoler (s') 118
envoyer 83
épancher 8
épanouir 92
épargner 97
éparpiller 28
épater 8
épeler 14
épier 86
épingler 8
éplucher 8
éponger 111
époumoner (s') 118
épouser 8
épousseter 108
épouvanter 8
éprendre (s') 205 (197)
éprouver 8
épuiser 8
équilibrer 8
équiper 8
équivaloir 204
éreinter 8
ériger 111
errer 188
escalader 8
esclaffer (s') 118
escompter 8
escorter 8
espacer 147
espérer 84
espionner 67

esquisser 154
esquiver 8
essayer 140
essorer 8
essouffler 8
essuyer 78
estimer 8
estomper 8
estropier 86
établir 92
étaler 8
étalonner 67
étayer 140
éteindre 141
étendre 205
éternuer 202
étinceler 14
étiqueter 108
étirer 8
étoffer 8
étonner 67
étouffer 8
étourdir 92
étrangler 8
être 85
étreindre 141
étrenner 67
étudier 86
évacuer 202
évader (s') 118
évaluer 202
**évanouir
    (s') 87**
évaporer
    (s') 118
éveiller
    (s') 41 (118)
éventer 8
évertuer (s') 118
éviter 8
évoluer 202

évoquer 103
exagérer 156
exalter 8
examiner 8
exaspérer 156
exaucer 147
excéder 29
exceller 8
excepter 8
exciter 8
exclamer (s') 118
exclure 37
excommunier 86
excuser 8
exécrer 88
exécuter 8
exempter 8
exercer 147
exhiber 8
exhorter 8
exiger 111
exiler 8
exister 8
exonérer 156
expédier 86
expérimenter 8
expirer 8
expliquer 103
exploiter 8
explorer 8
exploser 8
exporter 8
exposer 8
exprimer 8
expulser 8
extasier (s') 118
exténuer 202
exterminer 8
extirper 8
extraire 66
exulter 8

F
fabriquer 103
fâcher 31
faciliter 31
façonner 67
facturer 31
faiblir 6
faillir 89
faire 90
falloir 91
falsifier 47
familiariser 31
faner (se) 118
farcir 92
fasciner 31
fatiguer 128
faucher 31
faufiler 31
fausser 154
favoriser 31
feindre 141
feinter 31
fêler 31
féliciter 31
fendre 56
fermenter 31
fermer 31
fertiliser 31
festoyer 129
fêter 31
feuilleter 108
fiancer (se) 118
ficeler 14
ficher 31
fier (se) 118
figer 111
figurer 31
filer 31
filmer 31
filtrer 31
financer 112

finir 92
fixer 31
flairer 31
flamber 31
flâner 31
flanquer 103
flatter 31
fléchir 92
flétrir 92
fleurir 92
flirter 31
flotter 31
foisonner 67
fomenter 31
foncer 11
fonctionner 67
fonder 31
fondre 174
forcer 147
forer 31
forger 111
formaliser (se) 118
former 31
formuler 31
fortifier 47
foudroyer 129
fouetter 31
fouiller 93
fouler 31
fourmiller 28
fournir 92
fourrer 31
fourvoyer 129
foutre 94
fracasser 154
franchir 92
frapper 31
frayer 140
fredonner 67
freiner 31
frémir 92

fréquenter 31
frétiller 28
frictionner 67
frire 95
friser 31
frissonner 67
froisser 154
frôler 31
froncer 11
frotter 31
frustrer 31
fuir 96
fumer 31
fureter 3
fusiller 28

G

gâcher 31
gagner 97
galoper 31
gambader 31
garantir 92
garder 31
garer 31
garnir 92
gaspiller 28
gâter 31
gauchir 92
gausser (se) 118
gaver 31
gazouiller 93
geindre 141
geler 142
gémir 92
gêner 31
généraliser 31
générer 156
gercer 147
gérer 156
germer 31
gésir 98

gesticuler 31
gicler 31
gifler 31
glacer 147
glaner 31
glisser 154
glorifier 47
glousser 154
gober 31
gommer 31
gonfler 31
goûter 31
gouverner 31
gracier 15
graisser 154
grandir 92
gratifier 47
gratter 31
graver 31
gravir 92
greffer 31
grêler 31
grelotter 31
grever 73
gribouiller 93
griffer 31
griffonner 67
grignoter 31
griller 28
grimacer 147
grimper 31
grincer 147
griser 31
grogner 97
grommeler 14
gronder 31
grossir 92
grouiller 93
grouper 31
guérir 92
guerroyer 129

guetter 31
guider 31

H

habiliter 100
habiller 28 (100)
habiter 100
habituer 202 (100)
hacher 101
haïr 99
haleter 3 (101)
handicaper 101
hanter 101
harceler 142 (101)
harmoniser 100
hasarder 101
hâter 101
hausser 101
héberger 111 (100)
hébéter 35 (100)
héler 178
hennir 92 (101)
hérisser 101
hériter 100
hésiter 100
heurter 101
hisser 101
hocher 101
homologuer
    128 (100)
honorer 100
horrifier 86 (100)
huer 202 (101)
humaniser 100
humecter 100
humer 101
humidifier
    86 (100)
humilier 86 (100)
hurler 101
hypnotiser 100

I
idéaliser 8
identifier 86
ignorer 8
illuminer 8
illustrer 8
imaginer 8
imbiber 8
imiter 8
immerger 111
immigrer 8
immiscer
   (s') 147 (118)
immobiliser 8
immoler 8
immuniser 8
impatienter 8
implanter 8
impliquer 103
implorer 8
importer 8
imposer 8
imprégner 169
impressionner 67
imprimer 8
improviser 8
imputer 8
inaugurer 8
incarner 8
inciter 8
incliner 8
inclure 102
incommoder 8
incorporer 8
incriminer 8
inculper 8
indigner 97
indiquer 103
indisposer 8
induire 107
infecter 8

infester 8
infiltrer 8
infirmer 8
infliger 111
influencer 34
informer 8
ingénier (s') 118
ingérer (s') 156 (118)
inhaler 8
initier 86
injecter 8
injurier 86
innover 8
inoculer 8
inonder 8
inquiéter 35
inscrire 54
insensibiliser 8
insérer 156
insinuer 202
insister 8
inspecter 8
inspirer 8
installer 8
instaurer 8
instituer 202
instruire 60
insulter 8
insurger (s') 118
intégrer 104
intensifier 86
intenter 8
intercéder 29
intercepter 8
interdire 105
intéresser 154
interloquer 103
interpeller 106
interposer 8
interpréter 35
interroger 111

interrompre 181
intervenir 206
intimider 8
intituler 8
intoxiquer 103
intriguer 128
introduire 107
inventer 8
inverser 8
invertir 92
investir 92
inviter 8
invoquer 103
irriguer 128
irriter 8
isoler 8

J
jaillir 92
jardiner 31
jaser 31
jaunir 92
jeter 108
jeûner 31
joindre 109
jongler 31
jouer 110
jouir 92
juger 111
jumeler 14
jurer 31
justifier 47

K
kidnapper 31
klaxonner 67

L
labourer 31
lacer 147
lacérer 156

lâcher 31
laisser 154
lamenter
   (se) 118
lancer 112
langer 116
languir 92
larguer 128
larmoyer 129
lasser 154
laver 31
lécher 31
légaliser 31
légiférer 156
léguer 113
léser 114
lésiner 31
lever 73
libérer 156
licencier 15
lier 47
ligoter 31
limer 31
limiter 31
liquéfier 47
liquider 31
lire 115
livrer 31
localiser 31
loger 111
longer 150
lorgner 97
lotir 92
loucher 31
louer 110
louper 31
louvoyer 129
lubrifier 47
luire 130
lutter 31

M
mâcher 31
machiner 31
magnifier 47
maigrir 92
maintenir 198
maîtriser 31
majorer 31
malmener 119
maltraiter 31
manger 116
manier 47
manifester 31
manigancer 112
manipuler 31
manœuvrer 31
manquer 103
manufacturer 31
manutentionner 67
maquiller 28
marcher 31
marier 47
marmonner 67
marquer 103
marrer (se) 118
marteler 142
masquer 103
massacrer 31
masser 154
mastiquer 103
matérialiser 31
maudire 117
maugréer 46
mécaniser 31
méconnaître 40
mécontenter 31
médire 105
méditer 31
méfier (se) 118
mélanger 116

mêler 31
mémoriser 31
menacer 147
ménager 111
mendier 47
mener 119
mentionner 67
mentir 120
méprendre 157
mépriser 31
mériter 31
messeoir 187
mesurer 31
métamorphoser 31
mettre 121
meubler 31
meugler 31
meurtrir 92
miauler 31
mijoter 31
militer 31
mimer 31
miner 31
minimiser 31
minuter 31
miser 31
mobiliser 31
modeler 142
modérer 156
moderniser 31
modifier 47
moisir 92
moissonner 67
mollir 92
monnayer 140
monopoliser 31
monter 122
montrer 31
moquer (se) 103 (118)
morceler 14

mordiller 28
mordre 123
mortifier 47
motiver 31
moucher 31
moudre 124
mouiller 93
mouler 31
mourir 125
mouvoir 126
muer 202
mugir 7
multiplier 47
munir 92
mûrir 92
murmurer 31
museler 14
muter 31
mutiler 31
mystifier 47

N
nager 111
naître 127
nantir 92
napper 31
narguer 128
narrer 31
nationaliser 31
naviguer 128
navrer 31
nécessiter 31
négliger 111
négocier 15
neiger 111
nettoyer 129
neutraliser 31
nicher 31
nier 47
niveler 14

noircir 92
nommer 31
normaliser 31
noter 31
nouer 110
nourrir 92
noyer 129
nuire 130
numéroter 31

O
obéir 131
objecter 8
obliger 111
oblitérer 156
obscurcir 92
obséder 152
observer 8
obstiner (s') 118
obstruer 202
obtempérer 156
obtenir 132
obvier 86
occasionner 67
occuper 8
octroyer 129
offenser 8
offrir 133
oindre 109 (N)
omettre 121
onduler 8
opérer 156
opposer 8
opprimer 8
opter 8
ordonner 67
organiser 8
orienter 8
orner 8
orthographier 86

osciller 28
oser 8
ôter 8
oublier 86
ouïr 211
outrager 111
ouvrir 134
oxyder 8

P
pacifier 47
paître 135
pâlir 92
palper 31
palpiter 31
paniquer 103
panser 31
parachever 73
parachuter 31
paraître 136
paralyser 31
parcourir 43
pardonner 67
parer 31
parfaire 90
parfumer 31
parier 47
parjurer (se) 118
parler 31
parquer 103
parsemer 185
partager 111
participer 31
partir 137
parvenir 138
passer 139
passionner 67
patauger 111
patienter 31
patiner 31

pâtir 92
pauser 31
paver 31
pavoiser 31
payer 140
pécher 31
pêcher 31
pédaler 31
peigner 97
peindre 141
peiner 31
peler 142
pencher 31
pendre 205
pénétrer 143
penser 31
percer 147
percevoir 166
percher 31
percuter 31
perdre 144
perfectionner 67
perforer 31
périr 92
permettre 145
perpétrer 143
perpétuer 31
perquisitionner 67
persécuter 31
persévérer 156
persister 31
personnaliser 31
persuader 31
perturber 31
pervertir 92
peser 146
pétrifier 47
pétrir 92
peupler 31
photographier 47
picoter 31
piéger 163

piétiner 31
piller 28
piloter 31
pincer 147
piquer 103
placer 147
plaider 31
plaindre 45
plaire 148
plaisanter 31
planer 31
planifier 47
planter 31
plaquer 103
pleurer 31
pleuvoir 149
plier 47
plonger 150
ployer 129
poinçonner 67
poindre 151
pointer 31
polir 92
politiser 31
polluer 202
pomper 31
poncluer 202
pondre 174
porter 31
poser 31
positionner 67
posséder 152
poster 31
poudroyer 129
pourfendre 56
pourrir 92
poursuivre 195
pourvoir 153
pousser 154
pouvoir 155
pratiquer 103

précéder 29
prêcher 31
précipiter 31
préciser 31
préconiser 31
prédire 105
prédisposer 31
préférer 156
préjuger 111
prélasser (se) 118
prélever 73
préméditer 31
prémunir (se) 87
prendre 157
préoccuper 31
préparer 31
prescrire 54
présenter 31
préserver 31
présider 31
pressentir 186
presser 154
présumer 31
prétendre 205
prêter 31
prétexter 31
prévaloir 158
prévenir 159
prévoir 160
prier 47
priver 31
privilégier 47
procéder 29
proclamer 31
procréer 46
procurer 31
prodiguer 128
produire 200
proférer 156
profiter 31
programmer 31

progresser 154
projeter 108
proliférer 156
prolonger 150
promener 119
promettre 161
promouvoir 162
prôner 31
prononcer 11
propager 111
proposer 31
proscrire 54
prospérer 156
protéger 163
protester 31
prouver 31
provenir 206
provoquer 103
publier 47
puer 164
punir 92
purifier 47

Q

qualifier 47
quereller 106
questionner 67
quêter 31
quitter 31

R

rabattre 25
raboter 31
raccommoder 31
raccompagner 97
raccorder 31
raccourcir 92
raccrocher 31
racheter 3
racler 31
racoler 31

raconter 31
raffermir 92
raffiner 31
raffoler 31
rafler 31
rafraîchir 92
ragaillardir 92
raidir 92
railler 201
raisonner 67
rajeunir 92
rajouter 31
rajuster 31
ralentir 92
râler 31
rallier 47
rallonger 150
rallumer 31
ramasser 154
ramener 119
ramer 31
ramollir 92
ramper 31
ranger 116
ranimer 31
rapatrier 47
râper 31
rapiécer 165
rappeler 14
rapporter 31
rapprocher 31
raser 31
rassasier 47
rassembler 31
rasséréner 167
rassurer 31
rater 31
rationaliser 31
rationner 67
rattacher 31
rattraper 31

ravager 111
ravir 92
raviser (se) 118
ravitailler 201
rayer 140
réaffirmer 31
réagir 7
réaliser 31
réanimer 31
rebattre 25
rebondir 92
rebuter 31
récapituler 31
receler 142
recenser 31
recevoir 166
réchapper 31
recharger 111
réchauffer 31
rechercher 31
réciter 31
réclamer 31
recoiffer 31
récolter 31
recommander 31
recommencer 34
récompenser 31
recompter 31
réconcilier 47
reconduire 38
réconforter 31
reconnaître 40
reconquérir 4
reconstituer 202
reconstruire 60
recopier 47
recoudre 42
recourir 43
recouvrer 31
recouvrir 44
recréer 46

récrier (se) 118
recroqueviller (se)
28 (118)
recruter 31
rectifier 47
recueillir 50
reculer 31
récupérer 156
récuser 31
recycler 31
redemander 31
redescendre 59
redevenir 61
rédiger 111
redire 63
redoubler 31
redouter 31
redresser 154
réduire 200
réemployer 129
refaire 90
référer 156
refermer 31
réfléchir 92
refléter 35
réformer 31
réfréner 167
refroidir 92
réfugier (se) 118
refuser 31
réfuter 31
regagner 97
régaler 31
regarder 31
régénérer 156
régir 7
régler 168
régner 169
regretter 31
regrouper 31
régulariser 31

réhabituer 202
rehausser 154
réimprimer 31
réintégrer 104
réitérer 156
rejaillir 92
rejeter 108
rejoindre 109
réjouir 92
relâcher 31
relancer 112
relayer 140
reléguer 113
relever 73
relier 47
relire 115
reluire 130
remanier 47
remarier (se) 118
remarquer 103
rembourser 31
remédier 47
remercier 15
remettre 121
remonter 122
remontrer 31
remorquer 103
remplacer 147
remplir 92
remployer 129
remporter 31
remuer 202
rémunérer 156
renaître 170
renchérir 92
rencontrer 31
rendormir 68
rendre 171
renfermer 31
renfler 31
renforcer 147

renfrogner (se) 118
renier 47
renifler 31
renoncer 11
renouer 110
renouveler 14
rénover 31
renseigner 97
rentrer 172
renverser 31
renvoyer 83
réorganiser 31
repaître (se) 40 (197)
répandre 173
reparaître 136
réparer 31
repartir 137 (N)
répartir 92
repasser 139 (N)
repêcher 31
repeindre 141
repentir (se) 76
répercuter (se) 118
reperdre 144
repérer 156
répéter 35
replier 47
répliquer 103
répondre 174
reporter 31
reposer 31
repousser 154
reprendre 157
représenter 31
réprimer 31
reprocher 31
reproduire 200
répudier 47
répugner 97
requérir 4
réserver 31

résider 31
résigner (se) 118
résilier 47
résister 31
résonner 67
résoudre 175
respecter 31
respirer 31
resplendir 92
ressaisir 92
ressembler 31
ressemeler 14
ressentir 186
resservir 189
ressortir 191 (N)
ressusciter 31 (N)
restaurer 31
rester 176
restituer 202
restreindre 141
résulter 31
résumer 31
resurgir 7
rétablir 92
retaper 31
retarder 31
retenir 198
retirer 31
retomber 199
retourner 177
retrancher 31
retransmettre 121
rétrécir 92
retrousser 154
retrouver 31
réunir 92
réussir 92
revaloir 204
réveiller 41
révéler 178
revendiquer 103

revendre 205
revenir 179
rêver 31
révérer 156
revêtir 207
réviser 31
revivre 208
revoir 209
révolter 31
rhabiller 28
ridiculiser 31
rigoler 31
rincer 147
rire 180
risquer 103
rivaliser 31
rôder 31
rogner 97
rompre 181
ronfler 31
ronger 150
rôtir 92
rougir 7
rouler 31
rouspéter 35
rouvrir 134
rudoyer 129
ruer 202
ruiner 31
ruisseler 14

S

saccager 111
sacrifier 47
saigner 97
saillir 182
saisir 92
saler 31
salir 92
saluer 202
sanctifier 47

sangloter 31
satisfaire 90
sauter 31
sauvegarder 31
sauver 31
savoir 183
savonner 67
savourer 31
scandaliser 31
sceller 106
scier 47
scinder 31
scintiller 28
sculpter 31
sécher 184
secouer 110
secourir 43
sécréter 35
séduire 200
séjourner 31
sélectionner 67
sembler 31
semer 185
sentir 186
seoir 187
séparer 31
serrer 188
sertir 92
servir 189
sévir 92
sevrer 190
siéger 163
siffler 31
signaler 31
signer 97
signifier 47
simplifier 47
simuler 31
situer 202
skier 47
soigner 97

solliciter 31
sombrer 31
sommeiller 41
sommer 31
songer 150
sonner 67
sortir 191
soucier (se) 118
souder 31
souffler 31
souffrir 133
souhaiter 31
souiller 93
soulager 111
soûler 31
soulever 73
souligner 97
soumettre 121
soupçonner 67
soupeser 146
soupirer 31
sourire 180
souscrire 54
sous-entendre 80
sous-estimer 31
soustraire 66
soutenir 198
souvenir (se) 192
spécialiser 31
spécifier 47
standardiser 31
stationner 67
stériliser 31
stimuler 31
stupéfaire 193
stupéfier 47
subir 92
subjuguer 128
submerger 111
subsister 31
substituer 202

subtiliser 31
subvenir 159
subventionner 67
succéder 29
succomber 31
sucer 147
sucrer 31
suer 202
suffire 194
suffoquer 103
suggérer 156
suicider (se) 118
suivre 195
supplier 47
supporter 31
supposer 31
supprimer 31
surcharger 111
surenchérir 92
surestimer 31
surfaire 90
surgir 92
surmener 119
surmonter 57
surpasser 154
surprendre 157
sursauter 31
surseoir 196
surveiller 41
survenir 206
survivre 208
survoler 31
susciter 31
suspendre 205

T
tacher 31
tâcher 31
tailler 201
taire (se) 197
taper 31

taquiner 31
tarder 31
tarir 92
tartiner 31
tasser 154
tâter 31
tâtonner 67
taxer 31
teindre 141
teinter 31
téléphoner 31
téléviser 31
témoigner 97
tendre 205
tenir 198
tenter 31
terminer 31
ternir 92
terrasser 154
terrifier 47
tester 31
téter 35
tiédir 92
timbrer 31
tirer 31
tisser 154
tolérer 156
tomber 199
tondre 174
tonner 67
tordre 123
torpiller 28
tortiller 28
torturer 31
toucher 31
tourbillonner 67
tourmenter 31
tourner 31
tournoyer 129
tousser 154
tracasser 154

tracer 147
traduire 200
trafiquer 103
trahir 82
traîner 31
traire 66 (N)
traiter 31
trancher 31
transcrire 54
transférer 156
transformer 31
transmettre 121
transparaître 136
transpercer 147
transpirer 31
transplanter 31
transporter 31
transposer 31
traquer 103
traumatiser 31
travailler 201
traverser 31
trébucher 31
trembler 31
tremper 31
tressaillir 20
tricher 31
tricoter 31
trier 47
triompher 31
tripoter 31
tromper 31
troquer 103
trotter 31
troubler 31

trouer 110
trouver 31
truffer 31
truquer 103
tuer 202
tutoyer 129

U
ulcérer 156
unifier 86
unir 92
urbaniser 8
user 8
usiner 8
usurper 8
utiliser 8

V
vacciner 31
vaciller 28
vaincre 203
valoir 204
valser 31
vanter 31
vaquer 103
varier 47
végéter 35
veiller 41
vendanger 116
vendre 205
vénérer 156
venger 116
venir 206
verdir 92
verdoyer 129

vérifier 47
vernir 92
verrouiller 93
verser 31
vêtir 207
vexer 31
vibrer 31
vider 31
vieillir 92
violer 31
virer 31
viser 31
visiter 31
visser 154
vitupérer 156
vivifier 47
vivre 208
vociférer 156
voguer 128
voiler 31
voir 209
voler 31
vomir 92
voter 31
vouer 110
vouloir 210
vouvoyer 129
voyager 111
vrombir 92
vulgariser 31

Z
zézayer 140
zigzaguer 128

ENGLISH-FRENCH INDEX

The following is an index of the most common English verbs and their main translations. Note that the correct translation for the English verb depends entirely on the context in which the verb is used and the user should consult a dictionary if in any doubt.

The verbs given in full in the tables on the preceding pages are used as models for all the French verbs given in this index. The number in the index is that of the corresponding verb table.

A verb shown in blue is given as a model itself.

A second number in brackets refers to a reflexive verb model or to the model for a verb starting with an 'h' (indicating whether it is aspirated or not).

An N in brackets refers to a footnote in the model verb table.

A

abandon	**abandonner** 67, **renoncer** 11
abduct	**enlever** 73
able (be)	**pouvoir** 155
abolish	**abolir** 92, **supprimer** 31
absorb	**amortir** 92
abuse	**injurier** 86
accelerate	**accélérer** 156
accept	**accepter** 8, **admettre** 121, **adopter** 8
access	**accéder** 29
accompany	**accompagner** 97
accomplish	**accomplir** 92
accumulate	**accumuler** 8, **amonceler** 14
accuse	**accuser** 8, **incriminer** 8
achieve	**atteindre** 141, **parvenir** 138
acknowledge	**reconnaître** 40

acquire	acquérir 4
acquit	**décharger 111,** acquitter 8
act	agir 7, **procéder 29**
activate	**activer 8, déclencher 31**
adapt	**adapter 8**
add	**additionner 67,** ajouter 8
address	**adresser 154**
adjoin	toucher 31
adjourn	**ajourner 8,** renvoyer 83
adjust	**ajuster 8,** régler 168
admire	**admirer 8**
admit	**admettre 121,** avouer 110
adopt	**adopter 8**
adore	**adorer 8**
advance	avancer 23, **progresser 154**
advertise	annoncer 11
advise	conseiller 41, **recommander 31**
affect	**affecter 8**
afraid of (be)	craindre 45
age	**vieillir 92**
agree	**consentir 186**
aid	**aider 8**
aim	viser 31
alarm	**alarmer 8,** effrayer 140
alienate	**aliéner 167**
align	**aligner 97**
allocate	**allouer 110,** affecter 8, **répartir 92**
allot	**assigner 94**
allow	permettre 145
alter	**ajuster 8,** changer 116
amaze	stupéfaire 193, **stupéfier 47**
amount to	**équivaloir 204**
amuse	**amuser 8,** distraire 66, **divertir 92**
analyse	**analyser 8**
anger	fâcher 31
announce	annoncer 11
annoy	**agacer 147,** contrarier 47, **embêter 8**
answer	répondre 174
anticipate	**anticiper 8,** prévoir 160

apologize	excuser (s') 118
appal	choquer 103
appear	apparaître 136, figurer 31, paraître 136
applaud	applaudir 92
apply	appliquer 103, étaler 8
apply for	solliciter 31
appoint	affecter 8, nommer 31
appreciate	apprécier 15
approach	aborder 8, approcher 8
approve (of)	approuver 8
argue	discuter 31, disputer (se) 31 (118)
arise	survenir 206
arm	armer 8
arouse	exciter 8, provoquer 103
arrange	arranger 116, disposer 31
arrest	appréhender 8, arrêter 8
arrive	arriver 19
ask	demander 31
aspire	aspirer 8
assault	agresser 154, assaillir 20
assemble	assembler 8, monter 122
assert	affirmer 8, revendiquer 103
assess	estimer 8, évaluer 202
assign	affecter 8, assigner 97
assist	aider 8
associate	associer 15
assume	assumer 8, présumer 31
assure	assurer 8
astound	ébahir 82
attack	agresser 154, attaquer 103
attempt	tenter 31
attend	assister 8, suivre 195
attract	attirer 8
authorize	accorder 8, autoriser 8
avert	écarter 8
avoid	éviter 8
awake	éveiller (s') 41 (118), réveiller (se) 41 (118)
award	accorder 8, décerner 31
axe	supprimer 31

B

back	appuyer 17, **financer 112**
balance	**équilibrer 8**
ban	interdire 105
bang	**cogner 97**
baptize	**baptiser 31**
bar	**barrer 31, exclure 37**
bare	découvrir 53
bark	**aboyer 129**
base	**baser 31**
bath	**baigner (se) 97 (118)**
bathe	**baigner (se) 97 (118), laver 31**
be	être 85
bear	**porter 31, supporter 31**
beat	**battre 25, fouetter 31**
become	devenir 61
beg	**mendier 47, prier 47**
begin	commencer 34
believe	croire 48
belong	appartenir 13
bend	**courber 31, plier 47**
benefit	**bénéficier 15**
bet	**parier 47**
betray	trahir 82
bind	relier 47
bite	mordre 123
blame	**blâmer 31, reprocher 31**
blare	**beugler 31**
blaze	**flamber 31**
bleed	**saigner 97**
blend	fondre 174
bless	**bénir 92**
blind	**aveugler 8**
blink	**cligner 97**
block	**bloquer 103, encombrer 8**
block off	**barrer 31**
block up	**boucher 31**
blow	**souffler 31**
blow up	**gonfler 31, sauter 31**

blush	rougir 7
boil	bouillir 27
bolt	verrouiller 93
bomb	bombarder 31
book	réserver 31
boost	relancer 112
border on	côtoyer 129
bore	ennuyer 78, forer 31
born (be)	naître 127
borrow	emprunter 8
bother	ennuyer 78, gêner 31
bounce	rebondir 92
bow	saluer 202
brace	raidir 92
brake	freiner 31
brave	braver 31
break	briser 31, casser 154, rompre 181
break out	éclater 8
break up	démanteler 142, désintégrer 104, rompre 181
breathe	respirer 31
breathe in	inspirer 8
breathe out	expirer 8
bribe	corrompre 181
bridle	brider 31
brighten (up)	égayer 140, éclaircir (s') 92 (118)
bring	amener 119, apporter 8
bring about	entraîner 8, provoquer 103
bring back	ramener 119, rapporter 31
bring forward	décaler 31
bring out	sortir 191
bring round	ranimer 31
bring up	élever 73, monter 122
broadcast	diffuser 31, émettre 121
broaden	élargir 7
browse	feuilleter 108
bruise	meurtrir 92
brush	brosser 154, effleurer 8
buckle	boucler 31
build	bâtir 92, construire 60

bully	**brimer** 31, **brutaliser** 31
bump into	**rencontrer** 31, rentrer 172
burgle	**cambrioler** 31
burn	**brûler** 31
burst	**crever** 73, **éclater** 8
bury	**ensevelir** 92, **enterrer** 188
butter	**beurrer** 31
button	**boutonner** 67
buy	acheter 3
buzz	**bourdonner** 67

C

calculate	**calculer** 31
call	**appeler** 14
call back	**rappeler** 14
call off	**annuler** 8
calm (down)	**calmer (se)** 31 (118)
camp	**camper** 31
campaign	**militer** 31
can	pouvoir 155
cancel	**annuler** 8
capsize	**chavirer** 31
capture	**capter** 31, **capturer** 31
carry	**porter** 31, **transporter** 31
carry away	**entraîner** 8, **emporter** 31
carry off	**emporter** 31
carry on	continuer 202
carry out	**accomplir** 92, **exécuter** 8
carve	**découper** 31, **graver** 31
cash	**encaisser** 154, **toucher** 31
cast	jeter 108, **projeter** 108
catch	**attraper** 31, prendre 157
catch up	**rattraper** 31
cause	**causer** 31, **provoquer** 103
cease	**cesser** 154
celebrate	**célébrer** 30, **fêter** 31
certify	**certifier** 47, **constater** 31
chain	**enchaîner** 8
chair	**présider** 31

challenge	défier 47
change	changer 116
charge	charger 111, inculper 8
charm	charmer 31, séduire 200
chase	poursuivre 195
chat	bavarder 31, causer 31
cheat	tricher 31
check	contrôler 31, vérifier 47
check in	enregistrer 8
cheer	acclamer 8
cheer up	égayer 140, remonter 122
cherish	chérir 92
chew	mâcher 31, mastiquer 103
chill	glacer 147, rafraîchir 92
chisel	ciseler 142
choke	suffoquer 103
choose	choisir 92
chop (up)	hacher 101
circle	encercler 8
circulate	circuler 31
claim	prétendre 205, réclamer 31
clamp	immobiliser 8, serrer 188
clap	applaudir 92
classify	classer 154, classifier 47
clean	nettoyer 129
clear	dégager 111, éclaircir 92
clear off	décamper 31
clench	serrer 188
click	claquer 103
climb	grimper 31, monter 122
cling to	accrocher (s') 118, cramponner (se) 118
clip	couper 31, rogner 97
close	fermer 31
clothe	habiller 28 (100), vêtir 207
cloud	obscurcir 92
clutch	agripper 8
coach	entraîner 8
coincide	coïncider 31
collaborate	collaborer 31

collapse	écrouler (s') 118, effondrer (s') 118
collect	collectionner 67, ramasser 154
collide with	heurter 101
colour	colorer 31, colorier 47
comb	peigner 97
combat	combattre 25, lutter 31
combine	combiner 31, unir 92
come	venir 206
come across	tomber (sur) 199, **trouver** 31
come after	suivre 195
come back	revenir 179
come down	descendre 59
come in	entrer 81
come out	paraître 136, sortir 191
come up	monter 122
comfort	consoler 31, réconforter 31
command	commander 31
comment	commenter 31
commit	commettre 121, engager 111
communicate	communiquer 103
compare	comparer 31
compel	contraindre 45
compensate	compenser 31, dédommager 111
compete	concourir 43, rivaliser 31
complain	plaindre (se) 45 (118)
complete	achever 73, compléter 35
complicate	compliquer 103
compliment	complimenter 31
compose	composer 31
compress	comprimer 31
compromise	compromettre 161
conceal	dissimuler 31
conceive	concevoir 166
concentrate	concentrer 31
concern	concerner 31
conclude	achever 73, conclure 37
condemn	condamner 31
condense	condenser 31
condescend	condescendre 205

conduct	conduire 38, diriger 111
confess	avouer 110, confesser 154
confide	confier 47
confirm	confirmer 31
confront	affronter 8
confuse	confondre 174
congratulate	féliciter 31
connect	brancher 31, relier 47
conquer	conquérir 4
consecrate	consacrer 31
consent	consentir 186
consider	considérer 156
consist of	comporter 31, comprendre 36
console	consoler 31
conspire	conspirer 31
constitute	constituer 202
constrict	étrangler 8
construct	construire 60
consult	consulter 31
consume	consommer 31
contact	contacter 31, joindre 109
contain	contenir 198
contaminate	contaminer 31
contemplate	contempler 31
continue	continuer 202
contract	contracter 31
contradict	contredire 105
contrast	contraster 31
contribute	contribuer 202
control	contrôler 31, maîtriser 31
convert	convertir 92
convince	convaincre 203
cook	cuire 51, cuisiner 31
cool	rafraîchir 92, refroidir 92
cool down	calmer 31, refroidir 92
co-operate	coopérer 156
co-ordinate	coordonner 67
cope	débrouiller (se) 93 (118)
copy	copier 47

correct	**corriger** 111, **rectifier** 47
correspond	**correspondre** 174
corrupt	**corrompre** 181
cost	**coûter** 31
cough	**tousser** 154
count	**compter** 31
counterfeit	**contrefaire** 90
cover	couvrir 44, **revêtir** 207
cover up	**dissimuler** 31
crack	**fêler** 31, **fendre** 56
crackle	**crépiter** 31
cram	**bourrer** 31
crash (into)	**percuter** 31, rentrer 172
crawl	**ramper** 31
creak	**grincer** 147
crease	**froisser** 154
create	créer 46
credit	**créditer** 31
criticize	**critiquer** 103
crop	**tailler** 201
crop up	**surgir** 92
cross	**croiser** 31, **traverser** 31
cross out	**rayer** 140
crouch	**accroupir (s')** 87
crown	**couronner** 67
crucify	**crucifier** 47
crumble	**crouler** 31, **écrouler (s')** 118
crumple	**froisser** 154
crunch	**croquer** 103
crush	**broyer** 129, **écraser** 8
cry	crier 47, **pleurer** 31
cuddle	**cajoler** 31
curb	**brider** 31, **freiner** 31
cure	**guérir** 92
curl	**boucler** 31, **friser** 31
curse	maudire 117
cut	**couper** 31, **réduire** 200
cut down	**abréger** 163, **réduire** 200

cut out	**supprimer** 31, **tailler** 201
cut up	**découper** 31

D

damage	**abîmer** 8
dance	**danser** 31
dare	**oser** 8
darken	**assombrir** 92, **obscurcir** 92
dash	**précipiter (se)** 31 (118)
date	**dater** 31
dawdle	**traîner** 31
daze	**abrutir** 92, **étourdir** 92
dazzle	**éblouir** 92
deafen	**assourdir** 92
deal with	**traiter** 31, **occuper de (s')** 118
debate	**débattre** 25
debit	**débiter** 31
decay	**dépérir** 92, **pourrir** 92
deceive	**abuser** 8, **tromper** 31
decide	**décider** 31
declare	**déclarer** 31
decline	**décliner** 31
decorate	**décorer** 31, **orner** 8
decrease	**décroître** 1, **diminuer** 202
dedicate	**dédicacer** 147, **dédier** 47
deduce	**déduire** 200
deduct	**déduire** 200
defeat	**vaincre** 203
defend	**défendre** 56, **soutenir** 198
defer	**différer** 156
define	**définir** 92, **délimiter** 31
deflate	**dégonfler** 31
defrost	**dégeler** 142
defy	**braver** 31, **défier** 47
degrade	**avilir** 92, **dégrader** 31
delay	**retarder** 31, **tarder** 31
delete	**effacer** 147, **supprimer** 31
deliberate	**délibérer** 156

delight	ravir 92, réjouir 92
deliver	distribuer 202, livrer 31
demand	exiger 111, réclamer 31
demolish	démolir 92
demonstrate	démontrer 31
demoralize	démoraliser 31
demote	dégrader 31, rétrograder 31
denounce	dénoncer 11
deny	démentir 120, nier 47
depart	partir 137
depend	dépendre 205
deport	expulser 8
depress	déprimer 31
deprive	priver 31
derive	dériver 31
describe	décrire 54
desert	abandonner 67, délaisser 154
deserve	mériter 31
design	concevoir 166, dessiner 31
designate	désigner 97
desire	désirer 31
despair	désespérer 84
despise	dédaigner 97, mépriser 31
destroy	anéantir 92, détruire 60
detach	détacher 31
detail	détailler 201
detain	retenir 198
detect	détecter 31
determine	déterminer 31
detest	détester 31
devastate	dévaster 31
develop	développer 31
devise	imaginer 8
devote	dévouer 118, consacrer 31
dial	composer 31
dictate	dicter 31
die	décéder 29 (N), mourir 125
die out	disparaître 136
differ	différer 156

dig	creuser 31
digest	digérer 156
digress	dévier 47
dilute	diluer 202
dim	atténuer 202, baisser 154
diminish	amoindrir 92
dine	dîner 31
dip	tremper 31
direct	diriger 111, orienter 8
dirty	salir 92, souiller 93
disable	handicaper 101
disallow	rejeter 108
disappear	disparaître 136
disappoint	décevoir 166
disapprove of	désapprouver 31
discern	discerner 31
discharge	libérer 156
disclose	divulguer 128
disconnect	déboîter 31, débrancher 31
discourage	décourager 111
discover	découvrir 53
discuss	débattre 25, discuter 31
disfigure	défigurer 31
disgrace	déshonorer 31
disguise	déguiser 31
disgust	dégoûter 31, écœurer 8
disinfect	désinfecter 31
disintegrate	désintégrer 104
dislocate	déboîter 31
dismay	consterner 31
dismiss	congédier 47, licencier 15, renvoyer 83
disobey	désobéir 131
disorientate	désorienter 31
disown	désavouer 110, renier 47
dispatch	dépêcher 31, expédier 86
dispel	dissiper 31
dispense	administrer 8, dispenser 31
display	afficher 8, exposer 8
displease	déplaire 148, mécontenter 31

dispose of	**débarrasser de (se)** 154 (118)
dispute	**contester** 31
disqualify	**éliminer** 8
disrupt	**perturber** 31
dissolve	dissoudre 65
dissuade	**dissuader** 31
distinguish	**distinguer** 128
distort	**déformer (se)** 31 (118)
distract	distraire 66
distress	**affliger** 111, **bouleverser** 31
distribute	**distribuer** 202
disturb	**déranger** 116, **troubler** 31
dive	plonger 150
diversify	**diversifier** 47
divert	**détourner** 31, **dévier** 47
divide	**diviser** 31, **partager** 111
divorce	**divorcer** 147
divulge	**divulguer** 128
do	faire 90
dominate	**dominer** 31
double	**doubler** 31
doubt	**douter** 31
downgrade	**déclasser** 154, **rétrograder** 31
download	**télécharger** 111
doze	**sommeiller** 41
doze off	**assoupir (s')** 87
draft	**ébaucher** 8, **rédiger** 111
drag	**traîner** 31
drain	**égoutter** 8
draw	**dessiner** 31, **tirer** 31
draw up	**dresser** 154, **rédiger** 111
dread	**redouter** 31
dream	**rêver** 31
dress	**habiller** 28 (100), **vêtir** 207
dress up	**déguiser** 31
drift	**dériver** 31
drill	**forer** 31, **percer** 147
drink	boire 26
drive	conduire 38, pousser 154

drop	**laisser tomber** 154
drop off	**déposer** 31, endormir (s') 76
drop out	**abandonner** 67
drown	**noyer** 129
drug	**droguer** 128
dry	**sécher** 184
dry up	**dessécher** 184, tarir 92
dull	**amortir** 92, engourdir 92
dump	**décharger** 111, déverser 31
dupe	**duper** 31
dust	**dépoussiérer** 156
dye	**teindre** 141

E

earn	**gagner** 97
ease	**adoucir** 92, soulager 111
eat	**manger** 116
economize	**économiser** 8
edify	**édifier** 86
edit	**éditer** 8
educate	**éduquer** 103, instruire 60
eject	**éjecter** 100, expulser 8
elect	**élire** 115
eliminate	**éliminer** 8
elude	**échapper** 8
emanate	**émaner** 8
emancipate	**émanciper** 8
embarrass	**embarrasser** 154, gêner 31
embrace	**étreindre** 141
emerge	**émerger** 111
emigrate	**émigrer** 8
emit	**dégager** 111, émettre 121
emphasize	**souligner** 97
employ	**employer** 129
empty	**vider** 31
enable	**habiliter** 100
enclose	**enclore** 75, joindre 109
encounter	**rencontrer** 31
encourage	**encourager** 111

end	finir 92, terminer 31
endeavour	évertuer (s') 118
engage	engager 111
engrave	graver 31
enhance	enrichir 92
enjoy	jouir 92, savourer 31
enlarge	agrandir 7
enlighten	éclairer 8
enlist	engager 111
enough (be)	suffire 194
ensue	ensuivre (s') 79
ensure	assurer 8
entail	entraîner 8
enter	entrer 81
entertain	distraire 66, divertir 92
envy	envier 86
equal	égaler 8
equalize	égaliser 8
equip	équiper 8
equivalent (be)	équivaloir 204, valoir 204
erase	effacer 147
erect	ériger 111
erupt	éclater 17
escape	échapper (s') 8 (118), évader (s') 118
escort	escorter 8
establish	établir 92
estimate	estimer 8, évaluer 202
evade	éluder 8, esquiver 8
evaporate	évaporer (s') 118
even out	niveler 14
evict	déloger 111, expulser 8
evoke	évoquer 103
evolve	évoluer 202
exaggerate	exagérer 156
examine	examiner 8
exasperate	exaspérer 156
exceed	dépasser 154, excéder 29
excel	exceller 8
exchange	échanger 116

excite	**agiter** 8, **exciter** 8
exclaim	**exclamer (s')** 118
exclude	**exclure** 37
excuse	**excuser** 8
execute	**exécuter** 8
exercise	**exercer (s')** 147 (118)
exhaust	**épuiser** 8
exhibit	**exposer** 8
exhilarate	**exalter** 8
exist	**exister** 8
expand	**élargir** 7
expect	**prévoir** 160, **attendre (s')** 22 (118)
expel	**expulser** 8
experience	**connaître** 40, **ressentir** 186
explain	**expliquer** 103
explode	**exploser** 8
exploit	**exploiter** 8
explore	**explorer** 8
export	**exporter** 8
expose	**exposer** 8
express	**exprimer** 8
extend	**agrandir** 92, **étendre** 205, **prolonger** 150
extinguish	**éteindre** 141
extract	**extraire** 66

F

face	**affronter** 8
fade	**faner (se)** 118, **ternir** 92
fail	**échouer** 110, **manquer** 103, **rater** 31
faint	**évanouir (s')** 87
fake	**truquer** 103
fall	**tomber** 199
fall asleep	**endormir (s')** 76
fall through	**échouer** 110
fan	**éventer** 8
farm	**cultiver** 31, **exploiter** 8
fascinate	**fasciner** 31
fast	**jeûner** 31
fasten	**attacher** 8

favour	**favoriser** 31
fear	**craindre** 45
feed	**alimenter** 8, **nourrir** 92
feel	**éprouver** 8, **sentir** 186
feign	**feindre** 141, **simuler** 31
fiddle	**tripoter** 31, **trafiquer** 103, **truquer** 103
fight	**combattre** 25, **disputer** 31, **lutter** 31
figure	**figurer** 31
file	**classer** 154, **limer** 31
fill	**charger** 111, **remplir** 92
fill in	**boucher** 31, **combler** 31, **remplir** 92
fill out	**remplir** 92
film	**filmer** 31
finalize	conclure 37
finance	financer 112
find	**trouver** 31
finish	**finir** 92, **terminer** 31
fire	**tirer** 31, **virer** 31
fish	**pêcher** 31
fit	**ajuster** 8
fit in	rentrer 172
fix	**fixer** 31, **réparer** 31
flash	**clignoter** 31
flatten	**aplatir** 92
flatter	**flatter** 31
flavour	**parfumer** 31
flicker	**trembler** 31, **vaciller** 28
float	**flotter** 31
flood	**inonder** 8
flourish	**fleurir** 92
flow	**couler** 31
flower	**fleurir** 92
flutter	**battre** 25, **palpiter** 31
fly	**voler** 31
fly away	**envoler** (s') 118
focus	**concentrer** 31
fold	**plier** 47
follow	suivre 195

fool	duper 31, tromper 31
forbid	défendre 56, interdire 105
force	contraindre 45, forcer 147, obliger 111
forecast	anticiper 8, prévoir 160
forge	contrefaire 90, forger 111
forget	oublier 86
forgive	pardonner 67
form	constituer 202, former 31
found	fonder 31
frame	cadrer 31, encadrer 8
free	libérer 156
freeze	geler 142
frequent	fréquenter 31
freshen	rafraîchir 92
frighten	effrayer 140
frustrate	frustrer 31
fry	frire 95
fulfil	réaliser 31
function	fonctionner 67
furnish	meubler 31
fuss	agiter (s') 7 (118)

G

gain	gagner 97
gamble	jouer 110
gasp	haleter 3 (101)
gather	ramasser 154, rassembler (se) 31 (118)
gaze at	contempler 31
generate	générer 156
get	avoir 24, obtenir 132, procurer 31, prendre 157, recevoir 166
get back	récupérer 156, retourner 177
get out	sortir 191
get together	réunir (se) 92 (118)
give	donner 67, offrir 133
give back	rendre 171
give out	émettre 121
give up	abandonner 67, renoncer 11

give way	**céder** 29
glide	**glisser** 154
glisten	**luire** 130
gloat	**exulter** 8
glow	**luire** 130
gnaw	**ronger** 150
go	**aller** 9, **partir** 137
go away	**aller (s'en)** 10, **partir** 137
go by	**passer** 139
go down	**descendre** 59
go in	**entrer** 81
go on	**continuer** 202
go out	**sortir** 191
go round	**contourner** 31, **tourner** 31
go through	**franchir** 92, **passer** 139
go up	**monter** 122
govern	**gouverner** 31
grab	**saisir** 92
grant	**accorder** 8, **allouer** 110
grasp	**saisir** 92
grate	**râper** 31
gratify	**gratifier** 47
graze	**écorcher** 8
grease	**graisser** 154
greet	**accueillir** 2, **saluer** 202
grieve	**chagriner** 31
grill	**griller** 28
grind	**moudre** 124
grip	**étreindre** 141, **serrer** 188
groan	**gémir** 92
grope	**tâtonner** 67
group	**grouper** 31
grow	**grandir** 92, **pousser** 154
grow up	**grandir** 92
growl	**grogner** 97, **gronder** 31
grumble	**grogner** 97, **rouspéter** 35
guarantee	**garantir** 92
guess	**deviner** 31
guide	**guider** 31

H

hammer	**marteler** 142
hamper	**gêner** 31
hand	**passer** 139, **remettre** 121
hand back	**rendre** 171
handicap	**handicaper** 101
handle	**manipuler** 31
hang	**pendre** 205, **suspendre** 205
hang around	**traîner** 31
hang down	**pendre** 205
hang up	**accrocher** 8, **raccrocher** 8
happen	**arriver** 19, **passer (se)** 139 (118)
harass	**harceler** 142 (101)
harden	**durcir** 92, **endurcir** 92
harm	**nuire** 130
hate	**détester** 31, **haïr** 99
haunt	**hanter** 101
have	**avoir** 24, **posséder** 152
have to do	**devoir** 62, **falloir** 91
heal	**guérir** 92
hear	**entendre** 80
heat (up)	**chauffer** 31
heighten	**augmenter** 8, **renforcer** 147
help	**aider** 8
hesitate	**hésiter** 100
hide	**cacher** 31
highlight	**ressortir** 191 (N), **souligner** 97
hijack	**détourner** 31
hinder	**entraver** 8
hire (out)	**louer** 110
hit	**frapper** 31, **heurter** 101, **taper** 31
hold	**tenir** 198
hold back	**retenir** 198
hold on	**accrocher (s')** 8 (118), **garder** 31, **tenir** 198
hold out	**durer** 31, **tendre** 205
hold up	**lever** 73, **retarder** 31, **soutenir** 198
honour	**honorer** 100
hope	**espérer** 84
hound	**traquer** 103

howl	hurler 101
hug	**embrasser 154**
hum	**bourdonner 67, fredonner 67**
hunt	**chasser 154**
hurry (up)	**presser (se) 154 (118)**
hurt	**blesser 154, vexer 31**

I

identify	identifier 86
ignore	**ignorer 8**
illuminate	**illuminer 8**
illustrate	**illustrer 8**
imagine	**imaginer 8**
imitate	**imiter 8**
immerse	**immerger 111**
immigrate	**immigrer 8**
impersonate	**imiter 8**
implicate	**impliquer 103**
imply	**impliquer 103**
import	**importer 8**
impose	**imposer 8**
impress	**impressionner 67**
imprison	**emprisonner 67**
improve	**améliorer 8**
improvise	**improviser 8**
incline	**disposer 31, incliner (s') 8**
include	**comprendre 36, inclure 102**
increase	**accroître 1, augmenter 8**
incur	**encourir 43**
indicate	**indiquer 103**
induce	**induire 107**
infect	**infecter 8**
infer	**inférer 156**
infiltrate	**infiltrer 8**
inflate	**gonfler 31**
inflict	**infliger 111**
influence	**influencer 34**
inform	**aviser 8, informer 8, renseigner 97**
inhabit	**peupler 31**

inhale	aspirer 8, inhaler 8
inherit	hériter 100
inject	injecter 8
injure	blesser 154
inquire	enquérir (s') 4 (87), renseigner (se) 97 (118)
insert	insérer 156
insist	insister 8
inspect	examiner 8, inspecter 8
inspire	inspirer 8
install	installer 8
insult	injurier 86, insulter 8
integrate	intégrer 104
interest	intéresser 154
interfere	immiscer (s') 147 (118), mêler (se) 31 (118)
interpret	interpréter 35
interrupt	interrompre 181
intimidate	intimider 8
intrigue	intriguer 128
introduce	introduire 107, présenter 31
intrude	déranger 116
invade	envahir 82
invent	inventer 8
invert	inverser 8, renverser 8
invest	investir 92
investigate	enquêter 8
invigorate	vivifier 47
invite	inviter 8
invoice	facturer 31
involve	impliquer 103
iron	repasser 139 (N)
irritate	irriter 8
isolate	isoler 8
issue	émettre 121
itch	démanger 116

J

jam	bloquer 103, coincer 147
join	joindre 109, rejoindre 109, unir 92
joke	plaisanter 31, rigoler 31

judge	**juger** 111
jump	**sauter** 31
jump over	**franchir** 92
justify	**justifier** 47

K

keep	**conserver** 31, **garder** 31, **maintenir** 198
keep up	**soutenir** 198
kill	**tuer** 202
kiss	**embrasser** 154
kneel (down)	**agenouiller (s')** 93 (118)
knit	**tricoter** 31
knock	**frapper** 31
knock down	**abattre** 25
knock over	**culbuter** 31, **renverser** 31
knot	**nouer** 110
know	**connaître** 40, **savoir** 183

L

lace (up)	**lacer** 147
land	**atterrir** 92, **retomber** 199
last	**durer** 31
laugh	**rigoler** 31, **rire** 180
launch	**lancer** 112
lay	**mettre** 121, **pondre** 174, **poser** 31
lay down	**poser** 31
lay off	**débaucher** 31
lead	**conduire** 38, **diriger** 111, **mener** 119
leak	**couler** 31
lean	**adosser** 154, **appuyer** 17
lean over	**pencher** 31
leap	**bondir** 92, **sauter** 31
learn	**apprendre** 16
leave	**laisser** 154, **partir** 137, **quitter** 31
leave out	**omettre** 121
lend	**prêter** 31
lengthen	**allonger** 150, **rallonger** 150
lessen	**affaiblir** 6
let	**laisser** 154

let down	décevoir 166, dégonfler 31, rallonger 150
let go of	lâcher 31
let in	admettre 121
let out	élargir 7, lâcher 31
let up	relâcher 31
level	aplanir 92, niveler 14
libel	calomnier 47
liberate	libérer 156
lick	lécher 31
lie	allonger (s') 150 (118), coucher (se) 31 (118), mentir 120
lie down	allonger (s') 150 (118), coucher (se) 31 (118)
lift	lever 73, soulever 73
lift up	soulever 73
light	allumer 8, éclairer 8
light up	illuminer 8
lighten	alléger 163, éclaircir 92
like	aimer 8, apprécier 15
limit	limiter 31
limp	boiter 31
line	border 31, garnir 92
link	lier 47, relier 47
listen	écouter 8
live	habiter 100, vivre 208
liven up	animer 8, égayer 140
load	charger 111
loan	prêter 31
locate	repérer 156, situer 202
lock	verrouiller 93
look	regarder 31
look after	garder 31, occuper de (s') 8 (118)
look for	chercher 31, rechercher 31
loosen	desserrer 188, relâcher 31
lose	perdre 144
love	aimer 8
lower	baisser 154, descendre 59

M

| machine | usiner 8 |
| mail | envoyer 83 |

maintain	conserver 31, entretenir 198, maintenir 198
make	fabriquer 103, faire 90
make out	distinguer 128
make up	constituer 202, inventer 8, maquiller 28, préparer 31
make up for	compenser 31
manage	administrer 8, débrouiller (se) 93 (118), diriger 111, gérer 156
manufacture	fabriquer 103, manufacturer 31
march	défiler 31, marcher 31
mark	corriger 111, marquer 103
mark down	démarquer 103
marry	épouser 8, marier 47
mask	masquer 103
master	dominer 31, maîtriser 31
match	apparier 86, assortir 92
materialize	matérialiser 31
matter	compter 31, importer 8
mature	mûrir 92
mean	signifier 47
measure	mesurer 31
meet	rejoindre 109, rencontrer 31, retrouver 31
melt	fondre 174
mend	raccommoder 31, réparer 31
mention	mentionner 67
merge	joindre 109, rejoindre (se) 109 (118)
mess up	déranger 116
mind	garder 31
mislay	égarer 8
mislead	tromper 31
misrepresent	déformer 31
miss	manquer 103, rater 31
mistaken (be)	méprendre (se) 157 (118), tromper (se) 31 (118)
mistreat	malmener 119
mix	mélanger 116, mêler 31
mix up	confondre 174
moan	gémir 92, râler 31
modernize	moderniser 31

modify	**modifier** 47
moisten	**humecter** 100
monitor	**contrôler** 31
monopolize	**monopoliser** 31
mop up	**éponger** 111
motivate	**motiver** 31
mould	**façonner** 67, **mouler** 31
mount	**monter** 122
mourn	**pleurer** 31
move	**bouger** 111, **déménager** 111, **déplacer** 147, **émouvoir** 74
move apart	**écarter** 8
move aside	**écarter** 8
move away	**éloigner** 97
move back	**reculer** 31
move forward	**avancer** 23
move in	**emménager** 111
move off	**démarrer** 31, **partir** 137
move up	**remonter** 122
multiply	**multiplier** 47
mumble	**marmonner** 67
murder	**assassiner** 8, **tuer** 202
murmur	**murmurer** 31

N

nail	**clouer** 110
name	**nommer** 31
narrate	**narrer** 31
neglect	**délaisser** 154, **négliger** 111
negotiate	**négocier** 15, **traiter** 31
nibble	**grignoter** 31
nip	**pincer** 147
nod	**hocher** 101
note	**constater** 31, **noter** 31
note down	**noter** 31
notice	**remarquer** 103
nourish	**nourrir** 92
numb	**engourdir** 92
number	**numéroter** 31

O

obey	**obéir** 131
oblige	**obliger** 111
obscure	**obscurcir** 92
observe	**observer** 8, **remarquer** 103
obsess	**obséder** 152
obstruct	**empêcher** 8, **obstruer** 202
obtain	**obtenir** 132
occupy	**occuper** 8
occur	**arriver** 19, **passer (se)** 139 (118)
offend	**offenser** 8
offer	**offrir** 133, **proposer** 31
omit	**omettre** 121
open	**ouvrir** 134
operate	**actionner** 67, **opérer** 156
oppress	**opprimer** 8
opt	**opter** 8
order	**commander** 31
organize	**organiser** 8
orientate	**orienter** 8
oscillate	**osciller** 28
outdo	**surpasser** 154
outline	**dessiner** 31, **esquisser** 154
outlive	**survivre** 208
outrage	**indigner** 97, **scandaliser** 31
overcome	**surmonter** 57, **vaincre** 203
overflow	**déborder** 31
overheat	**surchauffer** 8
overload	**surcharger** 111
overpower	**maîtriser** 31
overtake	**dépasser** 154, **doubler** 31
overthrow	**renverser** 31
overwhelm	**accabler** 8
overwork	**surmener** 119
owe	**devoir** 62
own	**posséder** 152
own up to	**avouer** 110

P

pace	arpenter 8
pack	bourrer 31, remplir 92
pad	bourrer 31
pad out	étoffer 8
paint	peindre 141
pamper	choyer 129, dorloter 31
panic	paniquer 103
pant	haleter 3 (101), souffler 31
paralyse	paralyser 31
pardon	pardonner 67
park	garer 31, stationner 67
participate	participer 31
pass	passer 139, réussir 92
pass on	communiquer 103, transmettre 121
pat	taper 31
pave	paver 31
pay	payer 140, régler 168
pay back	rembourser 31, rendre 171
pay for	payer 140
pay off	amortir 92, désintéresser 154
peak	culminer 31
peel	éplucher 8, peler 142
penetrate	pénétrer 143
perch	percher 31
perfect	parfaire 90, perfectionner 67
perforate	perforer 31
perform	interpréter 35
perish	périr 92
permit	autoriser 8, permettre 145
perpetrate	perpétrer 143
persecute	persécuter 31
persevere	persévérer 156
persist	persister 31
perspire	transpirer 31
persuade	persuader 31
pester	harceler 142 (101)
phone	téléphoner 31

photograph	**photographier** 47
pick	**choisir** 92, **cueillir** 50
pick out	**distinguer** 128, **relever** 73
pick up	**prendre** 157, **ramasser** 154, **relever** 73
pierce	**percer** 147
pile up	**amonceler** 14, **entasser** 154
pilot	**piloter** 31
pin	**épingler** 8
pinch	**pincer** 147
pity	**plaindre** 45
place	**placer** 147
plan	**planifier** 47, **prévoir** 160, **programmer** 31
plant	**planter** 31
play	**jouer** 110
plead	**plaider** 31, **supplier** 47
please	**plaire** 148
plug in	**brancher** 31
pocket	**empocher** 8
point	**braquer** 103, **diriger** 111
point out	**indiquer** 103, **montrer** 31, **signaler** 31
point to	**désigner** 97
poison	**empoisonner** 67, **intoxiquer** 103
polish	**polir** 92
pollute	**polluer** 202
pool	**grouper** 31
populate	**peupler** 31
position	**positionner** 67
possess	**posséder** 152
post	**poster** 31
postpone	**remettre** 121, **reporter** 31
pour	**verser** 31
practise	**entraîner** 8, **exercer** 147
praise	**louer** 110
pray	**prier** 47
preach	**prêcher** 31
precede	**précéder** 29
predict	**prédire** 105
prefer	**préférer** 156

prepare	préparer 31
prescribe	prescrire 54
present	animer 8, présenter 31
preserve	conserver 31, préserver 31
press	appuyer 17, presser 154
presume	présumer 31
pretend	feindre 141
prevent	empêcher 8, interdire 105
prick	piquer 103
print	imprimer 8
privilege	privilégier 47
proceed	procéder 29
process	traiter 31
proclaim	proclamer 31
produce	produire 200
program(me)	programmer 31
progress	avancer 23, progresser 154
prohibit	défendre 56
project	projeter 108, saillir 182
prolong	prolonger 150
promise	promettre 161
promote	favoriser 31, promouvoir 162
pronounce	prononcer 11
propose	proposer 31
protect	protéger 163
protest	protester 31
prove	prouver 31
provide	fournir 92, pourvoir 153
provoke	provoquer 103
publish	publier 47
puff	souffler 31
pull	tirer 31, traîner 31
pull down	abaisser 154, abattre 25
pull out	arracher 8
pull up	remonter 122
pump	pomper 31
punish	punir 92
purchase	acheter 3
purify	assainir 92, purifier 47

pursue	**poursuivre** 195
push	**pousser** 154
push back	**repousser** 154
push in	**enfoncer** 11
put	**mettre** 121, **placer** 147
put away	**ranger** 116
put back	**remettre** 121
put down	**déposer** 31, **poser** 31
put forward	**avancer** 23
put in	**installer** 8
put off	**ajourner** 8, **dégoûter** 31, **repousser** 154
put on	**mettre** 121
put out	**éteindre** 141
put up	**afficher** 8, **loger** 111, **monter** 122

Q

qualify	**qualifier** 47
quarrel	**quereller** 106, **disputer (se)** 31 (118)
question	**interroger** 111, **questionner** 67

R

rage	**sévir** 92
rain	**pleuvoir** 149
raise	**élever** 73, **lever** 73, **soulever** 73
rally	**rallier** 47
rank	**ranger** 116
rape	**violer** 31
ration	**rationner** 67
rationalize	**rationaliser** 31
reach	**arriver** 19, **atteindre** 141
react	**réagir** 7
read	**lire** 115
realize	**réaliser** 31
reappear	**reparaître** 136
rear	**élever** 73
reason	**raisonner** 67
reassure	**rassurer** 31
rebuild	**reconstruire** 60
recall	**rappeler (se)** 14 (118), **évoquer** 103

receive	recevoir 166
recharge	recharger 111
recite	réciter 31
reclaim	récupérer 156
recognize	reconnaître 40
recommend	recommander 31
reconcile	concilier 47, réconcilier 47
reconstruct	reconstruire 60
record	enregistrer 8
recover	guérir 92, récupérer 156
recruit	recruter 31
recycle	recycler 31
redo	refaire 90
reduce	réduire 200
refer	renvoyer 83, soumettre 121
refill	recharger 111, remplir 92
refine	raffiner 31
reflect	réfléchir 92, refléter 35
reform	réformer 31
refund	rembourser 31
refuse	refuser 31
regenerate	régénérer 156
register	enregistrer 8
regret	regretter 31
regulate	régler 168
rehearse	répéter 35
reign	régner 169
reinforce	renforcer 147
reject	refuser 31, rejeter 108
rejoice	exulter 8
relax	décontracter (se) 118, détendre (se) 208 (118)
release	libérer 156, relâcher 31
relieve	soulager 111
reload	recharger 111
rely on	compter 31, fier (se) 118
remain	rester 176
remark	remarquer 103
remarry	remarier (se) 118
remedy	remédier 47

remember	**rappeler 14**, souvenir (se) 192
remove	**enlever 73**, ôter 8
renew	**renouveler 14**
rent (out)	**louer 110**
reopen	**rouvrir 134**
reorganize	**réorganiser 31**
repair	**réparer 31**
repay	**rembourser 31**
repeat	**répéter 35**
repel	**repousser 154**, répugner 97
replace	**remplacer 147**
reply	répondre 174
report	**déclarer 31**, signaler 31
represent	**représenter 31**
repress	**réprimer 31**
reproach	**reprocher 31**
reproduce	**reproduire 200**
request	**demander 31**, solliciter 31
require	**exiger 111**, requérir 4
rescue	**sauver 31**
resell	**revendre 205**
resemble	**ressembler 31**
reserve	**réserver 31**
reside	**demeurer 31 (N)**, résider 31
resign	**démissionner 67**
resist	**résister 31**
resit	**repasser 139 (N)**
resolve	résoudre 175
respect	**respecter 31**
respond	répondre 174
rest	**reposer 31**
restore	**restaurer 31**, restituer 202
restrain	**retenir 198**
restrict	**restreindre 141**
result	**résulter 31**
result in	**aboutir 92**
resume	**reprendre 157**
retain	**conserver 31**, retenir 198

retrain	recycler 31
retreat	reculer 31
retrieve	récupérer 156
return	rendre 171, rentrer 172, retourner 177
reveal	découvrir 53, révéler 178
reverse	renverser 31, retourner 177
review	réviser 31
revise	réviser 31, revoir 209
revive	ranimer 31, renaître 170
reward	récompenser 31
ride	monter 122
ridicule	ridiculiser 31
ring	appeler 14, encercler 8, sonner 67
rinse	rincer 147
rip	déchirer 31
ripen	mûrir 92
rise	monter 122
risk	risquer 103
roast	rôtir 92
rob	dévaliser 31, voler 31
rock	bercer 147, osciller 28
roll	rouler 31
roll up	enrouler 8
rot	pourrir 92
rotate	tourner 31
rouse	soulever 73
row	ramer 31
rub	frictionner 67, frotter 31
rub out	effacer 147
ruin	abîmer 8, détruire 60, ruiner 31
rule	gouverner 31, régner 169
rule out	éliminer 8, exclure 37
run	couler 31, courir 43, diriger 111
run away	enfuir (s') 77, fuir 96
run over	écraser 8
rush	précipiter (se) 31 (118)
rustle	frémir 92

S

sack	renvoyer 83
sail	naviguer 128, voguer 128
salute	saluer 202
salvage	récupérer 156, sauver 31
satisfy	satisfaire 90
save	économiser 8, épargner 97
saw	scier 47
say	dire 63
scald	brûler 31
scale	escalader 8
scan	examiner 8
scare	effrayer 140
scatter	éparpiller 28, parsemer 185
scent	parfumer 31
schedule	programmer 31
scold	gronder 31
score	marquer 103
scorn	dédaigner 97
scowl	renfrogner (se) 118
scrape	racler 31
scratch	gratter 31, griffer 31
scream	crier 47, hurler 101
screw	visser 154
scribble	gribouiller 93, griffonner 67
scrub	brosser 154, frotter 31
seal	fermer 31, sceller 106
seal off	boucler 31, verrouiller 93
search	fouiller 93
search for	chercher 31, rechercher 31
season	assaisonner 67
seat	placer 147
secure	assurer 8, garantir 92
seduce	séduire 200
see	voir 209
seek	rechercher 31
seem	paraître 136, sembler 31
seize	emparer (s') 118
select	sélectionner 67

sell	vendre 205
send	envoyer 83
sense	**pressentir** 186, sentir 186
separate	**séparer** 31
serve	**servir** 189
set	**fixer** 31, mettre 121, **poser** 31
set off	**partir** 137
set up	**établir** 92
settle	**fixer** 31, installer (s') 8 (118), **régler** 168
sew	coudre 42
shake	**agiter** 7, secouer 110, **trembler** 31
shape	**façonner** 67, modeler 142
share	**partager** 111, répartir 92
sharpen	**aiguiser** 8, tailler 201
shatter	**éclater** 8
shave	**raser** 31
shelter	**abriter** 8
shift	**bouger** 111, déplacer 147
shine	briller 28, luire 130
shiver	**frissonner** 67
shock	**choquer** 103
shoot	**tirer** 31
shorten	**raccourcir** 92, réduire 200
shout	crier 47
show	**montrer** 31
shrink	**rétrécir** 92
shut	**fermer** 31
sigh	**soupirer** 31
signpost	**signaler** 31
silence	taire 197
simmer	**mijoter** 31
simplify	**simplifier** 47
simulate	**simuler** 31
sin	**pécher** 31
sing	chanter 31
sink	**couler** 31, sombrer 31
sit	asseoir (s') 21
situate	**situer** 202
sketch	**croquer** 103, esquisser 154

skid	**déraper** 31
skim	**écrémer** 71, **effleurer** 8
skip	**sauter** 31
skirt	**border** 31
slacken	**détendre** 205
slam	**claquer** 103
slap	**gifler** 31
slaughter	**abattre** 25
sleep	**dormir** 68
slide	**glisser** 154
slip	**glisser** 154
slit	**trancher** 31
slow down	**ralentir** 92
slump	**dégringoler** 31
smash	**fracasser** 154
smear	**barbouiller** 93
smell	**flairer** 31, sentir 186
smile	**sourire** 180
smoke	**fumer** 31
smooth	**unir** 92
smoulder	**couver** 31
snap	**craquer** 103
sneeze	**éternuer** 202
sniff	**renifler** 31
snore	**ronfler** 31
snow	**neiger** 111
soak	**tremper** 31
soap	**savonner** 67
sob	**sangloter** 31
soften	**adoucir** 92, **amollir** 92
solve	**résoudre** 175
soothe	**acalmer** 31, **soulager** 111
sort	**classer** 154, **trier** 47
sow	**semer** 185
space out	**échelonner** 67, **espacer** 147
spare	**épargner** 97
speak	**parler** 31
specialize	**spécialiser** 31
specify	**préciser** 31, **spécifier** 47

speed up	accélérer 156, précipiter 31
spell	épeler 14, orthographier 86
spend	dépenser 31, passer 139
spill	renverser 31
spin	tourner 31, tournoyer 129
spit	cracher 31
splash	éclabousser 154
split up	partager 111, séparer 31
splutter	bredouiller 93
spoil	abîmer 8, gâcher 31, gâter 31
sponge	éponger 111
spray	arroser 8, vaporiser 31
spread	étaler 8, répandre 173, répartir 92
sprinkle	arroser 8
spy on	espionner 67
squabble	disputer (se) 31 (118), quereller (se) 106 (118)
squash	écraser 8
squat (down)	accroupir (s') 87
squeeze	presser 154
stack	empiler 8
stagger	chanceler 14
stain	tacher 31
stammer	bégayer 140
stamp on	écraser 8
stand	mettre 121, supporter 31
stand out	ressortir 191 (N)
standardize	standardiser 31
stare at	dévisager 111
start	commencer 34, débuter 31, démarrer 31
starve	affamer 8
state	déclarer 31
stay	rester 176
steal	voler 31
steer	diriger 111
step	marcher 31
stick	adhérer 156, coller 31
stick out	dépasser 154
stiffen	raidir 92
stifle	étouffer 31, réprimer 31

stimulate	stimuler 31
sting	picoter 31, piquer 103
stink	puer 164
stir	agiter 7, remuer 202, tourner 31
stitch	coudre 42, suturer 31
stock	approvisionner 67
stop	arrêter 8, cesser 154
store	accumuler 8, entreposer 8
straighten	redresser (se) 154 (118)
strain	fatiguer 128, forcer 147
strangle	étrangler 8
strengthen	fortifier 47, renforcer 147
stretch	étendre 205, étirer 8, tendre 205
stretch out	allonger 150, tendre 205
strike	frapper 31, heurter 101
stroke	caresser 154
stroll	flâner 31
struggle	lutter 31
study	étudier 86
stuff	bourrer 31, farcir 92
stumble	trébucher 31
stun	abasourdir 92, assommer 31
stutter	bégayer 140
subject	assujettir 92
submit	soumettre 121
subscribe to	abonner (s') 118, souscrire 54
subside	affaisser (s') 118
subsidize	subventionner 67
substitute	substituer 202
subtract	soustraire 66
succeed	réussir 92
suck	sucer 147
suffer	éprouver 8, souffrir 133
sufficient (be)	suffire 194
suffocate	suffoquer 103
sugar	sucrer 31
suggest	proposer 31, suggérer 156
suit	arranger 116, convenir 159 (N)
sulk	bouder 31

summarize	résumer 31
summon	convoquer 103
supervise	surveiller 41
supply	approvisionner 67, fournir 92
support	appuyer 17, soutenir 198
suppose	supposer 31
suppress	supprimer 31
surface	émerger 111, revêtir 207
surpass	surpasser 154
surprise	étonner 67, surprendre 157
surrender	capituler 31, rendre (se) 171 (118)
surround	encercler 8, entourer 8
survey	examiner 8, inspecter 8
survive	survivre 208
suspect	soupçonner 67
suspend	suspendre 205
sustain	soutenir 198, subir 92
swallow	avaler 8
swap	échanger 116
sway	osciller 28, vaciller 28
swear	jurer 31
sweat	suer 202, transpirer 31
sweep	balayer 140
swell	enfler 8, gonfler 31
swim	nager 111
swing	balancer 112, osciller 28
switch on	allumer 8, ouvrir 134
switch off	éteindre 141, fermer 31
sympathize	compatir 92

T

tackle	attaquer à (s') 103 (118), tacler 103
take	emmener 119, emporter 8, mener 119, prendre 157
take apart	démonter 57
take away	emporter 31, enlever 73
take back	rapporter 31, reprendre 157
take down	descendre 59
take in	héberger 111 (100), rentrer 172, tromper 31
take off	décoller 31, déduire 200, enlever 73

take on	**assumer 8, embaucher 8**
take out	**retirer 31,** sortir 191
take over	**reprendre 157**
take up	monter 122
talk	**parler 31**
tame	**apprivoiser 8, dompter 31**
tan	**bronzer 31**
tangle	**emmêler 8**
tape	**enregistrer 8**
taste	**déguster 31, goûter 31**
tax	**imposer 8, taxer 31**
teach	**apprendre 16, enseigner 97, instruire 60**
tear	**déchirer 31**
tear apart	**déchirer 31**
tear down/off	**arracher 8**
tear up	**déchirer 31**
tease	**taquiner 31**
telephone	**téléphoner 31**
televise	**téléviser 31**
tell	dire 63, **raconter 31**
tell off	**gronder 31**
tempt	**tenter 31**
terrify	**terrifier 47**
test	**éprouver 8, tester 31**
thank	**remercier 15**
think	croire 48, **penser 31, réfléchir 92**
think up	**inventer 8**
threaten	**menacer 147**
thrive	**pousser 154, prospérer 156**
throw	**jeter 108, lancer 112**
throw back	**rejeter 108, relancer 112**
throw out	**jeter 108, rejeter 108**
tidy (up)	**ranger 116**
tie	**attacher 8, nouer 110**
tighten	**serrer 188**
time	**minuter 31**
tip up	**basculer 31**
tire	**fatiguer 128**

tolerate	tolérer 156
torment	tourmenter 31
torture	torturer 31
toss	lancer 112
touch	toucher 31
toughen	endurcir 92
tow	remorquer 103
trace	retrouver 31, tracer 147
track down	dénicher 31, dépister 31
trade	échanger 116
train	dresser 154, former 31
trample on	piétiner 31
transfer	muter 31, transférer 156
transform	transformer 31
translate	traduire 200
transmit	émettre 121, transmettre 121
transplant	greffer 31, transplanter 31
transport	transporter 31
trap	piéger 163
travel	voyager 111
treat	soigner 97, traiter 31
tremble	trembler 31
trigger	déclencher 31
trim	tailler 201
trip	trébucher 31
trouble	déranger 116, troubler 31
trust	fier (se) 118
try	essayer 140
tune	accorder 8, régler 168
turn	retourner 177, tourner 31, virer 31
turn away	détourner (se) 31 (118), refuser 31
turn down	baisser 154, rejeter 108
turn off	éteindre 141, fermer 31
turn on	allumer 8, ouvrir 134
turn up	monter 122, relever 73
twirl	tortiller 28
twist	tordre 123, tourner 31
type	taper 31

U

unbend	détendre 205
unblock	déboucher 31
underestimate	sous-estimer 31
undergo	subir 92
underline	souligner 97
undermine	saper 31
understand	comprendre 36
undertake	entreprendre 157
undo	défaire 90
undress	déshabiller (se) 28 (118)
unfold	déplier 47
unify	unifier 86
unite	unir 92
unload	débarquer 103, décharger 111
unlock	ouvrir 134
unmask	démasquer 103
unpack	déballer 31
unpick	découdre 42
unplug	débrancher 31
unroll	dérouler 31
unscrew	dévisser 154
untie	dénouer 110
unwind	dérouler 31
uphold	soutenir 198
upset	bouleverser 31, renverser 31
urge	encourager 111, presser 154
use	employer 129, user 8, utiliser 8

V

vacate	libérer 156, quitter 31
vaccinate	vacciner 31
value	estimer 8, évaluer 202
vanish	disparaître 136
vary	diversifier 47, varier 47
venture	aventurer (s') 118, hasarder 101
vibrate	vibrer 31
view	visiter 31
violate	violer 31

visit	**visiter** 31
vomit	**vomir** 92
vote	**voter** 31
vow	**vouer** 110

W

waddle	**dandiner (se)** 118
wail	**hurler** 101
wait	**attendre** 22, **patienter** 31
wake (up)	**réveiller (se)** 41 (118)
walk	**marcher** 31
wander	**errer** 188
want	**vouloir** 210
ward off	**obvier** 86
warm (up)	**chauffer** 31, **tiédir** 92
warn	**avertir** 92
wash	**laver** 31
waste	**gâcher** 31, **gaspiller** 28
watch	**observer** 8, **regarder** 31
watch out	**méfier (se)** 118
water	**arroser** 8
wave	**agiter** 7, **brandir** 92
waver	**osciller** 28
weaken	**affaiblir** 6, **faiblir** 6
wear	**porter** 31
wear down	**miner** 31, **user (s')** 8 (118)
wear out	**épuiser** 8, **user (s')** 8 (118)
weep	**pleurer** 31
weigh	**peser** 146
welcome	**accueillir** 2, **recevoir** 166
wet	**mouiller** 93
whine	**geindre** 141
whip	**fouetter** 31
whisk	**fouetter** 31
whisper	**chuchoter** 31
whistle	**siffler** 31
widen	**élargir** 7
win	**gagner** 97
wind	**enrouler** 8

wink	**cligner** 97
wipe	**essuyer** 78
wish	**souhaiter** 31
withdraw	**retirer (se)** 31 (118)
wither	**faner (se)** 118, **flétrir (se)** 92 (118)
withhold	**retenir** 198
withstand	**résister** 31, **supporter** 31
wobble	**chanceler** 14
work	**marcher** 31, **travailler** 201
work out	**calculer** 31
worry	**inquiéter (s')** 35 (118)
worsen	**empirer** 8
worth (be)	**valoir** 204
wound	**blesser** 154
wrap	**emballer** 8
wreck	**démolir** 92, **détruire** 60
wrestle	**lutter** 31
wring	**tordre** 123
wring out	**essorer** 8
wrinkle	**froncer** 11
write	**écrire** 72
wrong	**léser** 114

Y

yawn	**bâiller** 201
yell	**hurler** 101

Z

zigzag	**zigzaguer** 128